Elgan Philip Davies

RHYW
CHWARAE
PLANT

CYMDEITHAS LYFRAU CEREDIGION GYF.

Argraffiad cyntaf: 1995

Hawlfraint yr argraffiad: Cymdeithas Lyfrau Ceredigion Gyf. © 1995
Hawlfraint y testun: Elgan Philip Davies © 1995

ISBN 0 948930 43 8

Dychmygol yw holl gymeriadau a digwyddiadau'r nofel hon.

Dymuna'r cyhoeddwyr gydnabod cymorth
Adrannau Cyngor Llyfrau Cymru.

Cyhoeddwyd dan gynllun comisiynu Cyngor Llyfrau Cymru.

Cysodwyd ac argraffwyd gan Wasg Dinefwr, Heol Rawlings,
Llandybïe, Dyfed SA18 3YD.

Cyhoeddwyd gan Gymdeithas Lyfrau Ceredigion Gyf., Llawr Uchaf,
Bryn Awel, Y Stryd Fawr, Aberystwyth SY23 1DR.

i
Menna

Dydd Sadwrn 17 Gorffennaf
21:30 – 23:50

Taflodd PC Ieuan Daniels y stwmpyn sigarét allan drwy ffenest y car a chwythu llond ysgyfaint o fwg i lawr blaen ei grys haf golau i erlid y lludw tybaco. Gwthiodd ei law chwith ar draws ei gôl a'i liniau gan godi'r lludw a chwyrlïodd am rai eiliadau cyn disgyn drachefn ar ei drowsus tywyll.

Dylyfodd ên nes i ddagrau gronni yng nghorneli ei lygaid. Sychodd nhw â chledrau ei ddwylo a'u hagor yn araf i syllu drwy'r gwlybaniaeth ar gloc y car yn llusgo ymlaen: saith awr a hanner arall cyn diwedd y shifft; y shifft olaf cyn ffarwelio â phob shifft am bythefnos. Tynnodd ei hun i fyny yn y sedd a theimlo blaenau'r pinnau bach yn gwasgu'n ddyfnach i gnawd ei ben-ôl. Ochneidiodd a throi i edrych i gyfeiriad y traeth lle'r oedd rhyw ddeg ar hugain o blant ysgol yn dal i'w mwynhau eu hunain.

Plant ysgol! Ni fyddai'r rhain yn gwerthfawrogi cael eu galw'n blant ysgol, meddyliodd. Roedd ei blant ef ei hun yn dal yn ddigon ifanc i gael eu disgrifio felly heb deimlo'u bod wedi eu sarhau, ond i'r criw yma byddai cael eu galw'n bobl ifanc, hyd yn oed, yn nawddoglyd. Yn enwedig yn awr a'r mwyafrif ohonynt yn dathlu diwedd eu harholiadau Lefel A, yn gadael yr ysgol cyn camu'n hyderus, neu lithro'n esgeulus yn achos ambell un, i gyfnod newydd yn eu hanes.

Yn ôl Berwyn Jenkins, rhingyll y shifft nos, dechreuodd y parti ar Draeth Gwyn am wyth o'r gloch gyda rhyw hanner cant o blant ysgol (geiriau'r rhingyll) yn bwrw iddi fel gwenyn wrth goeden o afalau pwdwr (ei eiriau ef eto). Dywedodd wrth Ieuan i gadw llygad arnyn nhw rhag ofn i bethau fynd dros ben llestri. 'Cwmni mawr, penne bach, gormod o gwrw ac rwyt ti'n siŵr o ga'l trwbwl. Arhosa 'na tan stop tap pan fydd mwy o dy ise di lan ar y sgwâr.'

Cerddodd bachgen a merch, braich am war a braich am ganol, i fyny'r llwybr o'r traeth i'w gyfeiriad. Wrth iddynt ei basio fe gadwodd y ferch ei phen yn isel yng nghesail y bachgen, ond fe daflodd ef edrychiad slei, heriol i gyfeiriad y car heddlu. Nid y ddau yma oedd y cyntaf i adael y traeth, ac roedd Ieuan Daniels yn ddigon parod i dderbyn bod ei bresenoldeb wedi taflu dŵr oer ar eu hwyl. Roedd hefyd yn barod i dderbyn mai ei bresenoldeb ef oedd i gyfrif bod nifer ohonynt yn cerdded y ddwy filltir ar hyd llwybr yr arfordir yn ôl i gyfeiriad goleuadau'r dref yn lle cael eu cario yn y ceir a lenwai'r maes parcio'n gynharach. Bellach roedd nifer o'r ceir wedi gadael yn llawn, ond nid oedd yr un ohonynt yn orlawn. Gydag ychydig o lwc fe fyddai'r parti drosodd erbyn y byddai'n bryd iddo ef ei throi hi am y sgwâr.

Ond nid oedd pawb a adawodd y goelcerth wedi cerdded i gyfeiriad y dref. Cyrchodd ambell bâr am gysgodion y twyni a ymestynnai ryw filltir ar ochr ddwyreiniol y traeth lle cynhaliwyd y parti. Roedd Ieuan Daniels yn ddigon parod i adael llonydd iddynt, dim ond iddynt hwythau adael llonydd i'r cabanau pren a oedd ar y rhimyn gwastad o draeth rhwng y môr a'r twyni, gan mai dyna'r gwir reswm pam ei fod ef yno.

Rhan o ddatblygiad y dref yn ystod chwarter cyntaf yr ugeinfed ganrif oedd cabanau pren Traeth Gwyn. Ond ni fyddai'r gwŷr busnes a'r gwŷr proffesiynol a'u hadeiladodd er mwyn i'w teuluoedd gael treulio hafau hirfelyn yn y cyfnod Edwardaidd yn chwarae ar lan y môr, yn gwerthfawrogi eu galw'n gabanau. Nid rhyw siediau bychain un ystafell gyda dim ond digon o le i berffeithio'r dull hercio-ar-ungoes i wisgo gwisg nofio oedd y rhain, ond deugain o *chalets* dwy ystafell a chegin lle y gallai dyn a'i deulu eistedd yn ôl yn gyfforddus gyda'r drws yn agored led y pen i edrych ar y môr a'i donnau.

Ond er mor urddasol fu eu gorffennol, dros y tri chwarter canrif ers eu codi lleihawyd ar eu nifer drwy esgeulustod y perchenogion ac ymosodiadau'r tywydd nes gadael dim ond tri ar hugain ar ôl. Ni allai Heddlu Dyfed-Powys wneud dim i atal eu dirywiad o'r ddau gyfeiriad yna, ond pan losgwyd un ohonynt yn ulw gan fandaliaid ryw ddeng niwrnod yn gynharach, credai perchenogion y cabanau y gallai'r heddlu wneud rhywbeth ynghylch hynny. Efallai fod dylanwad y perchenogion yn dipyn llai yn awr nag yr oedd pan adeiladwyd y cabanau, ond yr oedd yn dal yn ddigon i sicrhau bod Ieuan Daniels yn eistedd yn ei gar yn y maes parcio yn cadw llygad ar y goelcerth a ddaliai i losgi'n ffyrnig ar y traeth ryw ganllath a hanner i ffwrdd.

Dringai'r fflamau melyn, llydan i'r awyr a chleciai'r coed gan dasgu gwreichion yn gawod uwchben y gweddill ffyddlon o'i chwmpas. Awr neu ddwy arall ac fe fyddai'n benllanw, a châi olion olaf y goelcerth eu golchi i ffwrdd, ond am y tro roedd yna fywyd a chroeso ynddi. Llifai ton ar ôl ton o gerddoriaeth i fyny o'r traeth gan olchi dros yr heddwas. O bryd i'w gilydd torrwyd ar draws curiadau'r gerddoriaeth a'r canu cynulleidfaol chwil gan sŵn chwerthin a sgrechian cyn i'r un hen diwn gron ailddechrau. Pe clywai Daniels unwaith eto am Gwenan yn y gwenith, byddai'r criw ar y traeth yn ei glywed *ef* yn sgrechian.

Dylyfodd ên unwaith eto gydag arddeliad. Gyda'r holl baratoadau munud olaf a'r pacio ar gyfer y gwyliau wedi llyncu ei brynhawn, nid oedd wedi cael cyfle i gysgu fel yr hoffai wneud cyn ei shifft nos. Roedd yn hen barod am wyliau – ond nid y gwyliau roedd ei wraig wedi'u trefnu ar eu cyfer.

Byddai'n llawer gwell ganddo ef aros gartref a rhoi sylw i'r cant a mil o jobsys roedd Jane yn ei atgoffa byth a beunydd fod angen eu gwneud – dim ond iddo gael ambell daith bysgota i'r Tywi, wrth gwrs. Ni allai ef ddeall pam ar wyneb y ddaear fod raid mynd i rywle dim ond am ei bod hi'n wyliau. Am bedwar deg saith o wythnosau'r flwyddyn gadawai ei gartref bob dydd i fynd i'r gwaith; byddai cael pythefnos o aros gartref a gwneud dim ond yr hyn a ddymunai, pryd y dymunai, wedi bod yn braf iawn. Dyna fyddai gwyliau. Ond pe dywedai hynny wrth Jane, 'Er mwyn y plant,' fyddai ei hateb hi bob tro, ac nid oedd dweud fod gan y plant bedair wythnos arall o wyliau i wneud fel yr oedden nhw'n dewis yn cael dim effaith arni. Byddai hi naill ai'n siglo'i phen ac yn edrych arno'n gyhuddgar gan wneud iddo deimlo'n euog ac yn fethiant fel tad, neu byddai'n rhoi ei braich am ei wddf, ei phen ar ei ysgwydd ac yn sibrwd yn ei glust, 'Ieu ...' Roedd y naill ystryw fel y llall yn ei lorio bob tro.

Ond o orfod mynd i ffwrdd, nid pythefnos yn Butlins fyddai ef wedi ei ddewis, ond pythefnos o bysgota yn yr Alban. Iawn, fe fyddai'r plant yn siŵr o fwynhau holl atyniadau parod y gwersyll gwyliau ac ni fyddai Jane yn gorfod poeni am baratoi bwyd. Gwyddai y byddai Karen wedi mwynhau'r pysgota ac y gallai Jane a Michelle gael amser da hefyd, dim ond i Jane wneud ychydig o ymdrech. Ond, fel arfer, ef oedd yn gorfod gwneud yr ymdrech i gyd. Iawn, fe gâi Jane ei gwyliau mewn gwersyll eleni, ond byddai pethau'n wahanol y flwyddyn nesaf. Efallai.

Edrychodd ar y cloc; roedd hi bron yn ddeg o'r gloch. Cyn bo hir byddai'n amser iddo droi am y sgwâr i gwrdd â gofid.

Chwyrnodd y radio ac estynnodd Daniels amdano. 'Foxtrot Brafo Pedwar.'

'Helynt yn rhif saith Maes Heledd. Cweryl rhwng gŵr a gwraig,' meddai'r ferch ar y pen arall.

'Ar 'yn ffordd. Ddylen i fod 'na mewn rhyw ddeng munud.'

'Iawn, Foxtrot Brafo Pedwar. Allan.'

Taniodd Ieuan Daniels beiriant y Maestro a'i lywio allan o'r maes parcio ac ar hyd y ffordd gul at y briffordd. Rhyw bŵr dab arall yn meiddio gwrthwynebu mynd i Butlins, meddyliodd.

'Braidd yn anghysbell, on'd yw e?' meddai Gareth Lloyd gan roi'r cwpan coffi gwag i lawr ar y bwrdd bach pren yn ei ymyl.

'Mwy o breifatrwydd. Deuddeg munud i'r dre. Ugain munud y ffordd arall ac rwyt ti yng Nghaerfyrddin. Alla i ddiodde hynny er mwyn bod mas yn y wlad,' atebodd Alun Mathews.

Nodiodd Gareth. 'Beth am Rhian? Shwd ma' hi'n teimlo am fod 'ma ar 'i phen 'i hunan drwy'r dydd?'

'Dwi wrth 'y modd,' meddai Rhian, ei hamseru'n berffaith wrth gamu o'r gegin â jwgaid o goffi ffres. Merch brydferth, dywyll ei gwedd oedd Rhian Mathews a chanddi wyneb hir-grwn tebyg i Alun ei gŵr. Tebyg at ei debyg, meddyliodd Gareth, neu ai tyfu i fod yn debyg a wnâi gŵr a gwraig?

Dilynodd Carys Huws wrth ei sodlau ac edrychodd Gareth ar yr wyneb cul, golau a'r gwallt melynfrown a oedd wedi ei dorri'n fyr. Oedd yna debygrwydd rhyngddo ef a Carys? meddyliodd; roedd ei wyneb yntau'n gul a'i wallt yn frown. Rhoddodd Carys y plataid bisgedi ar y bwrdd yng nghanol y llawr a dod i eistedd ar y soffa yn ymyl Gareth. Trodd ac edrych i fyw ei lygaid, ac fel pob tro arall, teimlodd Gareth holl gynhesrwydd ei chariad yn yr edrychiad sydyn hwnnw.

'Mae'n braf ca'l bod yn feistr, neu'n feistres yn hytrach, ar dy dŷ dy hun,' meddai Rhian gan lenwi cwpanau Gareth a'i gŵr. Yn union fel yr oedd Gareth wedi disgwyl, roedd Rhian wedi'i thaflu ei hun i'w bywyd priodasol ac yn mwyn-hau pob munud o'i statws newydd. 'Dwi ddim yn gwbod nawr shwd arhoses i gartre mor hir. Priodi Alun o'dd y peth gore wnes i erio'd,' a gwenodd ar ei gŵr heb arlliw o letchwithdod ac eistedd yn y gadair esmwyth gyferbyn ag ef. Gwenodd Alun Mathews arni'n dadol fodlon.

'Ond peidiwch meddwl am eiliad 'mod i'n beirniadu Mam,' ychwanegodd Rhian. 'Alle neb ga'l mam well, ac ma' hi'n meddwl y byd ohonot ti, Alun, ond, wel, Mam yw Mam a fi yw fi ac ma'n rhaid i fi ddweud ei bod hi'n braf iawn ca'l fy nghartre fy hunan ar ôl byw gartre am gymaint o flynyddoedd. Fe ddylen i fod wedi neud yr un peth â ti, Carys, a symud mas cyn hyn, ond dyw hynny ddim yn golygu ...' ac ymlaen â hi yn ei ffordd ddi-hid, an-hunanymwybodol arferol ei hun.

Pwysodd Gareth yn ôl a gadael i'w llais a dedwyddwch y noson gau amdano. Dim ond chwe mis oedd wedi mynd heibio ers iddo gyfarfod â'r tri yma, ond roeddynt erbyn hyn yn rhan bwysig o'i fywyd. Estynnodd am ei goffi a sylwi bod Carys ac Alun hefyd yn drachtio'n dawel ac yn gadael i Rhian gael penrhyddid i roi trefn ar ei meddyliau. Dyna a wnâi yng nghwmni ffrindiau bob amser. Gwelai Rhian Mathews y byd a'i bethau yn unig mewn perthynas â hi ei hunan, ond nid mewn unrhyw ffordd fyfïol, hunanbwysig, fel y tybiodd Gareth y troeon cyntaf iddo'i chyfarfod, ond am y rheswm syml mai dyna oedd yr unig linyn mesur a oedd ganddi. Ffrindiau Carys oedd Rhian ac Alun, ond trwy ei berthynas ef â hi roeddynt yn awr yn ffrindiau iddo yntau hefyd. Cylch cyfyng cyfeillgarwch, ac roedd Gareth yn ddiolchgar ei fod yn rhan ohono.

Ddechrau'r flwyddyn honno y symudodd ef i'r dref fel y ditectif rhingyll diweddaraf i ymuno ag ymerodraeth y Ditectif Prif Arolygydd Clem Owen, ac ar ei ddiwrnod cyntaf disgynnodd dros ei ben a'i glustiau i ganol ymchwiliad i lofruddiaeth. Yn ystod yr ymchwiliad hwnnw y cyfarfu â

Carys – a disgyn dros ei ben a'i glustiau unwaith eto. Tyfodd eu perthynas yn gyflym ac o'r cyfarfod cyntaf bron, roedd yna ddealltwriaeth arbennig rhyngddynt, gyda'r ddau yn gwybod yn reddfol pryd i dynnu coes a phryd i ddifrifoli. Ond yr hyn a'i synnodd, a'i blesio, oedd parodrwydd digwestiwn Carys i'w dderbyn fel plismon – ac i dderbyn ei fod yn hoffi bod yn blismon. Nid oedd hi wedi gofyn iddo pam yr oedd wedi dewis bod yn blismon, nac wedi crybwyll wrtho unwaith y dylai newid ei swydd, na hyd yn oed wedi taflu cysgod awgrym i'r cyfeiriad hwnnw – rhywbeth yr oedd nifer o ferched eraill yr adnabu Gareth dros y blynyddoedd wedi ei wneud yn rhwydd, gan gymryd yn ganiataol fod ganddynt yr hawl i wneud hynny. O'r herwydd, fe ddaeth ymateb y merched i'w waith yn rhyw fath o faen prawf, er gwaethaf ei deimladau at ambell un.

Heb yn wybod iddo, rhaid ei fod yntau wedi goresgyn meini prawf Carys hefyd, gan fod eu perthynas, erbyn priodas Rhian ac Alun ddiwedd Mehefin, ar dir digon cadarn i gyfiawnhau'r tynnu coes mai nhw fyddai'r nesaf i briodi. Wel, pwy a ŵyr ... Ond heno, roedd bod yng nghwmni Carys a mwynhau eu pryd cyntaf yng nghartref newydd Alun a Rhian yn ddigon.

Torrodd chwerthin y lleill ar ei synfyfyrio ac edrychodd Gareth o'i gwmpas, ar goll, fel nofiwr yn brigo wyneb y dŵr.

'Rhian! Alli di ddim gweud 'ny!' meddai Carys, a'i llais yn gymysgedd o syndod a chellwair.

'Pam lai? Mae e'n wir, on'd yw e?' meddai Rhian gan edrych ar ei ffrindiau o un i un. 'On'd yw e?'

Chwarddodd Carys eto. Edrychodd Gareth arni. Roedd hi'n agos at golli rheolaeth. Gair arall gan Rhian a byddai Carys yn ei dyblau. Gwenodd Gareth, nid oherwydd y jôc a oedd yn dal yn ddirgelwch iddo, ond oherwydd personoliaeth Carys. Roedd yn dal i syllu arni pan synhwyrodd fod Alun Mathews yn edrych arno. Trodd ato a dal ei edrychiad. Cododd hwnnw'r gwydraid o wisgi y bu'n ei yfed am yn ail â'i goffi.

'Wyt ti'n siŵr na chymeri di rywbeth? Ma' diferyn o'r gwin ar ôl.'

'Na, dwi'n iawn. Bydda i'n gyrru mewn munud.' Gwyddai Alun Mathews yn iawn nad oedd Gareth yn yfwr ond nid oedd hynny wedi ei atal ef, nac ambell un o gydweithwyr Gareth yn Heddlu Dyfed-Powys, rhag ceisio ei achub rhagddo'i hun. Hyd yn hyn, yn rhyfedd ddigon, nid oedd neb wedi gofyn iddo pam nad oedd e'n yfwr. Hyd yn oed Carys. A dyna reswm arall, mae'n siŵr, pam roedd eu cyfeillgarwch wedi parhau.

'Dy'ch chi ddim yn mynd?' gofynnodd Rhian.

'Bydd rhaid i ni cyn bo hir,' meddai Gareth.

'Wyt ti'n gweithio fory?' gofynnodd Alun iddo.

'Bydd rhaid i fi fynd mewn am ychydig peth cynta.'

'Shwd alli di fyw gyda'r fath ddyn, Carys?' gofynnodd Rhian yn gellweirus.

'Dwi ddim.'

'Ddim yn beth?'

'Yn byw gyda fe.'

'Wi'n falch clywed 'ny. Priodwch gynta, bydd hi'n haws i ti 'i newid e wedyn.'

'Rhywbeth diddorol dan sylw?' gofynnodd Alun, a oedd wedi dangos diddordeb byw yng ngwaith Gareth o'r cychwyn.

'Na, dim byd arbennig. Rhyw fanion o waith papur i roi trefn arnyn nhw.'

'Beth am y tane 'na? O's 'na unrhyw ddatblygiade?' pwysodd Alun.

'Dim, dwi'n ofni.' Roedd Gareth wedi hen ddysgu cau ei geg am ei waith. Er hynny, daliai Alun Mathews i'w holi'n gyson am yr achosion yr oedd yn ymwneud â nhw. Tan heno credai Gareth mai ymddiddori yn nigwyddiadau'r ardal oedd Alun, ond wrth gael ei arwain o ystafell i ystafell i edmygu tŷ newydd ei ffrindiau, sylwodd ar gasgliad Alun o lyfrau ffeithiol am lofruddiaethau mwyaf erchyll y blynyddoedd diwethaf. Ac er bod y papur wal, y llenni, y dodrefn a'r addurniadau wedi toddi i'w gilydd erbyn hyn, roedd y silffoedd hynny o lyfrau yn dal yn glir yng nghof Gareth.

'Cofia'n bod ni'n ca'l cinio gyda'n rhieni fory,' meddai Carys wrtho.

Nodiodd Gareth, gan ddiolch iddi am droi'r sgwrs.

'Alun, wyt ti'n cofio'r tro cynta y dest ti i ga'l swper 'da ni?'

Caeodd Alun ei lygaid a siglo'i ben. 'Na, paid Rhian. Paid,' ymbiliodd arni dan wenu.

'Ai dyna pryd ga'th Alun y cimwch?' gofynnodd Carys, gan godi ei llaw i'w cheg er mwyn rheoli ei chwerthin.

'Ie, a ti'n gwbod shwd ma' Alun yn dwlu ar bysgod,' meddai Rhian gan edrych yn ddireidus ar ei gŵr.

Gwichiodd Carys a chau ei llaw yn dynn am ei cheg.

'Be nei di â nhw, Gareth?' gofynnodd Alun, gan ddal ei ddwylo ar led i ddangos ei fod ef yn sicr yn analluog i'w hatal. 'Dyle fod 'na ddeddf yn 'u gwahardd nhw rhag bod yng nghwmni'i gilydd am fwy nag awr ar y tro.'

'Bydde deddfu'n hawdd, ei gweithredu fydde'r broblem.'

'Ti'n iawn, bydde fe'n wastraff amser llwyr.'

Gwastraff amser llwyr, meddyliodd Ieuan Daniels wrth arafu'r Maestro yn ymyl y palmant a diffodd y peiriant. Yn ei farn ef, y peth gorau i'w wneud â chweryl teuluol oedd gadael iddo redeg ei gwrs gan obeithio na fyddai angen dim mwy nag ychydig o bwythau i ddod â'r ddwy ochr at ei gilydd unwaith eto. Yn sicr, y peth diwethaf y dylai unrhyw un ei wneud fyddai camu rhwng y ddwy ochr. Roedd y sawl a oedd yn ddigon o ffŵl i ymyrryd yn debygol o gael ei gicio o ddau gyfeiriad.

Wel, does neb yn fwy o ffŵl na'r hwn sy'n cael ei dalu am fod yn un, meddyliodd Ieuan gan estyn am ei helmed o'r sedd gefn. Bustachodd o'r car, gwisgo'i helmed a thynnu'r strapen i'w lle o dan ei dagell. Gwthiodd gwt ei grys, a oedd yn wlyb gan chwys, i mewn i'w drowsus, cyn ei dynnu i fyny fodfedd neu ddwy dros ei fol a cherdded i gyfeiriad rhif saith.

Ystad fechan o ddeunaw tŷ oedd Maes Heledd, ond hyd yn oed pe bai yno ddeunaw cant o dai ni fyddai Ieuan Daniels wedi cael unrhyw drafferth i ddod o hyd i rif saith. Roedd y tŷ fel Neuadd Glan Morfa ar noson gynta'r pantomeim blynyddol: y goleuadau ynghynn, a chynulleidfa ddisgwylgar wedi ymgynnull i wylio perfformiad hwyr, annisgwyl. A does dim byd tebyg i theatr fyw i dynnu cynulleidfa. Clywai gerddoriaeth yn codi o un o'r tai cyfagos, fel pe bai rhywun wedi ei threfnu er mwyn cadw'r gynulleidfa'n ddiddig wrth aros am ymddangosiad y ffŵl. Arhosodd Ieuan a gwrando. Diolch byth, meddai, pan adnabu lais Geraint Jarman – ddim Gwenan a'i gwenith!

Safai torf o ryw bymtheg o bobl yn un twr yng ngolau lamp y stryd. 'Reit!' meddai Ieuan gan wthio'i ffordd drwyddynt i ganol y llwyfan. 'Be sy'n mynd mla'n fan hyn?' gofynnodd fel plismon drama o'r iawn ryw. Gwyddai nad oedd hwn yn gyfarchiad gwreiddiol, ond gan nad oedd dim byd yn arbennig o wreiddiol yn y sefyllfa, a gan ei fod yn gwestiwn a oedd wedi ennyn ymateb oddi wrth sawl cynulleidfa yn y gorffennol, ni theimlai unrhyw gywilydd wrth ddefnyddio hen sgript.

'Mewn fan'na,' meddai dyn ifanc gan bwyntio at rif saith.

'Beth y'ch chi'n mynd i' neud ynglŷn â'r holl sŵn?' gofynnodd dyn tal, cefnsyth.

'Pwy sy mewn 'na?' gofynnodd Daniels gan anwybyddu'r ddau ddyn ac edrych ar wraig ganol oed ddibynadwy yr olwg.

'Nhw!' atebodd y dyn tal a oedd yn benderfynol na fyddai'n cael ei anwybyddu. 'Nhw sy wedi bod yn neud yr holl sŵn, wrth gwrs.'

'Y Pritchards,' meddai dynes dal a allai fod yn wraig, neu'n chwaer, i'r dyn cefnsyth.

'Susan a Mike Pritchard,' ychwanegodd y wraig ganol oed.

Camodd Daniels yn nes at y tŷ. A dilynodd y dorf, fel pe baen nhw ynghlwm wrth linyn. Arhosodd yr heddwas a gofyn, 'O's 'da nhw blant?'

'O's,' atebodd y wraig ganol oed. 'Merch fach. Nia.'

A meddyliodd Daniels am ei ferched ef.

'Dyw pobol fel'na ddim yn ffit i ga'l plant,' meddai'r dyn cefnsyth gan geisio, unwaith eto, roi stamp ei awdurdod ar y sefyllfa. Adwaenai Ieuan Daniels y teip; roedd wedi cyfarfod â dwsinau o'r blaen gan fod o leiaf un ym mhob cymuned.

'Wastad yn cwmpo mas, odyn nhw?' gofynnodd Ieuan Daniels, gan droi at gydwybod torfol Maes Heledd.

'Nagyn, wrth gwrs nagyn!' meddai'r ddynes dal cyn i'r dyn cefnsyth gael cyfle i ddweud gair. 'Ma'n nhw'n bâr tawel a dymunol iawn. Dyma'r tro cynta i unrhyw beth fel hyn ddigwydd.'

'Pryd yn union dechreuodd yr helynt?'

'Ryw hanner awr 'nôl, tua chwarter i ddeg,' meddai'r dyn ifanc a oedd wedi siarad gyntaf. 'Dwi'n byw drws nesa ac rown i mas yn y cefn yn casglu pethe'r plant o'r ardd pan glywes i leisie'n gweiddi ar draws 'i gilydd. Rown i'n meddwl i ddechre ma'r teledu o'dd yn cadw sŵn.'

'Ai chi ffoniodd ni?'

'Ie,' atebodd y dyn, braidd yn swil, gan sylweddoli y byddai ei gymdogion yn ei ystyried yn fusneslyd.

'Ond dy'ch chi erio'd wedi 'u clywed nhw'n ymladd o'r bla'n?'

'Nadw, byth.'

'Be nath i chi'n ffonio ni 'te?'

'Ro'dd y sŵn yn ofnadw, pethe'n ca'l eu taflu a llestri'n torri.'

'A dim ond nhw'll dau glywoch chi? Neb arall?'

Siglodd y dyn ei ben cyn ateb. 'I ddweud y gwir, dwi ddim yn credu i fi glywed llais neb. Na, dwi ddim yn credu fod neb arall 'na.'

'Ro'dd rhywun arall 'na'n gynharach,' cynigiodd y wraig ganol oed.

'Pryd?'

'Ryw dri chwarter awr 'nôl.'

'Weloch chi pwy o'dd 'na?'

'Naddo. Gweld car tu fas 'nes i, weles i ddim pwy o'dd ynddo fe.'

'Weles i gar hefyd,' meddai dyn a oedd yn cyfrannu am y tro cyntaf. 'Cosworth arian newydd sbon o'dd e.'

'Pryd o'dd hyn?'

'O, rywbryd rhwng chwarter a hanner awr 'nôl.'

'Ond do'dd dim sŵn yn dod o'r tŷ bryd 'ny?'

'Chlywes i ddim, ond dwi'n byw lawr fan'co,' ac yna fe drodd y dyn a phwyntio at y rhes o dai gyferbyn. 'Fydden i ddim wedi clywed dim o fan'na.'

Edrychodd Daniels o'i amgylch ar y gweddill ond nid oedd un o'r cymdogion agosaf wedi clywed dim tan o leiaf chwarter i ddeg, ac os oedd y rhai a welodd y car yn iawn o ran yr amser, mae'n rhaid bod hwnnw yno pan ddechreuodd yr helynt.

'Wel, odych chi'n mynd i aros fan'na'n siarad drwy'r nos neu fynd mewn i'w tawelu nhw?' mynnodd y dyn cefnsyth gan wneud un ymdrech arall i sefydlu ei awdurdod.

'Chlywa i ddim byd nawr, syr.'

Trodd pawb tua'r tŷ a gwrando. Ar wahân i Geraint Jarman yn canu 'Disgwyl y Barbariaid', roedd yr ystad yn dawel.

'Reit, gyfeillion,' meddai Daniels gan ledu ei freichiau a hebrwng y dorf i'r stryd. 'Diolch i chi i gyd am eich cymorth ond dwi'n credu mai'ch cartrefi yw'r lle gore i chi nawr.' Arhosodd i edrych arnyn nhw'n cerdded i ffwrdd yn gyndyn, cyn troi yn ôl am y tŷ.

Gwasgodd gloch y drws a chlywed y ding-dong eglwysig yn atseinio y tu mewn. Drwy wydr y drws gwelodd amlinelliad rhywun yn dod i'r cyntedd ac yn syllu i'w gyfeiriad cyn cilio'n ôl i'r cefn. Gallai fod yn ŵr, yn wraig, yn dreisiwr neu'n ddioddefwr; ni allai farnu drwy wydr rhewog. Ond dyna'n union y disgwylid iddo ei wneud, mwya'r ffŵl ... Gwasgodd fotwm y gloch unwaith eto a'i ddal nes i'r amlinelliad ailymddangos ac ateb y drws.

'Noswaith dda,' meddai Daniels i gyfeiliant atsain clychau.

'Helô,' ychydig yn amddiffynnol ac yn ddiamynedd efallai, ond nid oedd dim yn osgo'r dyn i awgrymu ei fod yn beryglus. Y teip gwaethaf, meddyliodd Daniels.

'Mr Pritchard?'

'Ie.'

'Odi popeth yn iawn?'

'Odi.'

'Ro'dd rhai o'ch cymdogion yn poeni fod rhywbeth o'i le.'

'Wel, allwch chi ddweud wrthyn nhw fod popeth yn iawn.'

'Odi Mrs Pritchard gartre?'

'Odi.'

'Allen i ga'l gair 'da hi?'

'Pam?' yn ymosodol yn awr.

'Falle bydde hi'n well petawn i'n dod mewn, Mr Pritchard, o olwg y cymdogion.'

Edrychodd Pritchard dros ysgwydd Daniels i gyfeiriad y twr o bobl a ddaliai i seiadu yn y stryd. Yna symudodd o'r neilltu er mwyn i Daniels ddod i'r tŷ. Barnai Daniels fod Mike Pritchard yn ei ugeiniau diweddar – dau ddeg saith, dau ddeg wyth – ond roedd eisoes yn ganol oed o ran ei wisg a'i bersonoliaeth.

'Ble ma' Mrs Pritchard?'

'Yn y gegin.'

'Ffordd hyn?' gofynnodd Daniels gan ddechrau cerdded i lawr y cyntedd cul.

'Ie,' meddai Mike Pritchard gan roi rhyw herc, cam a naid i'w ddilyn.

Wrth agosáu at y gegin clywodd Daniels sŵn llestri'n taro yn erbyn ei gilydd. Ond roedd y sŵn yn debycach i rywun yn tacluso nag yn bwrw'i lid. Serch hynny, gan bwyll bach y gwthiodd y drws yn agored, a gan bwyll bach y dadlennwyd y llanast a oedd yno.

Cegin fechan oedd i rif saith Maes Heledd, fel gweddill tai yr ystad, ac o ganlyniad roedd hi'n bosib fod yr ystafell yn edrych yn waeth nag yr oedd hi mewn gwirionedd ond, i lygaid proffesiynol Ieuan Daniels, ni allai fod yn llawer gwaeth. Roedd cynnwys cypyrddau a draerau'r unedau i gyd ar y llawr yn un cymysgedd o lestri, ffrwythau sych, blawd, powdrach, offer coginio, sawsiau, brecwastau, perlysiau a chynhwysion egsotig gwleddoedd o bum cyfandir. Chwythai awel ysgafn drwy'r ffenest agored gan godi arogleuon a ymosodai'n ddidrugaredd o ddryslyd ar drwyn yr heddwas.

Yng nghanol y llanast roedd gwraig yn ei chwrcwd yn chwynnu drwy'r pacedi, y potiau a'r llestri am unrhyw beth a oedd yn werth ei gadw. Syllodd Daniels ar y cefn cul crwm mewn ffrog gotwm flodeuog, a daeth i'w feddwl luniau o wragedd yn twrio mewn anobaith drwy domenni sbwriel y Trydydd Byd. Efallai mai'r ffrog, neu wynt y *chilli* a'r cyrri, neu'r cefn cul oedd yn gyfrifol am y darlun. Ond go brin mai hynny oedd i'w gyfrif am yr anobaith a welai yn ei hysgwyddau crwm.

Tynnodd Daniels fys a bawd dros ei drwyn a chamu i'r ystafell. Crensiodd darnau o wydr o dan ei esgidiau wrth iddo geisio troedio'n ysgafnach nag yr oedd gan ddyn un stôn ar bymtheg yr hawl i obeithio amdano. Trodd y wraig tuag ato, ei hwyneb yn wyllt a phryderus, ac arhosodd Daniels yn untroed oediog.

'Mike!' galwodd Susan Pritchard.

'Dwi 'ma,' atebodd ei gŵr gan wthio heibio i'r heddwas. 'Rhai o'n cymdogion yn credu'n bod ni'n cadw gormod o sŵn,' esboniodd Pritchard, gan orfodi i'w wefusau wahanu mewn gwên bŵl.

'Popeth yn iawn, Mrs Pritchard?' gofynnodd Daniels.

Nodiodd hithau gan godi a phlât yn ei llaw. Edrychodd o'i chwmpas a sylweddoli mor annigonol oedd ei hateb.

Cerddodd Daniels yn araf at y ddau, ac er gwaethaf y llanast dan draed cadwodd ei lygaid ar Susan Pritchard. Roedd hi tua'r un oedran â'i gŵr. Craffodd yr heddwas ar ei hwyneb, ei gwddf a'i breichiau am unrhyw gochni neu chwyddi nes iddi symud yn anghysurus o dan ei edrychiad, ond ni phlethodd ei dwylo o flaen ei stumog mewn ymgais i leddfu poen nac i guddio briw.

'Beth ddigwyddodd?' gofynnodd Daniels.

Edrychodd y ddau ar ei gilydd, a lle byddai Daniels wedi disgwyl gweld bygythiad yn llygaid y gŵr, ac ofn yn llygaid y wraig, doedd dim ond ansicrwydd yn llygaid y ddau. Cymerodd Mike Pritchard y plât o law ei wraig. Cilwenodd hithau arno ac ymddiheuriad yn gymysg â diolch yn y wên.

Trodd Pritchard at Daniels. 'Ma' popeth yn iawn.'

'Odi fe, Mrs Pritchard?'

'Odi.'

Anadlodd Daniels yn ddwfn. 'O's un ohonoch chi am ddwyn cwyn yn erbyn unrhyw un? Unrhyw un.'

Siglodd Susan Pritchard ei phen ac er iddi geisio dal edrychiad Daniels, methu wnaeth, a throdd i edrych ar ei gŵr.

'Mrs Pritchard?'

'Na.'

'Dwi'n deall i chi ga'l ymwelydd gynne. O's gydag e rywbeth i'w wneud â hyn?'

Edrychodd Susan Pritchard ar ei gŵr unwaith eto ond cadwodd ef ei lygaid ar yr heddwas. 'Fuodd neb 'ma,' sibrydodd.

'Wedodd eich cymdogion fod 'na gar wedi ei barcio tu fas ryw hanner awr 'nôl.'

'Fuodd neb 'ma,' ailadroddodd Pritchard, cyn ychwanegu, 'Damwain o'dd hi.'

Nodiodd Daniels ei ben i ddangos na allai wneud dim os nad oedden nhw'n barod i'w helpu.

'Tipyn o ddamwain, Mr Pritchard.' Edrychodd o gwmpas yr ystafell a gweld y darluniau lliwgar, plentynnaidd, ar y wal. 'Ble ma'ch merch?'

'Beth?'

'Ma' gyda chi ferch fach.'

'O's.'

'Ga i 'i gweld hi?'

'Pam?'

'Er mwyn neud yn siŵr nad yw hi wedi ca'l damwain hefyd.'

Edrychodd y pâr ar ei gilydd, ond roedd Daniels wedi blino edrych ar y ddau yn siarad eu hiaith bersonol.

'Lan llofft ma' hi, ie?' a dechreuodd am y cyntedd. Clywodd sŵn y llestri'n malu o dan draed Pritchard yn ei frys i'w ddilyn.

'Mae hi'n cysgu. Peidiwch â'i dihuno,' ymbiliodd ei wraig.

Dringodd Daniels y grisiau mor dawel ag yr arferai ei wneud wrth fynd i weld ei ferched ei hun ar ddiwedd shifft. Edrychodd o'i gwmpas ar ben y grisiau. Roedd y lle fel pìn mewn papur. Clustfeiniodd a chlywed anadlu ysgafn yn dod o'r ystafell ar ei dde. Rywsut roedd y ferch wedi llwyddo i gysgu drwy'r 'ddamwain' yn y gegin oddi tani. Gwthiodd yr heddwas y drws yn araf a disgynnodd ei gysgod ar draws yr ystafell. Symudodd Daniels allan o'r golau a gweld y ferch bum mlwydd oed yn gorwedd yn ei gwely bychan; ei choesau wedi cicio'r gorchudd ysgafn yn ôl a'i gwallt hir melyn ar y gobennydd yn ymyl y tedi bêr pinc a oedd yn ei gwarchod.

Trodd o'r ystafell a disgyn y grisiau. Roedd Mike Pritchard yn sefyll yn y cyntedd yn tynnu'n ddyfal ar sigarét.

'Ry'ch chi'n siŵr nad o's 'da chi unrhyw beth i'w ddweud wrtha i, Mr Pritchard?'

Nid oedd wedi disgwyl ateb ac ni chafodd ei siomi. Safodd ar y rhiniog am rai eiliadau yn edrych allan ar yr ystad fechan cyn cerdded yn ôl i'w gar i gyfeiliant Jarman a'r Cynganeddwyr. Gwastraff amser llwyr, meddai wrtho'i hun. Pobol! Pwy all 'u deall nhw? Nid dyna roedd wedi ei ddisgwyl. Edrychodd i fyny ac i lawr y stryd, ac er bod y cymdogion wedi diflannu, yr oedd yn siŵr bod sawl pâr o lygaid yn edrych arno yr eiliad honno. Roedd rhywun yn bendant wedi bod yn rhedeg reiat yn y gegin, ond rhyng-ddyn nhw a'u busnes os nad oedden nhw am ddweud. Doedd y ferch fach yn ddim gwaeth, ac os nad oedd Mike Pritchard wedi colli arno'i hun, mae'n rhaid mai ei wraig oedd wedi mynd dros ben llestri – yn llythrennol.

Taflodd ei helmed i sedd gefn y car a dringo i mewn. Byddai'n rhaid i rywun wneud ychydig o ymholiadau am Mike a Susan Pritchard. Ond nid fi, meddyliodd; bydda i ar fy ngwyliau.

Gwasgodd ei gefn yn ôl yn erbyn y sedd a thwrio ym mhoced ei drowsus am yr allwedd. Roedd newydd lwyddo i ddod o hyd iddi ym mhlygion ei facyn poced pan chwyrnodd ei radio.

'Foxtrot Brafo Pedwar,' atebodd.

'Adroddiad o helynt yn Fford yr Eglwys.'

'Dwi'n dal ym Maes Heledd.'

'Ma' Foxtrot Brafo Tri a Phump yn delio ag ymladd ar y sgwâr ac ma' Foxtrot Brafo Un allan yn Brynllan.'

Ochneidiodd Daniels. 'Beth yn hollol yw e?'

'Pump o fechgyn ifanc yn gwneud difrod yn y stryd.'

'Ar 'yn ffordd.'

'Iawn, Foxtrot Brafo Pedwar. Allan.'

Trodd yr allwedd, ac ar y trydydd cynnig fe daniodd peiriant y car a boddi Geraint Jarman yn canu 'Nos Sadwrn yn ein pentre bach ni'. 'Dwyt ti'n gwbod dim byd amdani!' gwaeddodd Ieuan Daniels i'r tywyllwch a throi'r car am y ffordd fawr.

Pwyntiodd y Ditectif Arolygydd Ken Roberts y teclyn rheoli at y chwaraewr cryno-ddisg a gwasgu'r botwm i'w ddiffodd. Eisteddodd yn dawel yn ei gadair am ychydig cyn i Angela, ei wraig, gerdded i mewn i'r ystafell a thorri ar draws ei synfyfyrio.

'Pam ddiffoddest ti e? Rown i'n ei fwynhau,' meddai Angela gan eistedd a chydio yn y papur.

'Methu canolbwyntio, ond os wyt ti ise'i glywed e ...'

'Na, ma'n iawn.' Roedd hithau, wrth weld yr olwg fyfyrgar ar wyneb ei gŵr, wedi colli diddordeb yn y gerddoriaeth.

'Rhywbeth yn bod?' gofynnodd gan droi tudalennau'r papur yn chwilio am y croesair.

'Na,' atebodd yntau, a drachtiodd ddiferion olaf y wisgi oedd yn ei wydr.

Gwyddai Angela yn iawn mai dim ond un ochr o gymeriad Ken Roberts y gwelai'r byd. Yn ail law yr oedd hi wedi clywed am y plismon caled nad oedd yn barod i adael i ddim ddod rhyngddo a'i waith, ac a âi yr ail a'r drydedd filltir os oedd raid er mwyn cael canlyniad boddhaol i'w achosion. Ond honno oedd yr ochr yr oedd Ken Roberts am i'r byd ei gweld. Iddi hi, roedd yr ochr dawel ond hwyliog, a dueddai i or-ofidio am bethau, yn llawer mwy cyfarwydd. Gwyddai y byddai llawer un yn synnu o'i chlywed hi'n ei ddisgrifio felly; yn union fel ag yr oedd hi wedi synnu o glywed ei fod yn blismon caled, digyfaddawd.

'Faint o'r gloch wedodd Geraint y bydde fe'n dod adre?' gofynnodd Ken Roberts, gan ddangos o'r diwedd beth oedd yn pwyso ar ei feddwl.

'Wedodd e ddim. Do'dd e ddim yn gwbod pryd bydde'r parti'n cwpla.'

'Ble o'dd y parti 'ma?'

'Barbiciw ar Draeth Gwyn. Dwi'n meddwl 'u bod nhw ise rhywbeth gwahanol, lle bydden nhw'n ca'l llonydd i'w mwynhau eu hunain.'

'Hm! Gewn nhw ddim llawer o lonydd ar Draeth Gwyn heno.'

'Pam?'

'Ma' Cyril Adams wedi gofyn i ni gadw llygad ar y cabane.'

'Dwi ddim yn synnu ar ôl i un ohonyn nhw ga'l ei losgi'n ulw. Ond dy'ch chi ddim yn disgwl trwbwl 'na heno, odych chi?'

'Na, mater o ddangos presenoldeb yw e yn fwy na dim. Ond o leia fe fydd Geraint a'r lleill mas o'r ffordd fan'ny pan fydd y tafarne'n cau.'

'Ro'dd rhywun wedi torri ffenest siop Mansel y cigydd nos Sadwrn dwetha.'

Nodiodd ei gŵr. 'A ffenest Superdrug hefyd. Wel, pan ma' gyda ti gannoedd o bobol yn llifo o'r tafarne i'r stryd-oedd 'run pryd, ma'u ca'l nhw i gyd i fynd adre'n dawel yn dipyn o wyrth, a dy'n ni ddim yn llwyddo bob tro.'

'Wel, do's dim rhaid i'r barbiciw gwpla'n afreolus. Dyw e'n ddim byd ond ychydig o hwyl pobol ifanc,' meddai Angela yn ysgafn heb sylweddoli ei bod wedi agor y drws led y pen ar ofidiau ei gŵr.

'Ma' adroddiade'n disgyn ar 'y nesg i bob dydd am bethe ma' pobol ifanc yn 'u gwneud am hwyl. Gredet ti ddim 'u hanner nhw. Ddim y math o bethe y bydden ni, na phobol ifanc ddeng, pymtheng mlynedd yn ôl yn 'u gwneud. Ma'r rheiny'n llawer rhy ddiniwed i bobol ifanc heddi. Ma'r byd wedi newid gymaint er pan o'n ni oedran Geraint.'

'Wrth gwrs 'i fod e, Ken,' chwarddodd ei wraig. 'Byd Geraint a'i ffrindie yw e nawr. Er mai dim ond deunaw o'd y'n nhw, yn 'u meddylie nhw ma'n nhw'n ddigon hen, yn ddigon aeddfed ac yn ddigon cyfrifol i fyw 'u bywyde nhw'u hunain. Allwn ni ddim newid 'ny. Gadel fynd a gobeithio'n bod ni wedi ei ddysgu'n ddigon da i ymddwyn yn gyfrifol yw'r unig beth allwn ni 'i neud.'

Ochneidiodd Ken Roberts. 'Ie, ti'n iawn.'

Ond dyw hynny ddim yn golygu nad wyt ti'n mynd i boeni, meddyliodd Angela Roberts gan droi heibio tudalen y croesair am y trydydd tro.

Trodd trwyn y car heddlu yn araf i mewn i Ffordd yr Eglwys. Agorodd Ieuan Daniels y ffenest a diffodd y prif oleuadau. Clywai sŵn teledu neu radio yn y stryd dawel, sŵn ceir ar y ffyrdd cyfagos, sŵn rhywun yn galw am Bobi (dyn neu anifail?) o gefn y tai, ond ni chlywai sŵn gwydr yn torri, traed yn rhedeg – na larwm car yn sgrechian drwy'r tywyll-wch. Gwelai oleuadau yn cynnau a diffodd yn y tai, pâr yn troi cornel pella'r stryd ac yn cerdded tuag ato, ci (Bobi?) yn gwyro'i ffordd igam-ogam o glwyd i glawdd, ond ni welai hwliganiaid a'u bryd ar ddinistr nac unrhyw arwydd iddynt fod yno o gwbl.

Curo drysau a rhedeg i ffwrdd wnâi ef a'i ffrindiau i gael tipyn o sbort flynyddoedd yn ôl. Curo ac aros, er bod eu calonnau'n carlamu, i weld pwy fyddai'r cyntaf i roi traed mewn tir. Ac os oedd unrhyw synnwyr gyda'r criw yma bydden nhwythau'n ddigon pell i ffwrdd erbyn hyn hefyd.

Roedd y pâr yn awr o fewn pumllath i'r car ac yn dal i fod yr unig bobl ar y stryd. Ble'r oedd perchenogion y tai, a oedd wedi cael eu dychryn gan y bechgyn? Ble'r oedd y sawl a oedd wedi cwyno? Tynnodd Daniels frêc llaw'r car, agor y drws a dringo allan.

Croesodd at y pâr a oedd wedi aros pan adawodd Daniels ei gar. Gwenodd y wraig arno a thynnu'r dyn, a wisgai got law wen a gyrhaeddai bron at ei figyrnau er gwaethaf cyn-hesrwydd y noson, yn agosach ati.

'Noswaith dda,' meddai Daniels. 'Welsoch chi griw o fechgyn ar y ffordd?'

Siglodd y wraig ei phen. 'Naddo.'

'Beth?' gofynnodd y dyn a oedd dipyn yn hŷn na'r wraig. 'Beth wedodd e?'

'Gofyn a welon ni rywun,' meddai'r wraig wrtho.

'Ni 'di gweld lot o bobol,' meddai'r dyn yn falch.

'Neb yn rhedeg neu'n ymddwyn yn amheus?' gofynnodd Daniels.

'Neb,' atebodd y wraig.

'Beth wedodd e?'

'Welon ni neb yn rhedeg, do fe Dadi?'

'Rhedeg?'

'Na chlywed sŵn gwydr, ffenestri, yn torri?' gofynnodd Daniels.

'Naddo.'

'Beth?'

'Chlywon ni ddim sŵn o gwbwl,' meddai'r wraig gan edrych ar ei thad.

'Naddo,' meddai yntau gan ysgwyd ei ben yn ddifrifol. 'Dim byd. Ma' hi'n noson dawel iawn.'

Gwenodd y ferch ar Daniels ac ni allai ef ond gwenu'n ôl. Synnai at ei hamynedd, ond synnai fwy nad oedd ei thad yn gallu ei glywed ef er ei fod yn siarad yn uwch na'r ferch.

'O ba gyfeiriad y daethoch chi?' gofynnodd iddi.

'O Ffordd Penfro heibio i neuadd yr eglwys.'

Ac os na welodd y ddau yma'r bechgyn, mae'n rhaid fod y bechgyn wedi troi i'r chwith ar ôl gadael Ffordd yr Eglwys, meddyliodd Ieuan Daniels.

'Ac ry'ch chi'n siŵr na welsoch chi neb.'

'Neb.'

'Iawn, ond mae hi braidd yn hwyr i chi'ch dau fod mas, on'd yw hi?'

'Dyw 'nhad ddim yn gallu cysgu os na cheith e ychydig o awyr iach cyn mynd i'r gwely, ac mae'n noson mor braf.'

'Byddwch yn ofalus, 'te. Dyw'r dre ddim mor ddiogel gyda'r nos ag ro'dd hi'n arfer bod.'

'Na, dwi'n gwbod 'ny.'

'Iawn. Diolch i chi'ch dau. A nos da.'

'Nos da.'

'Beth wedodd e?'

'Nos da.'

'O. Nos da. Nos da.'

'Nos da,' meddai Daniels gan gerdded yn wysg ei gefn yn ôl am y car. Roedd wedi dringo i mewn ac ar fin tanio'r peiriant pan welodd ddyn yn cerdded i lawr llwybr un o'r tai.

'Gymeroch chi'ch amser,' meddai'r dyn gan frasgamu tuag ato.

'Chi ffoniodd?' gofynnodd Ieuan iddo.

'Ie, dros chwarter awr 'nôl. Pan o'dd yr hwliganied yn rhedeg yn wyllt drwy'r stryd.'

'Adawon nhw ddim o'u hôl.'

'Naddo? 'Na beth y'ch chi'n feddwl, ife? Wel, os dewch chi mas o'ch car a cherdded – chi *yn* cofio shwt i gerdded? – draw fan hyn i edrych ar 'y nghar i, gewch chi weld faint o'u hôl adawon nhw.'

Edrychodd Daniels ar y dyn yn cerdded rhwng dau o'r ceir at y palmant. Roedd yn ei bumdegau hwyr, tair modfedd yn fyrrach, chwe modfedd yn lletach a rhyw gan milltir yn bwysicach na'r heddwas. Ochneidiodd. Ma' 'na un ym-hob stryd, meddyliodd, ond pam fod rhaid i fi gwrdd â dau ohonyn nhw mewn un noson?

'Edrychwch ar 'y nghar i. Odi hwnna'n ddigon o ôl i chi?'

Roedd llinell donnog hir o fetal disglair i'w gweld ar hyd ochr y Vauxhall.

'A hwnna?' Symudodd y dyn at gar arall. 'A hwnna?' gan bwyntio at un arall eto.

Tynnodd Daniels flaen bysedd ei law chwith ar hyd y llinell a theimlo briwsion mân, mân o baent a metal.

'A beth am hwn?' Plygodd y dyn a chodi drych ochr o'r llawr a'i ddal i fyny i Daniels ei weld. 'A synnen i ddim os nad o's mwy o'u hôl nhw ar y ceir o fan hyn i ben y stryd.' A dechreuodd frasgamu i'r cyfeiriad hwnnw. 'Ma' erial hwn wedi'i blygu, a gole cefn hwn wedi 'i dorri. Darne dros y llawr ym mhobman.' Plygodd i'w codi a dwyn ei helfa at yr heddwas fel ci ffyddlon.

'Chwarter awr 'nôl, wedoch chi?'

'Dros chwarter awr 'nôl, yn agosach i hanner awr erbyn

hyn, siŵr o fod. Digwydd mynd mewn i'r stafell ffrynt i nôl rhywbeth o'n i pan weles i nhw drwy'r ffenest yn dod lawr y stryd …'

'Welsoch chi nhw?'

'Do. Pump ohonyn nhw. Bechgyn ifanc, un deg saith, un deg wyth mlwydd o'd …'

'Be na'th i chi agor y llenni?'

Anadlodd y dyn yn hir. 'Os newch chi adel i fi weud beth ddigwyddodd … Ro'dd y llenni ar agor ac ro'dd digon o ole yn y stryd i fi 'u gweld nhw tu fas yn difrodi'r ceir.'

'Y pump ohonyn nhw?'

'Ie.'

'Weloch chi nhw'n neud y difrod?'

'Do, o fan hyn nes iddyn nhw droi i'r chwith ar ben y stryd. Ro'n nhw'n gwthio'i gilydd, yn crafu ochre'r ceir neu'n plygu'r erials neu'r *windscreen wipers*. Ro'n nhw'n amlwg wedi yfed gormod ac fe chwydodd un ohonyn nhw dros glawdd yr ail dŷ o'r pen.'

'Allwch chi 'u disgrifio nhw?'

'Bechgyn ysgol, fel wedes i, un deg saith, un deg wyth mlwydd o'd.'

'Beth o'n nhw'n 'i wisgo?'

'Jîns a chryse, neu gryse T.'

'Reit, Mr …?' meddai Daniels, gan dynnu ei lyfr nodiadau o'i boced frest.

'Ellis.'

'A chi'n byw yn … yn Gwynfryn?' gan droi i edrych ar y tŷ y tu ôl iddynt.

'Odw.'

'Mwy na thebyg 'u bod nhw wedi hen ddiflannu erbyn hyn, ond dwi'n mynd ar 'u hôl nhw rhag ofn 'u bod nhw'n dal yn y cyffinie. Fe ddo i 'nôl wedyn, Mr Ellis, i gymryd *statement*.'

'Na newch chi! Dy'ch chi ddim yn mynd i 'nghadw i a Mrs Ellis ar 'yn tra'd tan berfeddion nos. Allwch chi ddod 'nôl fory, yn y prynhawn.'

'Fydda i ar 'y ngwylie fory ond ma' ...'

'Neis iawn. A tra byddwch chi ar ryw draeth yn mwynhau'ch hunan bydd yr hwliganiaid hyn yn dal wrthi yn codi ofn ar bobol ddiniwed.'

'Fe ddaw rhywun arall i'ch gweld chi fory, Mr Ellis.'

'Ond ddim yn rhy gynnar.'

'Na, ddim yn rhy gynnar.'

Trodd Daniels am ei gar a cherdded heibio i'r Vauxhall. Dim ond o drwch blewyn y llwyddodd i wrthsefyll y demtasiwn i dynnu ei allwedd ar hyd ei ochr.

Tiwniodd y dyn y radio yn ôl i Radio 1. Roedd wedi trio a thrio am rywbeth o werth ar bob tonfedd ond doedd 'na ddim. Capital Radio oedd ei orsaf ef ond fe fyddai'n rhaid bodloni ar Radio 1 am y tro, er bod llai o gyffro yn hwnnw ar nos Sadwrn erbyn hyn, meddyliodd, nag oedd yn y strydoedd o'i amgylch hyd yn oed. Roedd wedi amau cyn cyrraedd mai pen-draw-twll-din-cesail-y-byd oedd y dref hon, ond un peth oedd amau hynny; roedd cael profiad personol ohono yn llond bwced o rywbeth arall. Doedd dim rhyfedd bod Lyons wedi gadael y lle cyn gynted ag y gallai.

Roedd wedi hen flino edrych ar y tŷ. Unwaith yr oedd wedi cynllunio pedair ffordd o dorri i mewn iddo roedd wedi colli pob diddordeb ynddo. Roedd yn dŷ digon cadarn; wedi ei adeiladu o garreg nadd mewn cyfnod pan oedd adeiladwr yn fasiwn ac nid yn frici. Gallai werthfawrogi adeiladwaith a chynllun y tŷ ar lefel broffesiynol, wrthrychol, ond doedd gan gadernid adeiladol adeilad ddim i'w wneud â'i ddiogelwch. Drwy ddrysau yr âi pobl i mewn i dai, nid trwy waliau, ac os mai'r un drysau a ffenestri oedd i'r tŷ heddiw â phan y'i hadeiladwyd, yna roedd o leiaf bedair ffordd y gallai unrhyw leidr gwerth ei halen gael mynediad iddo. Ar ben hynny, roedd y ffaith ei fod wedi ei osod mewn gardd fawr gyda wal uchel a choed trwchus o'i amgylch yn gwneud y gwaith gymaint â hynny'n haws. Petai ef yn byw yn lleol byddai'n talu ymweliad chwarterol â'r tŷ.

Tynnodd ei hun i fyny yn y sêt ac edrych ar gloc y Cosworth; roedd hi bron yn hanner nos. Roedd hi wedi bod yn noson hir o yrru ond nawr, a'r adrenalin yn cilio, dechreuai deimlo'n flinedig. Gobeithiai y deuai Lyons cyn bo hir er mwyn cael y cyfan drosodd a throi am adre. Roedd y daith hon wedi peri cryn anghyfleustra iddo. Meddyliodd eto am y cyfle cynharach a gollwyd, ond roedd yn ddigon profiadol i beidio â gadael i'w fethiannau ei boeni. Dysgu oddi wrthynt a'u hanghofio. Dyna pryd y penderfynodd y byddai pob pum munud wedi hanner nos yn golygu gymaint â hynny'n fwy o 'anghyfleustra' i Lyons.

Anesmwythodd unwaith eto. Os na ddeuai cyn bo hir, byddai'n ystyried rhoi cynnig ar un o'r ffyrdd i mewn i'r tŷ; os mai dim ond er mwyn cael mynd i'r tŷ bach.

Dim yw dim.

Danfon y disgrifiadau o'r bechgyn a gafodd gan Ellis dros y radio er mwyn i'r ceir eraill gadw'u llygaid yn agored, a rhyw hanner gobeithio eu bod wedi eu gweld yn barod gan arbed gwaith i bawb.

Dim.

Ugain munud o yrru'n araf drwy'r strydoedd o amgylch Ffordd yr Eglwys gan wau yn ôl ar eu hyd ac aros bob hyn a hyn i wrando a syllu i'r cysgodion.

Ond dal dim.

Nid bod Ieuan Daniels wedi disgwyl unrhyw beth. Mân drosedd oedd hon nad oedd yn ddim byd ond gwastraff o amser yr heddlu. A hyd yn oed pe baent yn dal y bechgyn byddai cost yr achos yn llawer mwy na'i werth – ond peidied neb â dweud hynny wrth Mr Ellis a'i debyg a welai wead cymdeithas yn datgymalu o'u cwmpas ac a ystyriai fuddugoliaethau bach yn fuddugoliaethau pwysig. A beth yw cost lle bo cysur?

Chwyrnodd y radio.

'Foxtrot Brafo Pedwar.'

'Helynt yng Nghapel Bethania yn Heol Teilo. Cwyn am griw o fechgyn yn taflu cerrig at yr adeilad.'

Roedd Heol Teilo i'r cyfeiriad arall. Os mai'r un bechgyn oedd y rhain, mae'n rhaid eu bod nhw wedi troi yn ôl am yr afon ers iddynt adael Ffordd yr Eglwys, meddyliodd Ieuan wrth droi'r car mewn bwlch a bwrw'n ôl am y capel.

Dim golau glas. Dim seiren. Dim ond gwasgu'r sbardyn bron i'r llawr. Cyrraedd yno'n gyflym ond heb rybuddio'r bechgyn. Trodd y cornel i mewn i Ffordd y Gelli a gweld, yng ngolau ei gar, gar arall ar draws y ffordd o'i flaen. Gwasgodd Ieuan y brêc a throi'r llyw i'w osgoi. Anelodd at y palmant gyferbyn; roedd digon o le iddo basio'r car petai'n defnyddio'r ffordd a'r palmant. Herciodd y llyw yn ei ddwylo wrth i'r olwynion ddringo'r palmant. Daliodd Ieuan yn dynn yn y llyw a'i dynnu i'r dde a disgynnodd y car yn ôl ar y ffordd. Trodd Ieuan i edrych ar y car arall ond roedd hwnnw wedi diflannu.

Doedd dim pwynt mynd ar ei ôl. Ef oedd yn gyrru'n gyflym ac wedi torri'r cornel. A beth bynnag, fe fyddai sylweddoli ei fod wedi osgoi damwain â char heddlu o drwch blewyn wedi codi digon o ofn ar y gyrrwr. Gwthiodd Ieuan y car i gêr a gyrru'n arafach at Heol Teilo gan gyrraedd yno chwe munud yn ddiweddarach.

Stryd o dai trillawr wedi eu hadeiladu o gerrig cadarn oedd Heol Teilo, ac ar gornel chwith pen pella'r stryd roedd

Capel Bethania. Stopiodd Ieuan Daniels y car ryw bymtheg llath cyn cyrraedd yr adeilad.

'Foxtrot Brafo Pedwar i Foxtrot Brafo Control.'

'Derbyn Foxtrot Brafo Pedwar, ewch ymlaen.'

'Wedi cyrra'dd Capel Bethania, yn gadel y car yn Heol Teilo. Dwi'n mynd i ymchwilio ac yn gofyn am gymorth.'

'O'r gore, Foxtrot Brafo Pedwar. Adroddiad diweddara'n dweud bod pedwar neu bump o fechgyn yno. Amser eich galwad yw dau ddeg tri un deg naw.'

Yr eiliad y dringodd o'r car clywodd wydr yn chwalu. Arhosodd a gwrando. Clywodd ffenest arall yn torri. Yng nghefn yr adeilad. Anelodd at y glwyd ddwbl ym mhen blaen y capel, ond roedd wedi ei chloi â chadwyn. Edrych-odd ar ben y glwyd, rhyw ddwy droedfedd uwch ei ben, cyn mynd i chwilio am fynedfa arall. Rownd y cornel roedd clwyd sengl a agorai ar lwybr a arweiniai heibio i'r festri i'r fynwent yn y cefn. Gwthiodd Daniels y glwyd ond nid agorai fwy na rhyw naw modfedd. Bustachodd ei un stôn ar bymtheg drwy'r bwlch bychan ac roedd bron drwyddo pan deimlodd un o fotymau ei grys yn rhwygo ac yn saethu ym-aith i'r tywyllwch. Rhegodd a bwrw ymlaen i lawr y llwybr.

Ar ben wal gefn y fynwent, wedi eu hamlinellu yn erbyn golau'r stryd, safai pedwar bachgen. Roedd un, a wisgai grys T a jîns, yn eistedd yn hollol lonydd ar draws y wal, ei ben yn pwyso ymlaen a'i ên yn gorffwys ar ei frest. Safai'r tri arall ar y wal, dau ohonynt yn taflu cerrig at ffenestri cefn y capel. Gwisgai dau grysau lliwgar a'r trydydd siaced fer, efallai'n goch, ond nid oedd golau'r stryd yn ddigon cryf iddo allu fod yn siŵr o hynny.

Ble'r oedd y pumed? A oedd yna bumed? Neu ai criw arall oedd y rhain?

Roedd hi'n amlwg o'u hannel ac o'r drafferth a gâi'r tri i gadw'u traed rhag llithro eu bod yn feddw. Tra arhosai i'w gymorth gyrraedd gwelodd Daniels y bechgyn yn taflu pum carreg. Methodd pob un y nod ac mewn ymdrech i wneud yn iawn am ei fethiannau rhoddodd un o'r taflwyr ei holl nerth, a'i gorff, y tu ôl i'w dafliad nesaf. Ar yr union eiliad y rhyddhaodd y garreg o'i afael llithrodd ei droed. Crafang-odd yr awyr am achubiaeth, ond methodd gan ddisgyn ar ei hyd yn y fynwent islaw. Chwarddodd ei ddau gyfaill ond peidiodd y chwerthin pan na symudodd y bachgen. Galwodd un arno ond ni chafodd ateb.

Credai Daniels fod un o'r ddau ar ben y wal ar fin neidio i lawr at ei ffrind ond canodd corn car yr ochr arall i'r wal a thynnodd hynny eu sylw. Rhegodd Daniels. Un o'r ceir eraill, a'r gyrrwr, Jim Reynolds fwy na thebyg, yn mynd yn ei gyfer, fel arfer, ac yn gorfodi'r bechgyn i ddianc drwy'r fynwent i'w gyfeiriad ef. Doedd dim o'i le ar y cynllun ond fe fyddai Daniels wedi gwerthfawrogi cael gwybod amdano ymlaen llaw – yn ogystal â chael rhywun yn ei ymyl i ddal y bechgyn. Tynnodd ei bastwn a lapio'r strapen ledr o gwmpas ei law yn barod am y rhuthr. Ond ni ddisgynnodd y bechgyn i'r fynwent. Yn hollol groes i'r disgwyl cydiodd y ddau oedd ar eu traed yn y bachgen a eisteddai ar y wal a neidio i lawr yr ochr arall yn syth i ddwylo …?

Y pumed bachgen! Fe oedd yn y car!

Rhedodd Daniels yn ôl ar hyd y llwybr, gwthio'i hun drwy fwlch cul y glwyd ac allan i'r stryd mewn pryd i weld golau cefn car yn diflannu rownd y cornel. Edrychodd o'i gwmpas, doedd dim golwg o'r bechgyn yn unman. Rhedodd yn ôl i'w gar.

Erbyn iddo ddechrau'r car a throi'r cornel, roedd y car arall ryw ganllath o'i flaen. Dringodd y nodwydd. Pum deg, pum deg pump, ac yn agosáu bob eiliad at y … at y … Sierra! Cydiodd yn ei radio â'i law chwith a cheisio llywio'r Maestro ag un llaw.

'Foxtrot Brafo Pedwar i Foxtrot Control.'

'Foxtrot Control i Foxtrot Brafo Pedwar. Derbyn.'

'Dilyn Sierra du neu las tywyll ar hyd Ffordd yr Helyg i gyfeiriad y Gelli. Methu gweld y rhif. Credu bod y Sierra wedi ei ddwyn. Pedwar bachgen ifanc yn y car. Y bechgyn o'dd yn taflu cerrig at Gapel Bethania. Yr un disgrifiad â'r bechgyn yn Ffordd yr Eglwys. Un bachgen ar ôl ym mynwent Bethania, falle wedi'i frifo, falle'n anymwybodol.'

Roedd wedi dod o fewn cyrraedd i'r Sierra a dechreuodd ddarllen y rhif. 'M 638 ...'

Saethodd y Sierra i ffwrdd unwaith eto a gwyddai Daniels nad oedd ganddo obaith dryw mewn drycin o'u dal os oedd hi'n mynd i droi'n ras. Yn enwedig gan fod peiriant y Maestro wedi bod yn tagu'n gyson yn ystod yr wythnos ddiwethaf, ac er gwaethaf ymbilio taer Ieuan ni châi ei drwsio am dros fis arall oherwydd y cyfyngiadau ariannol.

'Angen cymorth cyn i'r Sierra gyrra'dd y draffordd!' gwaeddodd i mewn i'r radio. Ond cyn iddo orffen ei neges roedd gyrrwr y Sierra wedi gwasgu ychydig yn rhagor o'r peiriant a lledu'r bwlch rhwng y ddau gar. Taflodd Daniels ei radio ar y sedd yn ei ymyl a chydio yn y llyw â'i ddwy law. Gwichiodd olwynion y Maestro wrth iddo gymryd y cornel a theimlodd gefn y car yn siglo ac yn gwthio yn ei erbyn. Llwyddodd i'w ddal rhag llithro ar draws y ffordd ond erbyn iddo ei gael yn ôl ar linell syth roedd golau ôl y Sierra wedi diflannu gan adael Ieuan Daniels i regi'r Maestro, Awdurdod yr Heddlu a'r Ysgrifennydd Gwladol.

'Ma' Rhian yn swnio fel petai hi ar ben ei digon, on'd yw hi?'

'Odi, ac mae Alun yn ymddangos wrth ei fodd yn chware rhan y gŵr, hefyd,' atebodd Gareth, gan gadw ei lygaid ar y goleuadau a reolai drafnidiaeth dros Bont yr Esgob.

'Paid â bod fel'na,' dwrdiodd Carys. 'Ro'n i'n meddwl 'i fod e wedi cymryd at ei rôl newydd yn dda iawn.'

'Dyna'n union beth dwi'n ei olygu. Wyt ti ddim yn teimlo mai chware rôl yw'r cwbwl i Alun?'

'Paid â bod yn gas. Ma'r ddau yn amlwg mewn cariad. Fel'na ma' Alun, beth bynnag. Dyna'i ffordd e. Elli di ddim bod yn siŵr ei fod e'n meddwl yr un peth ddau ddiwrnod yn olynol.'

Newidiodd y golau a gwthiodd Gareth y ffon gêr i'w lle a llywio'r car ymlaen yn araf drwy bantiau a rhychau y lôn unffordd. Yn ôl y Cyngor Sir, dim ond pythefnos y cymerai hi i ail-wneud wyneb y bont, ond roedd y ddwy wedi troi'n dair ac yn bedair erbyn hyn ac yn ôl ei golwg roedd yna gryn waith i'w wneud eto a'r tymor ymwelwyr yn agosáu at ei anterth. Diolchodd Gareth nad oedd e'n gweithio yn yr uned drafnidiaeth.

Cyrhaeddodd y car ochr draw'r bont a throdd Gareth i'r chwith.

'Wel dwi'n meddwl 'i fod e'n annwyl iawn, y ffordd ma' fe'n gofalu amdani,' meddai Carys. 'Synnen i ddim nad yw e'n dod â phaned o de i'r gwely iddi bob bore.'

'Ha!'

Chwarddodd Carys ond trodd y chwerthiniad yn sgrech.

'Gareth!'

Trodd ei ben a gweld car yn saethu tuag atynt o'r stryd ar y chwith ac ar draws y ffordd. Gwasgodd ar y brêc a throi'r llyw er mwyn ei osgoi. Gwibiodd y car heibio iddynt yn sgrech aflafar o olwynion a chorn.

Stopiodd Gareth y car.

'Wyt ti'n iawn …?' dechreuodd Gareth ofyn, pan wibiodd car heddlu allan o'r stryd ar y chwith a heibio iddynt ar ôl y car cyntaf.

'Be sy'n digwydd?' gwaeddodd Carys.

Nid atebodd Gareth, dim ond edrych ar oleuadau'r ddau gar yn pellhau yn y drych.

Roedd y Sierra wedi ymddangos o nunlle o flaen Ieuan Daniels. Nid oedd y gyrrwr wedi anelu at y draffordd wedi'r cyfan. Pam? A oedd arno ofn y draffordd? Ofni bod arni heb unman i ddianc? Efallai nad oedd y bachgen yn gwybod fod ganddo gar a oedd yn dipyn mwy pwerus na'r car a oedd yn ei erlyn. Neu a oedd yn credu fod ganddo fwy o siawns o ddianc yn y dref, lle'r oedd yn gyfarwydd â'r strydoedd? Ond fwy na thebyg mai adnabyddiaeth cerddwr oedd gan y bachgen, tra oedd yr heddwas yn gyrru drwy'r dref bob dydd. Mater o amser yn unig oedd hi nawr cyn y deuai mwy o geir heddlu i'r helfa a gwthio'r Sierra i gornel.

Cyflymodd Daniels gan groesi'r trigain milltir mewn ymgais i gau'r bwlch, ond prin cadw o fewn cyrraedd y car arall oedd ef nawr. Gwelodd y Sierra'n gwyro i'r dde ac eiliadau'n ddiweddarach gwichiodd olwynion y Maestro wrth iddo droi'r cornel gan dorri o flaen car a oedd, diolch byth, wedi aros.

Anelai'r Sierra at Bont yr Esgob. Pe bai'n troi i'r dde dros y bont a'r holl waith ffordd oedd arni, fe allai'r cyfan ddod i ben mewn munudau. Teimlodd Ieuan ar y sedd am ei radio er mwyn dweud wrth y ceir eraill y gobeithiai oedd ar eu ffordd. Ond roedd y sedd yn wag. Tynnodd Daniels ei law chwith ar ei thraws unwaith eto ond ni allai deimlo'r radio. Rhaid ei fod wedi syrthio wrth iddo droi'r cornel diwethaf. Tynnodd ei lygaid oddi ar y ffordd i chwilio amdano, a'i weld ar y llawr. Edrychodd yn ôl ar y ffordd a gweld fod un o'r ceir a ddeuai tuag ato wedi aros ac yn arwyddo ei fod am droi i'r dde a chroesi'r lôn y teithiai'r Sierra a Ieuan Daniels arni.

Saethodd y Sierra heibio i'r car. Pwysodd Daniels ymlaen

a theimlo'r llawr am y radio ar yr union eiliad y dechreuodd y car a'i hwynebai symud yn araf ar draws y ffordd o'i flaen. Erbyn i Ieuan Daniels sylweddoli fod y car yn mynd i groesi, roedd hi'n rhy hwyr iddo osgoi'r ddamwain. Gwasgodd frêc y car a sgrialodd y Maestro ar draws y ffordd. Trodd Daniels yr olwyn i mewn i'r llithriad a llwyddo i gadw'r car rhag croesi i lwybr y ceir eraill a ddeuai tuag ato. Ond roedd yn dal i ymladd yn erbyn cyflymder y car. Yn dal i ymladd yn ei erbyn ei hun. Brwydr yr oedd yn siŵr o'i cholli. Trawodd y Maestro yn erbyn cefn ochr ôl y car a groesai'r lôn o'i flaen, troi ar ei ochr a sgathru ar hyd y ffordd am yn agos i ddecllath ar hugain cyn taro yn erbyn wal Pont yr Esgob.

Chwe munud a phymtheg eiliad union y cymerodd hi i'r ambiwlans gyrraedd ond fe gymerodd y Frigâd Dân dri chwarter awr i ryddhau coes dde Ieuan Daniels. Erbyn hynny roedd yn anymwybodol ac wedi colli dau beint o waed.

Wedi elwch nos Sadwrn, cyfnod cymharol dawel ac ychydig
yn afreal fel arfer oedd boreau Sul yng ngorsaf yr heddlu.
Y meddwon yn y celloedd yn cysgu eu cwsg anghofus, a'r
mân droseddau byrbwyll yn cael eu hysgubo at ei gilydd yn
un domen, yn union fel y gwydr, y papurau sglodion a'r
blychau bwyd Tseinïaidd yng ngwteri strydoedd y dref.
Amser i dynnu llinell o dan ystadegau'r wythnos a fu a chyfle
i naddu'r bensel yn barod ar gyfer yr wythnos i ddod. Neu
felly yr arferai hi fod. Bellach, a masnachwyr gonest, ac
anonest, yn ystyried y Sul fel unrhyw ddiwrnod arall, roedd
i'r Saboth hefyd ei gwota o droseddau; gyda gŵyl a gwaith
wedi mynd yn un nid oedd yna na dechrau na diwedd i'r
wythnos, fwy nag oedd yna i ddrygioni.

Serch hynny, hoffai Gareth foreau Sul yn yr orsaf. Corid-
orau a oedd yn dawelach ac ystafelloedd a oedd yn wacach
nag arfer, lle y câi rywfaint o lonydd i synfyfyrio heb i
eraill dorri ar ei draws. Roedd yn gyfle i bwyso a mesur a
myfyrio. Ac roedd y pla diweddar o danau yn yr ardal yn
galw am gryn bwyso a mesur a myfyrio yn eu cylch.

Roedd yn agos i wyth wythnos er y tân cyntaf. Hen
ysgubor wair ar ymyl y ffordd fawr rhwng y dref a phentref
Llanilan. Credwyd ar y pryd mai naill ai plant neu grwydr-
iaid oedd yn gyfrifol am ei losgi, a gan nad oedd yr adeilad
wedi cael ei ddefnyddio ers blynyddoedd ni threuliwyd
gormod o amser yn ymchwilio i'r digwyddiad. Ond cyn
pen yr wythnos roedd yna dân arall, y tro hwn mewn iard
adeiladwyr ar ystad ddiwydiannol y dref. Achoswyd dros
wyth deg mil o bunnoedd o ddifrod ac nid oedd gan ym-
chwilwyr brigad dân y sir unrhyw amheuaeth ei fod wedi ei
gynnau'n fwriadol.

Lawtons' Timber, cwmni gyda dros ugain o ganolfannau tebyg ar draws de-orllewin Cymru a gorllewin Lloegr, oedd y perchenogion, a gan nad oeddynt mewn trafferth ariannol diystyrwyd y cymhelliad o losgi bwriadol er mwyn hawlio'r yswiriant. Dial gan un o'r gweithwyr a ddiswyddwyd yn ddiweddar ac a ddaliai ddig yn erbyn y cwmni oedd y cymhelliad nesaf a ystyriwyd. Anfonodd prif swyddfa'r cwmni eu swyddog eu hunain i ymchwilio, ond cyn iddo gwblhau ei ymchwiliadau llosgwyd caban hufen iâ ger maes parcio'r dref yn ulw. A phan gadarnhaodd ymchwilwyr y Frigâd Dân i'r tân hwnnw a'r tân yn iard yr adeiladwyr gael eu cynnau yn yr un ffordd, roedd hi'n amlwg bod yna daniwr yn yr ardal.

Dros y chwe wythnos ers hynny bu pum achos arall o losgi. Roedd y trydydd, y pedwerydd a'r pumed tân wedi'u cynnau ar yr un noson, pan losgwyd tair sièd ar y llaindir garddio ger yr orsaf. Portacabin ar iard yr ysgol gynradd oedd y nesaf, ac yna un o'r cabanau ar Draeth Gwyn. Roedd pob un wedi ei gynnau yn yr un ffordd – cannwyll fer mewn potyn plastig yn llawn olew, a chadachau wedi eu gwlychu mewn olew o'i gwmpas. Digon o amser i'r taniwr ddianc gan sicrhau coelcerth yn fuan wedyn. Doedd neb wedi ei anafu hyd yn hyn ond ofnai Gareth a swyddogion y Frigâd Dân mai dyna fyddai'n digwydd cyn bo hir.

Nid oedd yna batrwm amlwg i'r tanau ac roedd y cyfan wedi peri llawer o waith heb ddim i'w ddangos amdano. Gobeithiai Gareth y byddai awr neu ddwy o bendroni uwchben y ffeiliau yn help i roi rhyw fath o drefn ar bethau. Ond gyda dros chwe mil ar hugain o danau'n cael eu cynnau'n fwriadol yng ngwledydd Prydain bob blwyddyn, a llai na deg y cant o'r rheiny'n arwain at erlyniad llwyddiannus, nid oedd hynny'n debygol. A'r eiliad y gyrrodd i mewn i'r maes parcio fe wyddai y gallai ffarwelio â'i amser tawel.

Roedd car y Prif Arolygydd Clem Owen wedi ei barcio ar draws dau le parcio, ond nid y modd y parciwyd y car a synnai Gareth – dyna ffordd arferol ei bennaeth o wneud yn siŵr fod ganddo ddigon o le i agor ei ddrws. Roedd gweld y car yno o gwbwl ar ddydd Sul yn anarferol. Eifion Rowlands oedd y swyddog CID ar ddyletswydd y diwrnod hwnnw ac ystyriodd Gareth droi trwyn yr Escort am adref a gadael iddo ef ddelio â beth bynnag oedd wedi tynnu Clem Owen i mewn. Ond fe wyddai mai dim ond gohirio ei dynged fyddai hynny. Os oedd Sul Clem Owen wedi ei darfu arno, yna fe wnâi yn siŵr na châi neb arall ei fwynhau chwaith.

Parciodd Gareth ei gar a chroesi'r maes parcio am ddrws ochr y prif adeilad a gwau ei ffordd at y cownter ymholiadau i weld a oedd yna rywun a allai ddweud wrtho pam fod Clem Owen yn ei swyddfa. Wrth iddo agor y drws olaf fe welodd gefn y Rhingyll Berwyn Jenkins yn diflannu i'r ystafell gefn.

'Berwyn!'

Ailymddangosodd y rhingyll yn y drws a chododd Gareth ei law arno a gwenu, ond ni wenodd Berwyn Jenkins yn ôl.

'Dwi'n gweld bod Clem Owen i mewn,' meddai wrth iddo gamu y tu ôl i'r cownter.

'Dwyt ti ddim wedi clywed?'

'Am beth?'

'Bod Ieuan Daniels wedi ca'l damwain neithiwr.' A sylwodd Gareth ar wyneb gwelw'r rhingyll.

'Naddo.'

'Ma' fe yn *intensive care*. Ro'dd e'n cwrso car o'dd wedi ei ddwyn pan drawodd ei gar yn erbyn car arall cyn mynd ar ei ben i ochor Pont yr Esgob.'

'Pryd ddigwyddodd hyn?' gofynnoddd Gareth, gan gofio am y car heddlu a wibiodd heibio iddo'r noson cynt.

'Tua hanner nos.'

Teimlodd Gareth ei stumog yn corddi.

'Odi fe'n ddrwg iawn?'

'Niwed i'w ben, a dy'n nhw ddim yn rhyw siŵr am ei go's, a fydd e'n gallu cerdded neu beidio – ro'dd hi wedi 'i dal dan bedale'r car. Ro'dd 'na blentyn yn y car arall, ond diolch byth dyw hi'n ddim gwa'th.'

'Pwy o'dd wedi dwyn y car, plant?'

'Ie. Ni'n meddwl mai bechgyn yn 'u harddege o'n nhw.'

'Ond beth o'dd Ieuan yn 'i neud yn 'u cwrso nhw? Dyle fe wbod yn well na 'ny.'

'Ro'n nhw wedi bod yn taflu cerrig at ffenestri Capel Bethania cyn hynny, dyna lle da'th Ieuan o hyd iddyn nhw. A fwy na thebyg mai nhw o'dd yn gyfrifol am ddifrodi ceir yn Ffordd yr Eglwys ryw awr yn gynharach.'

'Odyn nhw wedi 'u dal?'

'Nady'n, ond ry'n ni wedi dod o hyd i'r car ac yn disgwl i rywun ein ffonio ni unrhyw funud i weud 'i fod e newydd godi a mynd mas i olchi'i gar ac yn ffaelu dod o hyd iddo fe. Ma' Kevin Harry wrthi ar hyn o bryd yn archwilio'r car am olion bysedd ac unrhyw beth arall all ein helpu ni i ddal y diawled.'

'Wel os y'n nhw wedi bod mewn trwbwl o'r bla'n fe ddylen ni 'u dal nhw.'

Nodiodd Berwyn Jenkins ei ben. 'Ond os nad y'n nhw, bydd rhaid cymryd olion bysedd pob bachgen yn yr ardal. Ro'dd 'na barti ar Draeth Gwyn neithiwr ac ma'n ddigon posib mai o fan'ny y dethon nhw.'

'Ma' fe'n ddechre, beth bynnag. Odi Ieuan yn briod?'

'Odi, â dau o blant. Ro'dd e fod i ddechre'i wylie heddi.'

'O's rhywun wedi bod i'w gweld nhw?'

'Es i draw ar ôl i'r ambiwlans fynd â Ieuan i'r ysbyty.'

A dyna pryd y sylweddolodd Gareth mai Berwyn Jenkins oedd rhingyll y shifft nos; shifft a oedd wedi gorffen dros dair awr ynghynt. Doedd dim rhyfedd ei fod yn welw a blinedig.

'O's rhywun arall o'r shifft nos wedi aros mla'n?'

'Pob un. Ma'n nhw mas yn holi'n barod.'

'Pwy sy yn CID, ar wahân i Eifion a Clem Owen?'

'Dwi ddim yn gwbod. Gan fod Mr Peters ar 'i wylie a bod hwn yn achos mwy difrifol na chymryd a gyrru i ffwrdd, fe ofynnes i i Clem a ddethe fe mewn.'

Ymddangosodd clerc o'r ystafell gefn ac amneidio ar Berwyn Jenkins. Dilynodd y rhingyll ef i'r cefn a throdd Gareth am y grisiau.

Roedd ystafelloedd y CID ar drydydd llawr yr adeilad a godwyd ar ddechrau'r wythdegau, ond a ddangosai ôl traul yn barod. Enillodd y penseiri sawl gwobr am y cynllun ac roedd yna dri phlac ger y brif fynedfa'n tystio i hynny. Yn ôl un sinic o heddwas a wfftiai'r placiau, beth oedd gwerth cofnodi'r cynllun a'r adeiladu mor sobor o sâl? Ond yn ôl cyd-weithiwr iddo a oedd yn hwy ei wasanaeth ac felly'n fwy ei siniciaeth, fe ddylent i gyd fod yn ddiolchgar am y placiau hynny, gan mai dim ond nhw oedd yn cadw'r adeilad rhag disgyn am eu pennau.

'Mewn!' galwodd llais o'r ystafell bron cyn i Gareth orffen curo ar y drws. Gwasgodd y ddolen a gwthio'r drws – a oedd yn gyndyn i agor, haf neu aeaf – â'i ysgwydd. Roedd cyndynrwydd cyson drws ei ystafell i agor yn bwnc roedd y Prif Arolygydd Clem Owen yn huawdl iawn arno, ac roedd y drws ei hun yn eitem ganolog yn y gosb y credai roedd y penseiri a'r adeiladwyr yn ei haeddu am godi'r fath le.

Haf neu aeaf, roedd y Prif Arolygydd Clem Owen yntau yn gyson ei ffyrdd – yn enwedig ei ddillad. Gwisgai siwt lwyd na ddeuai'n agos at guddio'i gorff crwn yn iawn, ac a roddai'r argraff ei bod hi'n teimlo'n lletchwith ei bod yn gorfod ceisio cyflawni'r fath orchwyl. Roedd ôl blynyddoedd disglair o eistedd ar gadeiriau i'w weld ar y trowsus, a phwysai'r got ymlaen yn y blaen oherwydd arferiad Owen o wasgu ei ddwylo i mewn i'r pocedi wrth gerdded. Ond roedd y got wedi ei thynnu nawr ac yn gorwedd yn anniben ar ben pentwr o ffeiliau ar gadair o flaen y ffenest. Drwy'r crys gwyn tenau, na fyddai neb yn credu iddo ei gael yn lân gan Llinos ei wraig y bore hwnnw, gwelai Gareth wawr goch ei fest. Roedd Clem Owen wedi chwarae rygbi dros Lanelli yn y gorffennol ond roedd yr arwydd hwn o'i ym-lyniad i'r Scarlets braidd yn rhy amlwg ym marn nifer o'i gyd-weithwyr.

'Wyt ti wedi clywed?' gofynnodd, gan dynnu ei gorff swmpus i fyny yn ei gadair. Roedd yn llewys ei grys ac edrychai fel pe bai wedi cysgu'r nos ynddo. Pwysodd yn ôl a phlethu ei ddwylo ar ei wegil. Clywodd Gareth y gadair a'r crys yn gwichian dan y straen.

'Ma' Berwyn Jenkins newydd weud wrtha i.'

'Ro'dd hi'n dipyn o gnoc i Berwyn. Ro'dd e a thad Ieuan gyda'i gilydd yng Nghaerfyrddin.'

'Wydden i ddim bod tad Ieuan yn y ffôrs.'

'Cyn dy amser di, siŵr o fod. Sarjant William Daniels. Tipyn o gymeriad.' A throdd Owen i syllu allan drwy'r ffenest am rai eiliadau cyn troi'n ôl at Gareth a gofyn, 'Wyt ti i fod 'ma heddi?'

'Nadw. Meddwl rhoi awr neu ddwy ar y tane 'na.'

Nodiodd Clem Owen. 'Ma' Eifion draw yn Ffordd Glan-eithin. Triodd rhywun dorri mewn i un o'r tai yno neithiwr. O's 'da ti amser i helpu dod o hyd i'r bechgyn o'dd yn gyrru'r car?'

'O's.'

'Ma' 'na ddynion mas yn barod yn holi yn ardal y ddam-wain, ond os allet ti fynd draw i'r capel ble welodd Ieuan nhw gynta.'

'Capel Bethania?'

'Ie.'

'Dwi'n credu i'r ddau gar fy mhasio i neithiwr.'

'Do fe? Ymhle?'

Ac adroddodd Gareth hanes yr ymlid y bu Carys ag ef yn dystion iddo am rai eiliadau.

'Ma'n rhaid bod y ddamwain wedi digwydd bron yn syth wedyn,' meddai Owen ar ôl i Gareth orffen.

'Ma'n rhaid.'

Edrychodd Clem Owen arno. 'Do'dd 'na ddim byd y gallet ti fod wedi 'i neud.'

'Na,' cytunodd Gareth. Ond nid oedd gwybod hynny yn werth dim i neb.

Edrychodd Eifion Rowlands ar y tŷ a dylyfu gên. Nid oedd hynny'n gymaint yn feirniadaeth o'r adeilad o'i flaen, ond yn hytrach yn sylw cyffredinol ar gyflwr ei fywyd ef ei hun. Camodd yn ôl o'r drws ac edrych i fyny at y tŷ tri-llawr. Ceisiodd ddyfalu faint o ystafelloedd oedd yn y tŷ: tri llawr, pum neu chwe ystafell, o leiaf, ar bob llawr yn gwneud deunaw, efallai ugain o ystafelloedd i gyd – a mwy fyth os oedd yna seler neu estyniad yn y cefn. Llawer mwy o le, beth bynnag, nag oedd ganddo ef a Siân. Digon o le i bawb. Digon o le i ddyn ddianc oddi wrth fabi bach chwe mis oed a oedd wedi dihuno'n sgrechian bron bob nos ers y tro cyntaf iddo lenwi ei ysgyfaint, a gwraig a oedd wedi rhoi'r gorau i fyw.

Dylyfodd Eifion ên drachefn a thynnu ei law ar draws ei drwyn cul a'i geg denau. Y bore hwnnw roedd Emyr wedi bod wrthi'n sgrechian yn ddi-baid ers hanner awr wedi pedwar, a Siân, er gwaetha'r ffaith bod yna ddiwrnod hir o waith o flaen Eifion, wedi troi ei hwyneb at y wal ac yn anwybyddu'r sŵn. Dim ond cyfnod yw e, ceisiai pawb oedd â phrofiad o blant ei gysuro, a phan fyddai pethau'n newid eto fe fyddai naill ai'n edrych yn ôl ar hwn fel cyfnod da, neu wedi anghofio amdano'n llwyr. Roedd Eifion yn amau'r ddau osodiad. Yr unig beth a wyddai ef oedd na allai pethau fynd ymlaen fel hyn. Roedd ef wedi cael digon. Roedd ei waith a'i gartre yn ei ddiflasu. Dylyfodd ên eto ac agorwyd y drws.

'Bore da,' meddai'n gysglyd gan dwrio ym mhoced ei drowsus am ei gerdyn gwarant.

'Mrs Llewelyn?'

'Nage, Mrs Evans.'

'Rown i'n deall mai Mrs Llewelyn o'dd yn byw 'ma,' meddai Eifion gan ddal ei gerdyn gwarant o flaen y wraig.

'Ie, chi'n iawn, tŷ Mrs Llewelyn yw hwn, ond fi a 'ngŵr sy'n gofalu am y lle iddi.'

'Reit. Dwi'n deall bod rhywun wedi trio torri mewn 'ma neithiwr.'

'Do, drwy ffenest yr ochor. Clywodd Idris, 'y ngŵr, sŵn …'

Cododd Eifion ei law i'w thawelu. 'Hanner munud, Mrs Evans. Dwi'n credu falle y bydde hi'n well i fi ddod mewn cyn i chi ddechre ar eich stori.'

'O, ie, wrth gwrs.'

Roedd cyntedd y tŷ yn llydan a thua'r un faint ag ystafell fyw Eifion. Edrychodd o'i gwmpas a sylwi, wrth i'r wraig gau'r drws, ar y dwsinau o adar amryliw a wibiai'n llonydd yn yr haul a lifai drwy'r gwydr uwchben ac oddeutu iddo.

'Dewch drwodd,' meddai'r wraig, gan ei arwain a'i hebrwng yr un pryd. 'Ma' Idris yn y gegin.'

Dilynodd Eifion hi heibio i'r grisiau derw ac i mewn i'r gegin a oedd yn ddigon mawr i dynnu dŵr o ddannedd unrhyw gogydd gwerth ei halen. Wrth fwrdd hirsgwar a lanwai hyd at hanner yr ystafell eisteddai dyn yn ei chwedegau cynnar. O'i flaen roedd mŵg coch a'r gair 'Tad-cu' arno mewn ysgrifen wen. Gwisgai yntau, fel ei wraig, ei ddillad Sul gorau.

Roedd Eifion wedi gweld adroddiad yr heddwas a ymatebodd i'r alwad 999 y noson cynt, a gwyddai o'i ddarlleniad brysiog mai achos o anghyfleustra oedd hwn yn fwy na dim byd arall. Tenau iawn oedd gobaith yr heddlu o ddal y troseddwr, ac ar wahân i dreulio ychydig o'i amser yn cysuro'r perchenogion, nid oedd rhyw lawer y gallai ef ei wneud. Edrychodd ar ei oriawr a phenderfynu y caent ddeng munud o'i amser, mwy nag oedd yr achos yn ei haeddu.

'Idris,' meddai'r wraig, gan gerdded at y bwrdd a sefyll yn ymyl y dyn. 'Ma'r heddlu 'ma 'to.'

'Dewch mla'n, steddwch,' meddai'r dyn gan eistedd i fyny yn ei gadair a chodi'r mŵg i'w geg.

O leia mae cyfle am baned, meddyliodd Eifion gan eistedd. A heb iddo orfod gofyn am un, ymddangosodd cwpanaid o de poeth o'i flaen.

'Ma' gyda chi le da fan hyn,' meddai Eifion gan bwyso'n ôl ar goesau'r gadair. 'Dim ond chi'ch dau sy'n gofalu amdano fe?'

'Ie,' atebodd Idris Evans, a'r balchder yn amlwg yn ei lais.

Drachtiodd Eifion ei de. 'Beth ddigwyddodd neithiwr 'te, Mr Evans?'

'Dim byd tan ryw chwarter wedi hanner nos pan ...'

'O'ch chi wedi mynd i'r gwely erbyn hynny?' torrodd Eifion ar ei draws gan ofni bod y dyn yn mynd i droi'r digwyddiad bychan yn stori fawr.

'O'n, ro'dd Gwenda a finne wedi mynd tua ...'

'A Mrs Llewelyn?'

'Ro'dd hi wedi hen fynd,' atebodd Gwenda Evans gan roi plataid o fisgedi siocled ar ganol y bwrdd. 'Ma' hi'n mynd i'r gwely tua hanner awr wedi naw bob nos. Dwi'n mynd â phaned iddi, ac un i finne, tua naw, yna dwi'n eistedd i ga'l clonc fach am ryw ddeng munud i chwarter awr, ac wedyn yn 'i helpu hi i'r gwely.'

'Odi Mrs Llewelyn yn anabl?' gofynnodd Eifion, gan estyn am fisgïen.

'Na, ddim yn anabl, ond ma' hi'n diodde'n ddrwg o'r cryd cymalau a dyw hi ddim yn gallu neud rhyw lawer drosti ei hunan.'

'Ac fe ethoch chi'ch dau i'r gwely am ...?'

'Tua un ar ddeg.'

'Ac ro'dd popeth yn dawel tan chwarter wedi deuddeg?'

'O'dd.'

'Pan glywoch chi, Mr Evans, sŵn rhywun tu fas ...'

'Do.'

' ... ac fe godoch chi a dod lawr i weld beth o'dd 'na.'

'Do.'

'Weloch chi rywun?'

'Naddo, ond yn bendant ro'dd 'na rywun tu fas i ffenest ochor y stafell fyw.'

'Be nethoch chi wedyn?'

'Gweiddi 'mod i'n gwbod 'i fod e 'na a 'mod i'n mynd i ffonio amdanoch chi.'

'Ac fe a'th e?'

'Ma'n rhaid. Ro'dd popeth yn dawel wedyn a do'dd dim golwg ohono fe pan dda'th y bob ... plismon.'

Yfodd Eifion waelodion ei de. 'Iawn, dim ond gair bach gyda Mrs Llewelyn ac fe fydda i wedi cwpla.'

'Chlywodd hi ddim byd,' meddai Gwenda Evans yn bendant.

'O? Y'ch chi wedi trafod y mater gyda hi'n barod?'

'Naddo, ond fe ofynnes iddi pan es i â'i the iddi'r bore 'ma a o'dd hi wedi cysgu drwy'r nos, ac fe wedodd hi 'i bod hi.'

'Dy'ch chi ddim wedi gweud wrthi, 'te?'

'Nady'n,' atebodd Idris Evans. 'Do'dd dim byd wedi'i ddwyn, a do'n i ddim yn meddwl 'i bod hi'n werth codi gofid arni heb ise.'

'Wel, falle'ch bod chi'n iawn, ond ro'n i'n sylwi bod ise cloeon cryfach ar y ffenestri. Nethe hynny fwy i arbed gofid iddi yn y pen draw na pheidio gweud dim wrthi am neithiwr.'

'Odych chi am weld y ffenest?' gofynnodd Idris Evans i Eifion wrth iddo godi.

'Na. Fe anfona i rywun draw i weld os o's 'na olion bysedd arni. Falle byddwn ni'n ffodus, a'i fod e wedi'i ddal am ddwyn pethe o'r bla'n,' meddai Eifion, gan godi a chymryd bisgïen arall.

Caeodd Ken Roberts ddrws y cefn, taro'r papur newydd ar fwrdd y gegin a gofyn i'w wraig, 'Odi fe wedi codi?'

'Ma' Geraint yn y gawod,' atebodd Angela heb droi o'r sinc a'r tatws roedd yn eu pilio.

'Ro'dd hi bron yn hanner awr wedi deuddeg pan dda'th e mewn.'

'Dwi'n gwbod, rown inne ar ddihun.'

'Ddylen i fod wedi ca'l gair 'dag e bryd 'ny,' meddai Ken, gan eistedd wrth y bwrdd ac agor y *Wales on Sunday*. 'Petait ti ddim wedi'n stopio i …'

'Bydde'r ddau ohonoch chi wedi gweiddi ar eich gilydd a bydde neb wedi gallu cysgu wedyn. Cofia beth wedon ni neithiwr, Ken. Rho amser iddo fe, a phaid â disgwl iddo ymddiheuro am fod yn fe.'

'Wyt ti'n gwbod ble'r o'dd e wedi bod tan hanner awr wedi deuddeg?'

'Nadw, 'nes i ddim gofyn iddo fe.'

Cododd ei gŵr ei ben o'r papur. 'Wyt ti wedi siarad ag e?'

'Odw.'

'A nest ti ddim gofyn beth o'dd e'n 'i neud tan orie mân y bore?'

'Naddo.'

Nid holi Geraint am ddigwyddiadau'r noson cynt oedd bwriad Angela Roberts pan aeth i'w ddihuno yn syth ar ôl i'w gŵr adael y tŷ i nôl y papurau, ond i ddweud wrtho fod ei dad mewn hwyliau drwg ac mai'r peth doethaf iddo'i wneud fyddai codi ar unwaith, ymddiheuro am fod yn hwyr a, hyd y gallai, rhoi rheswm da am hynny. A gan ei bod yn bendant nad oedd hi'n mynd i adael y ddau yn y tŷ ar eu pennau eu hunain, roedd Geraint i ddod gyda hi i'r capel.

Daeth sŵn symud o'r llofft ond ni ddangosodd Angela na Ken Roberts eu bod wedi ei glywed. Cynyddodd y sŵn uwch eu pennau wrth i Geraint gerdded yn ôl ac ymlaen yn ddi-baid o'i ystafell wely i'r ystafell ymolchi fel na allai'r ddau ei anwybyddu.

'Beth ar y ddaear mae e'n neud?' gofynnodd Ken Roberts.

'Dim syniad,' atebodd Angela, gan ymladd yr awydd i wenu. 'Ond beth bynnag yw e, mae e'n drylwyr iawn.'

'Trylwyr! Mae e'n fwy fel obsesiwn.'

'Whare teg, Ken, all neb gyhuddo Geraint o fod ag obses- iwn am lendid.'

Chwarddodd ei gŵr wrth i Geraint ymddangos yn nrws y gegin ag ôl yr holl weithgarwch i'w weld yn amlwg ar ei wyneb coch, sgleiniog a'i wallt gwlyb a oedd wedi ei gribo yn ôl o'i dalcen. Roedd yn fachgen tal, llydan; ychydig o flynyddoedd eto ac fe fyddai'n dalach a chadarnach na'i dad.

'Beth yw'r jôc?' gofynnodd.

'Ti,' atebodd ei dad.

'O, diolch yn fawr.'

'Ble ma' dy ddillad brwnt a'r lliain?' gofynnodd ei fam iddo.

'Ym ...'

'Geraint, dwyt ti ddim wedi rhoi'r lliain gwlyb 'nôl yn y cwpwrdd crasu gobeithio?' meddai ei fam.

'Sori. Fe a' i i' nôl e i chi.'

'Na, arhosa di fan hyn, fe a' i. Ma' dy dad am ga'l gair 'da ti,' a gan edrych i fyny'n ddifrifol i'w wyneb wrth gerdded heibio iddo, ychwanegodd, 'ac ma'n siŵr bod gyda ti rywbeth i'w ddweud wrth dy dad hefyd.'

Estynnodd Geraint am y tegell a dechrau gwneud paned o goffi iddo'i hun.

'Beth ddigwyddodd i ti neithiwr?' gofynnodd ei dad iddo.

'A'th hi'n hwyrach nag o'n i wedi meddwl. Sori.'

'Ti'n gwbod nad ydw i'n licio i ti fod mas wedi hanner nos, yn enwedig ar nos Sadwrn pan ma' pethe'n gallu mynd dros ben llestri.'

'Dwi'n gwbod, sori.'

'Pam na fyddet ti wedi ffonio? Fe allen i fod wedi dod i dy nôl di.'

'Do'dd dim ffôn yn gyfleus.'

'Ma' ffôn yn y maes parcio ar bwys Traeth Gwyn.'

'Dwi'n gwbod, ond fe benderfynon ni gerdded 'nôl. Gymerodd hi fwy o amser nag o'n ni wedi meddwl.' Arllwysodd Geraint y dŵr berwedig ar ben y coffi a'i droi'n araf. 'Dad ...'

'Pam na fyddet ti wedi gofyn i rywun am lifft?' torrodd ei dad ar ei draws.

Ochneidiodd Geraint yn dawel. 'Am eich bod chi'n gweud wrtha i i beidio â chymryd lifft gan bobol sy wedi bod yn yfed.'

'Wel, diolch byth dy fod ti'n gwrando ar rywbeth dwi'n gweud. Trueni nad yw e'n digwydd yn amlach.'

Trodd Geraint i wynebu ei dad. 'Drychwch! Dwi wedi gweud 'i bod hi'n ddrwg 'da fi 'mod i'n hwyr yn cyrra'dd adre. 'Nes i ddim neud hynny'n fwriadol, ond fel'na digwyddodd hi.'

Canodd y ffôn ond tawelodd bron ar unwaith a chlywodd y ddau Angela Roberts yn siarad yn y cyntedd cyn iddi ddod i mewn i'r gegin yn cario'r lliain sychu. Edrychodd yn ddifrifol ar Geraint cyn troi at ei gŵr.

'Clem Owen am ga'l gair 'da ti.'

Cododd Ken Roberts a mynd allan i'r cyntedd.

'Wel, allet ti ddim fod wedi neud yn wa'th, allet ti?'

'Chi'n gwbod shwd ma' fe'n gallu bod â'i *third degree*.'

'Dwi'n gwbod shwd wyt ti'n gallu bod hefyd. Wyt ti ddim yn sylweddoli bod dy dad yn poeni amdanat ti neithiwr?'

'Do's dim rhaid iddo fe. Dwi'n ddigon hen.'

'Profa 'ny iddo fe 'te.'

'Pam ddylen i?'

'Geraint! Os wyt ti …' ond clywodd ei gŵr yn rhoi'r ffôn i lawr a distewodd.

'Ma'n rhaid i fi fynd mewn i'r gwaith,' galwodd Ken o'r cyntedd. 'Ga'th un o'r plismyn ddamwain car ar bwys Pont yr Esgob neithiwr. Mae e'n ddifrifol wael yn yr ysbyty.' Ymddangosodd yn nrws y gegin. 'Ma' Clem wedi dechre ymchwiliad i achos y ddamwain. Wela i di wedyn.'

Roedd Geraint yn rhedeg i fyny'r grisiau cyn i'r drws gau ar ôl ei dad.

'Paid â meddwl dy fod ti wedi dianc,' galwodd ei fam ar ei ôl. 'Ddylet ti nabod dy dad yn ddigon da i wbod nage 'na'i diwedd hi.'

Y ffordd gyflymaf o orsaf yr heddlu i Heol Teilo oedd dilyn yr afon o'r harbwr mor bell â Rhyd-draws, yna troi i'r chwith i mewn i Ffordd y Farchnad a'i dilyn hyd nes y newidiai honno heb rybudd na rheswm ar ôl rhyw ganllath a hanner i fod yn Rhodfa'r Parc. Drigain llath ymhellach ac roedd yna droad i'r dde i Ffordd yr Helyg, stryd a redai heibio i ben dwyreiniol Heol Teilo. Ac ar hyd y ffyrdd hyn y gyrrodd Gareth i Gapel Bethania, er y gwyddai o ddarllen cofnodion yr ystafell reoli o symudiadau Foxtrot Brafo Pedwar ar y nos Sadwrn mai o'r cyfeiriad arall yr oedd Ieuan Daniels wedi cyrraedd Heol Teilo y noson cynt.

Pan gyrhaeddodd Gareth Heol Teilo, roedd oedfa foreol Capel Bethania newydd orffen a'r gynulleidfa'n dod allan ling-di-long drwy'r drysau cyn ymgynnull oddeutu'r glwyd ddwbl i sgwrsio o dan lygad cynnes yr haul.

Prin ddeg ar hugain o aelodau oedd yno, eu hanner yn wragedd dros drigain oed, a mwyafrif y gweddill naill ai'n hen ddynion neu'n blant ifanc. Dim ond tri – dwy ferch ac un bachgen – oedd rhwng pymtheg a deugain oed.

Wrth iddo groesi o'i gar gwelodd Gareth fam Carys – un o'r ychydig wragedd dan drigain – yn symud i ffwrdd oddi wrth y grŵp ger y glwyd ac yn cerdded tuag at ddyn bychan, sgwâr a oedd newydd ymddangos yn nrysau'r capel. Mentrodd Gareth mai hwn oedd y gweinidog, ond er iddo glywed amdano droeon gan Grace Huws, ni allai gofio'i enw. Ymesgusododd Gareth ei ffordd drwy griw'r glwyd a cherdded at y ddau.

'Fyddwn ni ddim yn hir yn clirio'r cwbwl,' clywodd Gareth Grace Huws, oedd â'i chefn tuag ato, yn dweud wrth y gweinidog.

'Bydd rhaid ei glirio, wrth gwrs, ond ddim heddiw. Dwi ddim am i'r digwyddiad amharu'n fwy ar weithgareddau'r Sul nag y mae wedi ei wneud yn barod.'

Roedd Grace Huws yn mynd i ddweud rhywbeth arall pan sylwodd y gweinidog ar bresenoldeb Gareth ac, yn falch o'r cyfle i derfynu'r sgwrs, trodd tuag ato.

'Bore da, alla i eich helpu chi?'

Trodd Grace Huws i weld â phwy roedd y gweinidog yn siarad.

'Gareth!'

'Helô, Mrs Huws.'

'Chi'ch dau'n adnabod eich gilydd, mae'n amlwg,' meddai'r gweinidog.

'Ma' Gareth a Carys yn ffrindie, Mr Morgan,' a sylwodd Gareth ar y balchder digymysg yn ei llais. Sylwodd hefyd iddi enwi'r gweinidog a chofiodd mai Emrys Morgan oedd ei enw llawn. Cyflwynodd Gareth ei hun iddo ac esbonio ei fod wedi dod i weld faint o ddifrod roedd y bechgyn wedi ei wneud.

'Wel, fe dorron nhw saith ffenest i gyd,' meddai Emrys Morgan, 'ond mae'r gofalwr wedi clirio'r rhan fwyaf o'r llanast ac mae'r chwiorydd yn ysu am fynd i'r afael â'r hyn sydd ar ôl,' a gwenodd ar Grace Huws cyn ychwanegu, 'ond mae'n well gadael hynny nes bydd y gwaith o roi'r gwydr newydd i mewn wedi ei orffen.'

'Odi'r gofalwr wedi clirio y tu mewn a'r tu fas?' gofynnodd Gareth.

'Dim ond y tu mewn hyd yn hyn. Os ydych chi am gael gair gydag e fe a' i â chi ato. Dwi'n credu ei fod e ar fin dechrau rhoi rhywbeth dros y ffenestri. Esgusodwch ni, Grace.'

A heb oedi cerddodd y Parch Emrys Morgan i lawr hyd ymyl yr adeilad. Dechreuodd Gareth ei ddilyn ond cydiodd Grace Huws yn llawes ei got.

'Fyddwch chi'n dal i ddod aton ni i ginio, Gareth?'

Trodd Gareth ati a sylwi bod cynulleidfa Capel Bethania i gyd yn gwrando arnynt.

'Dwi'n gobeithio,' meddai gan ostwng ei lais. 'Ddylwn i ddim fod yn hir iawn fan hyn.'

'Cymerwch eich amser, Carys sy'n gwneud cinio heddi, ac mae ise cymaint o amser arni hi ag y gall hi 'i ga'l,' meddai Grace Roberts gan wenu'n ddireidus cyn ymuno â'r gynulleidfa ddisgwylgar ger y glwyd.

'Cafodd y festri lonydd gyda nhw, diolch byth,' meddai Emrys Morgan wrtho pan ymunodd Gareth ag ef ar bwys yr ysgoldy.

'Odych chi wedi diodde ymosodiade fel hyn o'r bla'n?'

'Nagyn, ddim ers i fi fod 'ma, sef bron wyth mlynedd bellach.'

Trodd y ddau heibio i gornel yr adeilad i mewn i'r fynwent. Rhimyn hirsgwar rhyw gan troedfedd wrth ddeg troedfedd ar hugain oedd y fynwent, ac er nad oedd bedd newydd wedi ei agor yno ers blynyddoedd, roedd ôl cynnal a chadw gofalus iawn arni. Pwysai ysgol yn erbyn cefn y capel ac arni safai dyn yn ei drigeiniau yn hoelio darn hirsgwar o bren dros un o'r ffenestri. Arhosodd y ddau ac edrych arno.

'Allwch chi feddwl am unrhyw reswm dros yr ymosodiad?' gofynnodd Gareth i'r gweinidog.

'Na, dim, a dwi ddim yn credu bod 'na reswm drosto, ond dyw hynny ddim yn gyfystyr â dweud fod hwn yn ymosodiad direswm. Newidiais i'r bregeth y bore 'ma er mwyn i ni gael cyfle i ystyried yr hyn a ddigwyddodd. Roedd e'n fwy o seiat nag oedfa arferol, a dweud y gwir, ac fe gawson ni gyfle i drafod hyn i gyd – sut gallai rhywun wneud y fath beth, y weithred ei hun, a pha effaith y mae hyn yn mynd i'w chael arnon ni fel unigolion ac fel eglwys. Roedd e'n brofiad gwerthfawr a buddiol i ni fel cynulleidfa, ac yn dangos sut y gall daioni ddod o ddrygioni. Mae'n drueni nad oedd yna fwy yma i glywed.'

'Ddethoch chi i unrhyw gasgliad ynglŷn â phwy alle fod yn gyfrifol?'

'Naddo, a dwi ddim yn credu fod hynny'n ofnadwy o

bwysig, sarjant. Mae'n rhaid i ni edrych y tu hwnt i'r weith-red hon at y gymdeithas sy'n rhoi bodolaeth i bobl sy'n ymddwyn fel hyn. Yr her sy'n ein hwynebu ni fel capeli ac eglwysi heddiw yw sut y gallwn ni ddylanwadu ar gymdeithas, ei newid fel nad yw pobl yn gweld angen ymddwyn fel hyn. Beth ydych chi'n feddwl?'

Meddwl fod y Parchedig Emrys Morgan yn ffodus iawn nad yr Arolygydd Ken Roberts oedd wedi galw i'w weld oedd Gareth, ond fe ddywedodd, 'Plant, nid pobol, sy'n neud pethe fel hyn fel arfer.'

'Mwy o reswm dros ymroi i wrando. Ond plant, pobl, pwy bynnag ydyn nhw, mae'n rhaid i ni dreulio amser yn dod i'w deall nhw, dyna'r unig ffordd y gallwn ni eu helpu ac yn y pen draw ein helpu ein hunain. Os na allwn ni wneud hynny, rydyn ni mewn perygl o fynd ar goll yn llwyr.'

'Digon posib, Mr Morgan, ond y perygl mwya nawr yw y do'n nhw'n ôl ac achosi mwy o ddifrod, neu y bydd rhai er'ill yn eu dynwared.'

'Rydych chi'n meddwl bod hynny'n bosibilrwydd, ydych chi?'

'Dyna sy'n digwydd fel arfer.'

'Drygioni yn arwain at ddrygioni. Ie, mae e'n gylch anodd ei dorri.' A siglodd Emrys Morgan ei ben. 'Sut mae'r plismon oedd yn y ddamwain neithiwr?'

'Dwi ddim yn gwbod yn iawn, ond dyw e ddim yn swnio'n rhy dda. Disgynnodd un o'r bechgyn o ben y wal ac ma'n bosib ei fod e wedi ei anafu hefyd.'

Nodiodd Emrys Morgan ei ben unwaith eto. 'Mae rhyw-beth fel hyn yn effeithio ar y da a'r drwg.'

Gwelodd y gweinidog fod y gofalwr wedi gorffen hoel-io'r pren ar draws y ffenest.

'Dyma'ch cyfle i gael gair gyda Mr Williams. Galwch os alla i eich helpu ymhellach.'

Symudodd y gofalwr yr ysgol at y ffenest nesaf. Gadawodd Gareth iddo ddringo i'w gorchuddio tra rhoddai ef ei sylw i'r wal gerrig a amgylchynai'r fynwent. Cerddodd rhwng y cerrig beddau at ochr Rhodfa'r Parc o'r fynwent a'i dynnu ei hun i ben y wal lle y gallai weld y stryd a lle, fwy na thebyg, roedd y bachgen a ddygodd y Sierra wedi aros am ei ffrindiau. Edrychodd Gareth i fyny ac i lawr y stryd a cheisio cofio'r cofnod yr oedd wedi ei ddarllen o'r hyn a ddywedodd Ieuan Daniels dros ei radio am drefn digwydd-iadau nos Sadwrn. Os oedd Daniels wedi gadael ei gar yn Heol Teilo pan aeth i weld beth roedd y bechgyn yn ei wneud, roedd hi'n annhebyg mai ar hyd Heol Teilo yr oedd y Sierra wedi dod. Go brin y byddai'r gyrrwr wedi aros i gasglu ei ffrindiau ac yntau'n gwybod bod yna blismon rywle yn y cyffiniau. Felly, gan mai ar hyd Rhodfa'r Parc gyda Ieuan Daniels yn ei ddilyn roedd y Sierra wedi mynd ar ôl casglu'r bechgyn eraill, mae'n rhaid mai o rywle yng nghyff-iniau Lôn y Lloi roedd y bachgen wedi dwyn y Sierra a'i fod wedi ei yrru heibio i ben Heol Teilo heb weld y car heddlu.

Neidiodd Gareth yn ôl i lawr i'r fynwent; fe âi allan i weld a oedd ei hôl ar yr ochr draw wedyn. Cyrcydodd i edrych ar y llawr. Yn ôl Ieuan Daniels cwympodd un o'r bechgyn o ben y wal a gadawyd ef yno gan ei ffrindiau. Os bu'r bachgen yn ddigon ffodus i ddisgyn ar y llwybr glas-wellt, yna ni fyddai damaid gwaeth, ond byddai'n stori wahanol pe bai wedi disgyn ar un o'r cerrig beddau.

Symudodd yn ôl ac ymlaen gan archwilio'r holl gerrig a oedd yn ymyl y wal, yn chwilio am waed o glwyf neu am ddarn o ddillad wedi ei rwygo yn y gwymp, ond heb ddim llwyddiant. Yna plygodd a dechrau chwilio'r llwybr am rywbeth y gallai'r bachgen a gwympodd, neu un o'r lleill, fod wedi ei ollwng a fyddai'n eu cysylltu â'r lle. Ond, un-waith eto, yn ofer.

'Heddlu?' holodd y gofalwr a oedd wrthi'n symud yr ysgol unwaith eto.

Cododd Gareth a cherdded tuag ato.

'O fan'co daflon nhw'r cerrig,' meddai'r gofalwr gan ddal y morthwyl fel dryll ac anelu'r goes at y wal. 'Ma'n rhaid taw e, i allu torri'r ffenestri hyn a'r rhai ar yr ochor.'

Nodiodd Gareth. 'Odych chi wedi bod draw 'na?'

'Odw,' atebodd, a golwg hunanfodlon iawn ar ei wyneb.

'Weloch chi rwbeth o'u hôl nhw?'

'Wel, ma'n anodd gweud, ond fe ffeindies i hwn y tu fas i'r wal. Dwi ddim yn gwbod os o's gyda fe rywbeth i' neud â busnes neithiwr, ond well i chi 'i ga'l e.'

Cydiodd Gareth yn y ddisg maint darn pum deg ceiniog a ddaliai'r gofalwr. Bathodyn gwyrdd, ac ar ei draws, mewn melyn, melltennai'r gair *Gerawe!*

'Chi'n gwbod beth yw e?' gofynnodd y gofalwr.

'Hysbyseb i gwmni gwylie?'

'Na, ddim yn hollol. Gwersyll gwylie i hwligans o ochre Lerpwl yw e. Y math o blant sy'n rhedeg reiat a thorri ffenestri bob dydd o'r wthnos.'

Gwagiodd Kevin Harry gynnwys y glanhawr i'r cwdyn plastig a selio'i wddf â'r label a ddynodai mai o fŵt y Sierra roedd y casgliad hwn o flewiach a cherrig mân wedi ei godi. Rhoddodd y cwdyn yn ymyl y lleill a ddaliai'r cynhwysion amrywiol yr oedd wedi eu sugno o'r tu mewn i'r car. Dim ond ychydig o waith papur oedd ganddo ar ôl i'w wneud ac fe fyddai'r gwaith ar y Sierra ar ben. Efallai y câi bum munud o lonydd wedyn cyn rhoi ei holl sylw i'r sêff a ddarganfuwyd mewn coedwig dros ddeugain milltir i ffwrdd, mewn rhanbarth arall; gan fod swyddog man-y-drosedd y rhanbarth honno ar ei wyliau, roedd dwywaith y gwaith yn disgyn ar ei ysgwyddau ef. Roedd meddwl am ei wyliau ei hun ymhen tair wythnos yn rhyw fath o gysur.

Clywodd Kevin sŵn siarad o'r tu draw i'r car. Cododd ei ben a gweld y Prif Arolygydd Clem Owen a'r Arolygydd Ken Roberts yn cerdded tuag ato.

'Shwd mae'n dod, Kevin?' gofynnodd y prif arolygydd.

'Bron â chwpla, Mr Owen. Dim ond o gwmpas yr olwyn sbâr sy ar ôl i' neud.'

Cerddodd Ken Roberts heibio i Kevin i edrych ar gynnwys y car a oedd wedi eu gosod ar fwrdd yn ei ymyl. Pob eitem yn ei gwdyn plastig. Dau gopi o'r *Daily Telegraph*: un am ddydd Mawrth, 13 Gorffennaf, ac un am ddydd Gwener, 16 Gorffennaf. Map, llyfr cynnal a chadw a phâr o sbectolau haul.

'Unrhyw beth o werth?' gofynnodd Owen.

'Digon o olion bysedd a digon o dywod o dan dra'd y gyrrwr, ond dim byd amlwg ymhlith y rheina,' meddai gan gyfeirio at yr eitemau ar y bwrdd. 'Bydd rhagor o olion bysedd, siŵr o fod.'

'Sawl pâr o ddwylo hyd yn hyn?'

'Anodd gweud, ma'n nhw dros y lle i gyd. Wyth neu naw, falle fwy.'

'Beth am y car ei hun?' gofynnodd Ken Roberts, gan godi cwdyn a ddaliai daflen cwmni llogi ceir. Cerddodd at gefn y car a gweld yr un enw, Karston Kars, ar y ffenest gefn.

'Do's dim ôl difrod arno. Mae e mewn cyflwr da, ac yn ôl golwg yr injan yn ca'l gwasanaeth rheolaidd.'

'Jest fel car hurio.'

'Ie.'

'Do's neb wedi gadel gwbod i ni hyd yn hyn 'i fod e wedi 'i ddwyn,' meddai Owen. 'Fe allen nhw fod yn ym-welwyr a heb weld ei ise fe 'to, ond os na chlywn ni oddi wrth neb yn lleol erbyn heno, nei di fynd ar ôl y Karston Kars 'ma, Ken?'

Nodiodd Ken Roberts a rhoi'r cwdyn yn ôl ar y bwrdd. Trodd oddi wrth y Sierra. 'Hwnna yw car Ieuan?' gofynnodd gan ddechrau cerdded i gyfeiriad gweddillion y Maestro.

'Ie.'

Roedd pen blaen y car wedi ei wasgu i mewn bron hyd at sedd y gyrrwr a gellid bod wedi tynnu llinell syth o'r hyn oedd ar ôl o'r bonet i'r bŵt gan fod y to wedi ei wasgu'n wastad a dim ond ychydig o'r paent gwyn oedd ar ôl arno. Tynnodd Roberts ei law ar hyd y graith ar ddrws y gyrrwr ble'r oedd y Frigâd Dân wedi gorfod torri'r car ar agor er mwyn cael Ieuan Daniels allan. Daeth Clem Owen i sefyll yn ei ymyl ac estynnodd swp o dudalennau o bapur cyfrifiadur iddo.

'Dyna gopi o log adroddiade Ieuan a'r negeseuon a drosglwyddwyd iddo neithiwr. Dwi wedi rhoi copi i Gareth Lloyd ac ma' fe wedi mynd draw i weld y difrod ar Gapel Bethania. Ond fel y gweli di, yn Ffordd yr Eglwys y dechreuodd yr helynt. Ffoniodd rhyw David Ellis i gwyno am fechgyn yn difrodi ceir yn y stryd. Ieuan o'dd yr agosa i'r lle. Pan ga'th Ieuan yr alwad am Gapel Bethania ro'dd e'n gyrru o gwmpas yn chwilio am y bechgyn. Nawr, ma'r capel o fewn tafliad carreg …'

Cododd Kevin Harry ei ben dros ymyl y car i weld a oedd Clem Owen yn sylweddoli beth yr oedd newydd ei ddweud, ond nid oedd cysgod digrifwch ar wyneb y prif arolygydd.

'… a falle bod Ieuan yn meddwl mai'r un bechgyn o'dd wrthi. Os galli di ga'l gair gyda'r Mr Ellis 'ma, Ken, falle y gallith e roi disgrifiad i ti o'r bechgyn welodd e. Bydd hynny'n help os na ddaw dim o'r olion bysedd 'ma. Dwi ddim yn obeithiol iawn amdanyn nhw a gweud y gwir wrthot ti.'

'Ieuan Daniels o'dd yn cadw llygad ar y parti ar Draeth Gwyn.'

'Ie. Ma' hwnnw'n llwybr arall i'w ystyried. Ma'n bosib fod y bechgyn wedi dod o fan'ny. Bydde hynny'n esbonio'r tywod yn y car.'

'Ro'dd Geraint ni yn y parti.'

'O'dd e? Falle y galle fe'n helpu ni. Bydd rhaid i ti ga'l gair 'dag e.'

'Bydd.'

Roedd yr Is-bwyllgor Ceir, Cymdeithas Trethdalwyr Ffordd yr Eglwys – cymdeithas hollol answyddogol ond holl-bwysig, serch hynny – wedi ymgynnull yn gynnar. Mr David Ellis, Gwynfryn, oedd yn y gadair gan mai ef oedd wedi galw'r cyfarfod a gan mai ei adroddiad ef o ddigwydd-iadau ofnadwy'r noson cynt oedd dan sylw. Pan hysbyswyd ei gymdogion o'r rheswm dros alw'r cyfarfod daeth naw o'r aelodau ynghyd yn ddiymdroi ac fe olygai hynny fod gan-ddynt gworwm. Anffurfiol a chyfeillgar oedd y cyfarfodydd wythnosol arferol lle trafodid gwaith mewn llaw, costau cynyddol cynnal a chadw, pwrcasiadau diweddar a chyn-lluniau tymor hir, ond y bore Sul hwn roedd mwy o dân yn y drafodaeth a mwy o unfrydedd yn y penderfyniadau nag a welwyd ers i Dŵr Cymru fygwth gwahardd defnyddio pib-ellau dŵr petai'r tywydd sych yn parhau.

Yng nghwrs y cyfarfod archwiliwyd car pob aelod yn drylwyr ac fe gofnodwyd yn fanwl natur a difrifoldeb y difrod. Yna cafodd yr aelodau gyfle yn eu tro i leisio'u barn ar y difrod, y modurdai gorau i drwsio'r ceir a phwy ddylai dalu am y gwaith – yn ogystal â beth ddylid ei wneud â hwy ar ôl iddyn nhw dalu. Ac er bod yr aelodau wedi gwynt-yllu'r brif eitem ar yr agenda ymhell y tu hwnt i'r us a'r grawn pan drodd yr Arolygydd Ken Roberts ei gar i mewn i'r stryd, nid oeddynt eto'n barod i symud ymlaen i ystyried unrhyw fater arall.

Un o'r aelodau oedd Timothy Morris, gohebydd gyda'r *Dyfed Leader*, a phan welodd ef Ken Roberts fe hysbysodd y gweddill o'i bresenoldeb. Trodd pob llygad i edrych yn ddisgwylgar tuag ato. Ond os coleddai unrhyw un o drigolion Stryd yr Eglwys obeithion o gyfethol yr arolygydd, roedd hi'n amlwg nad oeddent yn ei adnabod nac yn gwybod am ei atgasedd o gyfarfodydd – yn enwedig rhai torfol ar gorneli strydoedd. Cynnig terfynu'r gweithgareddau cyn gynted â phosib, mor dawel â phosib, fyddai flaenaf yn ei feddwl ef.

'Inspector Roberts!' galwodd Timothy Morris yn gyfeillgar, gan gymryd cam neu ddau tuag at yr arolygydd.

'Mr Morris,' nodiodd Ken Roberts a cherdded heibio iddo. Nid oedd gan yr arolygydd y mymryn lleiaf o barch tuag at y gohebydd ers iddo feirniadu'r heddlu yn hir ac yn huawdl rai misoedd ynghynt am fethu â dal y sawl fu'n gyfrifol am gyfres o ladradau. Ac yna pan ddaliwyd y lladron hynny a llofrudd o fewn ychydig ddyddiau i'w gilydd, cydnabyddiaeth gyndyn iawn a gafwyd gan Timothy Morris cyn iddo fynd yn ei flaen i restru'r holl droseddau eraill oedd yn dal i ddisgwyl sylw'r heddlu.

Symudodd Ken Roberts yn ôl ac ymlaen ar hyd y palmant yn astudio'r ceir am rai munudau, ac o'r diwedd, yn fodlon ei fod wedi cyflawni eu disgwyliadau, trodd ei sylw o'r ceir at eu perchenogion. 'Tipyn o ddifrod, o's wir,' meddai gan grychu ei dalcen a siglo'i ben yn ddifrifol iawn. 'Dwi'n cydymdeimlo'n fawr â chi.'

'Do's dim un car yr ochr hon i'r stryd wedi ca'l llonydd 'da nhw,' meddai'r gohebydd, gan wthio'i ffordd at ymyl yr heddwas.

'Nag o's, weles i nhw wrthi,' meddai David Ellis, yn eiddigus o'i safle fel cadeirydd.

'Chi yw Mr Ellis?' gofynnodd Roberts, gan droi ato.

'Ie. Allen i ddim credu'n llyged ar y dechre, ond pan sylweddoles i beth o'n nhw'n 'i neud ffonies i'r heddlu ar unwaith.'

'Dod i'ch gweld chi o'n i, Mr Ellis, i'ch holi am yr hyn welsoch chi.'

'Dwi'n falch gweld eich bod chi'n cymryd hyn o ddifri, inspector, nid fel y plismon dda'th 'ma neithiwr.'

'Ie?' meddai Roberts gan ddal edrychiad David Ellis am eiliad cyn troi yn ôl at y gweddill. 'Diolch yn fawr am eich help, gyfeillion, mae'n siŵr eich bod chi i gyd yn awyddus i hysbysu'ch cwmnïe yswiriant o'r difrod i'ch ceir, felly wna i mo'ch cadw eiliad ymhellach. Ond os allech chi gadw copi o'r manylion ar ein cyfer ni fe fydden i'n ddiolchgar iawn i chi, Mr Ellis.'

Ond nid oedd ysbryd y gohebydd yn Timothy Morris yn barod i ollwng gafael. 'O's gyda chi unrhyw sylw i' neud am y digwyddiad, inspector?'

'Ro'n i dan yr argaraff 'mod i newydd neud 'ny, Mr Morris. Beth mwy alla i ddweud am yr achos ofnadw hwn o fandaliaeth ddireswm? Mae e'n bla ar ein cymdeithas, Mr Morris ... ond ma'n siŵr eich bod chi'n gwbod y geirie cystal â fi.'

'Odw, inspector, ond ma' ise mwy na geirie nawr. Nid hwn yw'r unig achos o fandaliaeth yn y dre 'ma'n ddiweddar. Beth am y coed a'r blode a ddifrodwyd yn y parc, a'r holl dane 'na? Odych chi gam yn nes at ddal y rhai sy'n gyfrifol?'

'Dwi'n gwerthfawrogi'ch pryder ac yn ei rannu. Dw inne'n byw yn y dre 'ma. Ry'n ni'n neud popeth allwn ni i ddal y sawl sy'n gyfrifol am y trosedde hyn.'

'Ond beth os nad yw hynny'n ddigon? Os nad yw'r heddlu'n gallu neud y gwaith yn iawn, yna peidiwch â synnu os bydd pobol y dre'n dechre neud eich gwaith yn eich lle.'

Bu rhai o'i gymdogion yn porthi araith Timothy Morris a gallai Ken Roberts glywed rhwd blynyddoedd yn araf gracio, a rhywle yn y cefndir olwynion gwasg y *Dyfed Leader* yn dechrau troi ac yn poeri allan ymgyrch gyhoeddus arall eto ar ddiogelu'r diniwed rhag drygioni cymdeithas. Roedd yna sawl brawddeg ddyfynadwy iawn ar flaen tafod yr arolygydd a fyddai wedi gwneud tro fel pennawd, ond ymataliodd.

'Alla i ond eich canmol chi os mai sôn am *Community Watch* y'ch chi, Mr Morris; ry'n ni wastad yn gwerthfawrogi cymorth y cyhoedd. Ond os mai ystyried gweithredu yn anghyfreithlon y'ch chi, yna fe fyddwch chithe hefyd yn torri'r gyfraith, ac yn wynebu'r un gosb â phwy bynnag na'th hyn.' A chan gydio ym mraich David Ellis dechreuodd Ken Roberts ei dywys i fyny'r llwybr at ei dŷ.

Agorodd David Ellis y drws a cherddodd y ddau i mewn i gwmwl trwchus o wynt cinio dydd Sul yn dod o'r gegin a llais gwraig yn ei ganlyn.

'O'r diwedd, David, ro'n i'n dechre meddwl na fyddech chi byth yn dod mewn.'

'Ma'r heddlu gyda fi, Mary,' galwodd Ellis o'r cyntedd. 'Bydd rhaid i'r cinio aros am ychydig eto, dwi'n ofni. Ewch drwodd i'r lolfa, inspector.'

'Ond, David, ma'r llysie bron berwi'n sych nawr ac ma'r cig siŵr o fod ...'

'Esgusodwch fi am funud,' meddai, ac allan ag ef gan roi cyfle i Ken Roberts edrych drwy'r ffenest ar y perchenogion eraill yn diflannu fesul un i'w tai.

'Ma'n ddrwg 'da fi, inspector,' meddai David Ellis, yn ailymddangos dan wenu'n ymddiheurol.

'O'r fan hyn weloch chi nhw?' gofynnodd Roberts.

'Ie,' a daeth i sefyll yn ymyl yr arolygydd.

'Allwch chi ddisgrifio beth yn hollol weloch chi?'

Ieuan Daniels oedd y cyntaf i glywed stori David Ellis ac

nid oedd ef yn wrandawr a oedd wedi bod wrth fodd yr adroddwr, ond yn ystod y deuddeg awr ers hynny roedd David Ellis wedi cael sawl cyfle i'w hadrodd i gynulleidfa a oedd, yn ei farn ef, yn llawer mwy gwerthfawrogol ohoni. Yn naturiol, roedd y stori wedi gwella gyda phob adroddiad ac erbyn yr achos llys rhagwelai David Ellis y câi ei chanmol gan gadeirydd y fainc fel patrwm o dystiolaeth llygad-dyst.

'Wel, fel wedes i wrth y plismon neithiwr, digwydd dod mewn i'r ystafell 'nes i tua deng munud wedi deg, pan weles i'r pum bachgen 'ma'n cerdded lawr y stryd. Fe weles i nhw'n glir. Ro'dd hi'n noson braf ac ma' lamp reit tu fas i'r tŷ. Newidiodd y Cyngor y lampe ryw ddwy flynedd 'nôl ar ôl i fi gwyno am safon y gole, ac ma' gole'r lampe newydd yn gryf iawn. Nawr, dwi ddim yn gwbod beth na'th i fi aros ac edrych arnyn nhw, falle 'mod i'n synhwyro 'u bod nhw'n neud rhyw ddrygioni ond ...'

'Allwch chi 'u disgrifio?'

'Beth?' gofynnodd Ellis, wedi'i daflu oddi ar ei echel.

'Allech chi 'u gweld nhw'n ddigon clir i'w disgrifio nhw?'

'Wrth gwrs 'ny,' meddai Ellis yn fyr. 'Dwi newydd ddweud wrthoch chi fod 'na ddigon o ole. Ro'dd 'na bump ohonyn nhw, ac ro'n nhw i gyd tua un deg saith neu un deg wyth mlwydd o'd. Ro'n nhw i gyd yn gwisgo jîns a naill ai cryse, neu gryse T. Dyna ma'n nhw i gyd yn gwisgo'r dyddie 'ma. Ro'n nhw'n edrych fel petaen nhw'n berchen y stryd, yn cerdded yn fras ac yn difrodi'r ceir bob cam o'r ffordd. Mae'n mynd i gymryd orie o waith, a thipyn o arian, i'w ca'l nhw'n ôl i'w cyflwr gwreiddiol ...'

'Allwch chi ddweud rhagor wrtha i am y bechgyn?'

'Beth?'

''U taldra nhw, er enghraifft. O'dd un yn fach, o'dd un yn fawr, neu a o'dd y pump ohonyn nhw yr un maint?'

Crychodd Ellis ei drwyn a chodi ei ysgwyddau'n ddirmygus. 'O'n, fwy neu lai.'

'Pwy, Mr Ellis?'

'Pwy beth?'

'Pwy o'dd yn fwy a phwy o'dd yn llai, ac yn fwy neu'n llai na phwy o'dd yr un o'dd yn fwy a'r un o'dd yn llai?'

Syllodd David Ellis yn galed ar Ken Roberts. 'Dwi ddim yn synnu bod pobol wedi colli ffydd yn yr heddlu, Inspector Roberts. Ma' 'na hanner dwsin o fechgyn ifanc sy'n treulio'u holl amser yn whare pêl-dro'd neu griced y tu ôl i'r tŷ 'ma ac ma'r bêl byth a beunydd yn dod dros y wal i mewn i'r ardd. Wthnos dwetha ro'dd fy ngwraig yma ar ei phen ei hun ac wedi ca'l digon ar 'u gweld nhw'n dringo dros y wal i nôl eu pêl. Pan ddes i adre a ffonio'r heddlu i gwyno amdanyn nhw, chi'n gwbod beth wedodd y plismon wrtho' i? "Bechgyn yw bechgyn," medde fe; "ma' whare yn 'u gwa'd ac ma'n rhaid iddyn nhw whare yn rhywle." Glywsoch chi'r fath ddwli erio'd? Do'n i ddim yn meddwl llawer am agwedd y plismon dda'th 'ma neithiwr. Yn fy nhrin i fel pe bawn i'n gwneud ffws am ddim byd, a 'mod i'n gwastraffu 'i amser prin, yn niwsans iddo ac yntau'n breuddwydio am dreulio'i wylie yn gorwedd ar wastad ei gefn ar ryw draeth yn rhywle. Ac ma' gyda chi'r wyneb i ddisgwl i'r cyhoedd eich helpu i ddal drwgweithredwyr. Ro'n i'n disgwl gwell 'wrthoch chi, inspector, ma'n rhaid i fi ddweud. Do's dim rhyfedd yn y byd fod pethe fel ma'n nhw a'r hwliganiaid 'ma'n ca'l rhwydd hynt i fynd dros ben llestri. Do's dim parch o gwbwl nawr; dim parch at bobol nac at eiddo. Ma' angen dysgu gwers iddyn nhw, un galed, gyflym.'

'Ro'dd rhoi gwers gyflym, galed i droseddwyr yn slogan llwyddiannus ond yn bolisi trychinebus, Mr Ellis. Ro'dd troseddwyr yn dod allan o garchar yn ffitach ac yn glyfrach na phan ethon nhw i mewn. Ma'r plismon nad o'ch chi'n rhyw hoff iawn o'i agwedd e neithiwr yn gorwedd ar wastad ei gefn yn yr ysbyty yr eiliad hon, ac ma'n debyg iawn mai ar wastad ei gefn fydd e am weddill 'i fywyd. Ro'dd e'n erlid rhai o'r bechgyn ry'n ni'n credu ddifrododd 'ych car chi, a cheir 'ych cymdogion, pan gafodd e ddamwain. Nawr ma' hynna'n fwy o achos gofid na llond stryd o geir, neu falle nad y'ch chi'n cytuno, Mr Ellis?'

Nodiodd Ellis ei ben. 'Ma'n ddrwg gen i am hynny, wydden i ddim.' Roedd ei grib yn dechrau hongian.

'Os y'ch chi'n meddwl bod gyda chi achos i gwyno am ymddygiad aelode o'r heddlu, yna fe ddylech chi neud 'ny, ond ma'n rhaid i chi gofio bod hynny'n gweithio ddwy ffordd. Pan y'n ni'n gofyn i'r cyhoedd i'n helpu, dy'n ni, yn wahanol i Timothy Morris, ddim yn awgrymu am eiliad y dylsech chi na'ch cymdogion fod wedi trio stopio'r bechgyn 'na neithiwr. Falle bod dwli fel'na'n gwerthu papure, ond dyw e'n cyfrannu dim byd at ddatrys problem fandaliaeth. Nawr, os allwn ni ganolbwyntio ar y bechgyn 'ma un ar y tro?'

Nodiodd Ellis. 'Wrth gwrs.'

Tynnodd Ken Roberts ei lyfr nodiadau o'i boced. 'Allwch chi'u disgrifio nhw?'

'Wel ... wel, ro'n nhw i gyd yn edrych mor debyg i'w gilydd.'

'O'dd un ohonyn nhw'n sefyll mas yn fwy na'r lleill?'

'Nago'dd, ddim fel'ny ...'

'Cymerwch eich amser. Ro'n nhw i gyd yn gwisgo jîns, wedoch chi.'

'O'n.'

'O'dd jîns y pump i gyd yr un peth neu o'dd 'na rywbeth yn wahanol ynddyn nhw?'

'O'dd. Ro'dd tylle ym mhenlinie un ohonyn nhw.'

'Nawr meddyliwch am y bachgen 'na. Beth arall y'ch chi'n 'i gofio amdano fe?'

Caeodd David Ellis ei lygaid a nodio'i ben fel pe bai'n dechrau disgyn i berlewyg. Cliciodd ei fysedd.

'Crys T! Ro'dd e'n gwisgo crys T a geirie ar ei fla'n ond allen i mo'u darllen nhw.' Crychodd ei dalcen. 'Ro'dd 'na eirie ar y cefn hefyd ond … nage, gwallt hir wedi'i glymu y tu ôl i'w ben mewn cynffon hir o'dd e.'

'Iawn. A'i daldra?'

'O, alla i ddim gweud. Yn agos i chwe throedfedd, ond alla i ddim bod yn siŵr. Allen i ddim eu cymharu. Do'n nhw ddim yn sefyll mewn rhes. Ro'n nhw'n sefyll yn syth un eiliad ac yna'n plygu lawr yr eiliad nesa.'

'Iawn. Dewch i ni feddwl am ddillad 'i ffrindie.'

'Wel, ro'dd un arall yn gwisgo jîns a chrys T hefyd, ac ro'dd un, os nad dau o'r lleill, yn gwisgo cryse gwyn neu ryw liw gole, ond alla i ddim cofio dim mwy na 'ny.'

'O'dd gyda un ohonyn nhw sbectol neu fwstás?'

Siglodd Ellis ei ben. 'Na, na, dwi ddim yn cofio dim byd fel'ny.' Cododd ei freichiau o'i flaen a dechrau eu siglo. 'Dim ond yr argraff gyffredinol o fechgyn mewn jîns a chryse T ges i. Ro'n i'n meddwl 'mod i wedi 'u gweld nhw'n iawn ond ma'n amlwg nawr do'n i ddim … na, arhoswch, ro'dd un ohonyn nhw'n gwisgo siaced.'

'Cot, y'ch chi'n feddwl?'

'Nage, siaced, siaced heb goler. Chi'n gwbod, un â lastig rownd y garddyrne a'r canol. Ac ro'dd 'na lun o ryw fath ar y cefn.'

'Llun o beth?'

'Seren. Seren fawr. Dwi'n meddwl mai siaced *baseball* neu bêl-dro'd Americanaidd o'dd hi, chi'n gwbod y math o beth.'

'Odw,' atebodd Ken Roberts. 'Dwi'n gwbod.' Rai wythnosau ynghynt roedd ef ac Angela wedi cael cryn drafferth i gael hyd i un yn anrheg pen blwydd i Geraint. Y Dallas Cowboys oedd hoff dîm pêl-droed Americanaidd Geraint. A seren fawr oedd arwydd y Dallas Cowboys.

'Ble wyt ti?' gofynnodd Carys ar ben arall y ffôn.

'Mewn ciosg ar y ffordd i Bontberian.'

'O, wedodd Mam dy fod ti wedi gweud y byddet ti 'ma erbyn cinio.'

'Fydda i 'na, ond falle y bydda i'n hwyr.'

'Pa mor hwyr?'

'Dwi ddim yn gwbod. Ma'n rhaid fi fynd i Bontberian. Mae e'n rhan o'r hyn ddigwyddodd neithiwr. Y ddamwain ar Bont yr Esgob.'

'Glywes i rywbeth am ddamwain ar y radio gynne.'

'Gan 'mod i yn y gwaith allen i ddim llai na chynnig rhoi ychydig o amser i helpu ffeindio mas beth ddigwyddodd.'

'Faint o amser wyt ti'n meddwl fyddi di?'

'Ddim yn hir, gobeithio. Ymddiheura i dy rieni.'

'Beth amdana i? Fi sy wedi bod wrthi drwy'r bore'n para-toi.'

'Wedodd dy fam wrtha i. Ar ôl taith mas i'r wlad bydd 'yn archwaeth i gymaint â hynny'n fwy.'

'O, a pwy wedodd y byddwn i'n cadw dim i ti?'

Roedd y siopau bwced a rhaw wedi hen agor, a'u nwyddau plastig bregus wedi chwydu drwy'r drysau i'r palmant, gan orfodi pobl i gamu heibio iddynt. Chwyrlïai'r melinau gwynt amryliw, y baneri bychain a'r balwnau siâp calon yn yr awel gynnes a gariai wynt cŵn poeth, bwyd Tseinïaidd a dom asynnod o un pen y prom i'r llall.

Gyrrodd Ken Roberts heibio iddynt yn chwilio, yn ofer, am le i barcio. Trodd i ffwrdd o'r prom a gwau ei ffordd ar hyd gwe o strydoedd cefn cul nes dod o hyd, o'r diwedd, i fwlch digonol o flaen mynedfa Eglwys Pedr Sant – yr adeilad cyhoeddus cyntaf iddo'i weld a oedd ar gau. Cerddodd yn ei ôl i gyfeiriad y môr a chyrraedd Ffordd Ddinbych a redai'n gyfochrog â'r prom. Torrodd rhwng y Belmont a'r Golden View, dau o'r dwsinau o westai a frithai'r hanner milltir o lan y môr a oedd yn achos mwy o bla i'r bobl leol nag o bleser i'r ymwelwyr.

Chwilio am siop lle y gallai brynu tybaco i'w bibell oedd yr arolygydd. Yn ei frys a'i dymer y bore hwnnw roedd wedi gadael ei becyn baco gartref, ac roedd arno wir angen mygyn a llonydd i feddwl nawr. Daeth o hyd i siop losin a thybaco gydag arwydd mawr ar y drws a ddywedai DIM OND UN PLENTYN YSGOL AR Y TRO.

Arhosodd nes i deulu o saith a oedd yn prynu hufen iâ ddewis a newid eu meddyliau sawl gwaith cyn prynu ei owns. Ar ôl gadael y siop trodd Ken Roberts i'r dde heibio i'r Belmont a cherdded yn ei flaen ryw ddecllath ar hugain heibio i'r Seascape, adeilad anferth a oedd â'i ddrws blaen ar y prom a'i ddrws cefn yn Ffordd Ddinbych. Ar bob un o'i dri llawr, wedi eu hamgylchynu gan garpedi trwchus, golau pŵl a cherddoriaeth ysgafn, roedd rhes ar ôl rhes o beiriannau hapchwarae. Croesodd y ffordd ac aros ger y rheiliau haearn uwchben y traeth.

Pwysodd Ken Roberts ei droed ar y rheilen isaf a thynnu ei bibell o'i boced, ei llenwi a'i chynnau. Roedd y llanw wedi troi ac ymhen ychydig fe fyddai'r traeth yn dechrau llenwi, ond nid y rhan yma ohono. Graean a cherrig oedd y rhan fwyaf o'r traeth yn y fan yma; canllath arall ac roedd yn troi'n greigiau ac yna'n glogwyn. Y Seascape oedd y ffin rhwng y cerrig a'r tywod a ddenai'r ymwelwyr. Pan fyddai'r tymor ymwelwyr yn ei anterth a'r tywydd yn braf – deubeth a fyddai'n cyd-daro'n anaml iawn – byddai pob modfedd o draeth o'r Seascape i'r harbwr yn garped o gyrff tra byddai'r rhan garegog yn dal yn weddol wag.

Pan adawodd Ken Roberts dŷ David Ellis, roedd wedi bwriadu mynd yn syth adref i gael rhyw synnwyr gan Geraint; ei orfodi, os oedd raid, i ddweud wrtho beth yn union oedd wedi digwydd y noson cynt, yng nghwmni pwy yr oedd ac i ble yr aeth ar ôl gadael Traeth Gwyn. Ond, a chwmwl eu dadlau'r bore hwnnw yn dal uwch eu pennau, fe wyddai mai gyrru'r lletem yn ddyfnach rhyngddynt wnâi hynny.

Tynnodd ei bibell o'i geg a'i tharo ar y rheiliau. Edrychodd ar y tonnau yn araf symud y graean islaw a theimlai'n ddiffaith. Roedd wedi dweud wrth Clem Owen bod Geraint yn y parti, felly fe fyddai'n rhaid iddo siarad ag ef rywbryd. Nid oedd ganddo reswm yn y byd dros amau fod gan Geraint unrhyw beth i'w wneud â helyntion nos Sadwrn, dim ond rhyw deimlad annifyr yn ei stumog a wnâi iddo ofni'r gwaethaf. Clywodd sgrech a chododd ei lygaid gan ddisgwyl gweld gwylan yn troi uwch ei ben, ond roedd yr awyr yn glir. Daeth sgrech arall a gwelodd ddau blentyn yn rhedeg tuag ato ar draws y traeth o gyfeiriad y clogwyn.

Nesaodd y ddau. Dwy. Merched yn eu harddegau cynnar mewn trowsusau byr a chrysau T. Chwifient eu breichiau'n wyllt ond nid mewn hapusrwydd. Roedd rhywbeth o'i le. Dringodd Ken Roberts dros y rheiliau a disgyn naw troedfedd i'r traeth. Crensiodd y graean dan ei draed wrth iddo redeg at y merched. Roedd y dalaf o'r ddwy yn agosáu ato, ei choesau hir wedi gadael ei chyfaill i fustachu ryw bymtheg llath y tu ôl iddi.

'Dyn …!' meddai'r ferch, gan blygu yn ei dwbl a llowcio aer.

'Yn y dŵr?'

'Na …' Siglodd ei phen a gwasgu ei hochrau. Cododd ei

phen a thynnu ei gwefusau'n ôl mewn poen. 'Ar y graig ... wedi cwmpo.'

Edrychodd Ken Roberts i gyfeiriad Craig y Bwlch. Roedd wedi gadael ei radio yn y car, ac fe allai wastraffu amser prin wrth fynd yn ôl i alw'r gwasanaethau brys.

'Ma' 'na gaffi lan ar y prom, Rinalto's, wyt ti'n gwbod ble mae e?' meddai wrth y ferch.

'Odw.'

'Dwi am i ti fynd 'na a gofyn iddyn nhw ffonio am ambiwlans a'r heddlu. Iawn?'

Nodiodd y ferch a throi at ei ffrind oedd yn llusgo'i thraed yn swnllyd atynt drwy'r graean.

Cydiodd Roberts yn ysgwyddau'r ferch gyntaf a'i throi i'w wynebu.

'Wyt ti'n deall?'

'Odw. Ffonio am ambiwlans.'

'A'r heddlu.'

Nodiodd. 'A'r heddlu.'

'Reit, cer glou.'

Estynnodd y ferch ei braich at ei ffrind a oedd bron â'i chyrraedd, ond cydiodd Roberts ynddi a'i throi i wynebu'r prom.

'Gad iddi! Ma' hi'n iawn; ar y dyn ma' ise help. Cer!' A gwthiodd hi i gyfeiriad y prom cyn troi a rhedeg am y clogwyn.

Troai a suddai ei draed bob cam a gymerai ar y graean mân, a theimlai'r nerth yn cael ei sugno o'i goesau, ond sgrialodd ymlaen nes cyrraedd y cerrig ac yna'r graig, a dringo dros y wefus gyntaf. Roedd wedi meddwl y byddai'n haws ar ôl iddo adael y graean, ond gwasgai ymylon y graig yn finiog drwy wadnau ei esgidiau a sgathrodd i lawr yr ochr arall i'r wefus i ganol y gwymon a'r pyllau dŵr.

Cododd a rhuthro yn ei flaen o graig i graig heb amau a

oedd y merched yn dweud y gwir; ni allent fod wedi ffug-io'r dychryn a'r brys yn eu hymddygiad. Llithrodd gan ddal coes dde ei drowsus ar y graig a'i rhwygo, a thynnu gwaed o'i ben-glin. Dringodd dros ris nesa'r graig a bwrw ymlaen at y trwyn. Dim ond wedyn, pan welodd y dyn yn gorwedd yn lletchwith ac afreal ar y creigiau, yr arafodd. Wedi iddo'i gyrraedd, plygodd yn ei ymyl a theimlo am guriad yn ei wddf, ond yr eiliad y cyffyrddodd â'r croen gwyddai fod y dyn yn farw. Eisteddodd i ddisgwyl am y gwasanaethau brys. Estynnodd i'w boced am ei bibell, ond roedd wedi ei cholli rywle yn ôl ar y traeth.

Dydd Sul 18 Gorffennaf
14:05 – 21:45

Gwelai'r ambiwlans yn codi a disgyn wrth iddi hwylio'i ffordd dros raean tonnog y traeth. Yn ei sgil heidiai pobl a phlant o bob cyfeiriad fel adar drycin yn awchus am unrhyw dameidiau blasus a wnâi'r rhain yn wyliau i'w cofio. Cododd Ken Roberts a dringo i ben y garreg y bu'n eistedd arni. Doedd yna'r un heddwas i'w weld yn unman. Rhegodd, a chan daflu cip ar y corff y gwyddai na ddylai ei adael, dechreuodd gerdded yn ôl dros y creigiau. Byddai rhywun amdani os mai ef fyddai'r unig blismon yno pan gyrhaeddai'r dorf.

Wedi cyrraedd gwaelod y graig, cododd ei ben a gweld Range Rover gwyn yn torri llwybr fel llamhidydd drwy'r dorf at yr ambiwlans. Roedd y gyrrwr yn benderfynol o basio'r ambiwlans, os mai dim ond er mwyn gallu dweud yn ei adroddiad ei fod wedi cyrraedd y corff o'i blaen.

'Dwi ddim ise gweld un o'r bobol 'na o fewn hanner canllath i fan hyn!' gwaeddodd yr arolygydd ar y gyrrwr wrth iddo ddringo allan o'r Range Rover. 'Iawn?'

'Syr!' Ac i ffwrdd â'r ddau heddwas i daenu ruban glas a gwyn ar draws y llinell derfyn.

Dilynodd llygaid yr arolygydd symudiadau'r ddau nes ei fod yn fodlon bod y gwaith yn cael ei wneud yn iawn. Yna trodd ei sylw at yr ambiwlans a oedd erbyn hynny wedi aros yn ymyl y Range Rover. Câi Dr Mason help llaw gan un o'r swyddogion i ddisgyn o'r cefn, neu, a barnu yn ôl yr holl fustachu a chwyrnu, efallai mai ceisio atal pymtheg stôn y meddyg rhag disgyn ar ei ben oedd y swyddog. Edrychai'r meddyg fel pe bai wedi gwisgo'n unswydd ar gyfer ymweliad â'r traeth, yn ei siwt wen a'i het banamâ.

'Cymerwch eich amser,' meddai Ken Roberts wrth agosáu at y ddau. 'Sdim hast ar y corff.'

'Ro'n i'n meddwl mai 'ngwaith i o'dd gweud os yw rhywun yn gorff neu beidio,' meddai'r meddyg, gan chwifio dwylo cynorthwyol y swyddog ambiwlans i ffwrdd yn ddiamynedd. 'A hyd y gwn i, mae e'n dal yn fyw.'

'Ac os na adwch chi i fi'ch helpu chi lawr,' meddai'r swyddog ambiwlans, 'bydd e wedi marw o henaint cyn i chi'i weld e.'

'Llai o dy dafod di, Huw, neu byddi di'n gyrru'r tacsi i Dreforus am y flwyddyn nesa. Reit,' meddai Dr Mason wrth deimlo'r graean o dan ei draed o'r diwedd. 'Ble ma'r person iach a heini 'ma?'

'Draw ar y creigie. Ochor arall i'r trwyn.'

Edrychodd Dr Mason i gyfeiriad Craig y Bwlch ac ochneidio. 'On'd yw pobol yn dewis y llefydd mwya anghyfleus i farw?' a dechreuodd gerdded i gyfeiriad y creigiau.

Pigodd y pedwar eu fford dros y creigiau fel blaenoriaid ar drip ysgol Sul yn chwilio am le gwastad, cysgodol i osod eu cadeiriau haul. Erbyn iddynt gyrraedd y corff roedd Dr Mason wedi llwyr ymlâdd ac eisteddodd yn swp ar y graig. Tynnodd ei het banamâ a sychu'r chwys o'i dalcen a'i war. Edrychodd i fyny'r clogwyn a gofyn, 'Beth yw hi? Dau, dau gant a hanner o droedfeddi? Do'dd dim gobaith caneri gydag e, ond fe laniodd e'n eitha taclus 'fyd, chware teg. Er …' a rhoddodd yr het yn ôl ar ei ben, codi o'r graig a symud at y corff. 'Fe fydden i'n disgwl ychydig bach mwy o lanast na hyn arno fe hefyd, ac ystyried y gwymp.'

Gorweddai'r dyn ar ei ochr dde, ei fraich dde o dan ei gorff a'i ben wedi troi fel pe bai'n edrych dros ei ysgwydd dde allan i'r môr. Roedd ei fraich chwith yn ymestyn ar draws ei gorff gyda'r llaw yn gorwedd ar ymyl un o'r nifer o byllau dŵr oedd ar y glogwyn. Edrychai ei goesau fel pe bai'n rhedeg: y chwith yn flaenaf a'r dde yn barod i'w symud gam arall ymlaen. Roedd yna rwyg hir ar waelod mewnol coes dde'r trowsus a staen gwyrdd ar hyd ysgwydd chwith a chefn chwith y crys.

Penliniodd Dr Mason yn ei ymyl a theimlo'r gwddf am arwydd o fywyd. 'Dim amheuaeth am hynna, beth bynnag.' Plygodd dros y corff er mwyn edrych yn agosach ar y pen ond gan wneud yn siŵr nad oedd yn cyffwrdd ag ef. Tynnodd ei law yn ysgafn ar hyd y goes chwith, ac yna ar hyd y fraich chwith. Cododd y llaw ac edrych yn ofalus ar y bysedd a'r cledr. 'O'dd y llaw yn y pwll dŵr pan welsoch chi fe gynta?' gofynnodd i Ken Roberts.

'Nago'dd. Ro'dd e'n gwmws fel ma' fe nawr.'

'O'dd e wir?' Gwthiodd y meddyg ei fraich yn araf o dan y corff. 'Nawr 'te! Ers pryd ma'r llanw mas?' gofynnodd, ond ni allai'r un o'r tri ei ateb. 'Na? Dwi'n credu y bydde hi'n werth i chi ga'l gwbod hynny.' Edrychodd unwaith eto ar y pen cyn codi.

'Ar yr olwg gynta ma'n edrych fel petai e wedi cwmpo o ben y glogwyn a'i fod e wedi staeno'i grys ar y gwair a rhwygo'i drowsus ar y graig wrth iddo ddisgyn. Ma' 'na grafiade ar ochor chwith ei ben a chlwyf dyfnach a thipyn mwy difrifol yr olwg ar yr ochor dde, ond fel wedes i gynne, os mai cwmpo na'th e fe fydden i'n disgwl gweld tipyn mwy o ôl y gwymp ar weddill y corff; y ffordd bydde fe'n gorwedd, esgyrn wedi torri yn ei goese a'i freichie a'i asenne hefyd, ond wela i ddim arwydd o hynny. Dwi ddim ise cyffwrdd gormod ag e ar hyn o bryd rhag ofn i fi sbwylo'r *post mortem*, ond dwi ddim yn credu 'mod i 'mhell o'n lle.'

Eisteddodd i lawr ar y graig. 'Ma'i ddillad yn sych ar yr ochor ucha ond yn wlyb oddi tano, sy'n awgrymu 'i fod e wedi bod yn wlyb i gyd ar un adeg ac mai gwres yr haul sy wedi sychu ochor ucha'r corff.'

'Falle mai cwmpo i'r môr na'th e,' awgrymodd Ken Roberts, 'ac nid ar y creigie eu hunain.'

'Falle'n wir. Dyna pam ro'n i'n gofyn am y llanw. Os o'dd y llanw mewn pan gwmpodd e fe alle hynny esbonio pam nad o's ôl y gwymp ar y corff. Hefyd ma' cro'n ei law wedi crebachu'n ddrwg ac ma'n cymryd rhyw ddeg i ddeuddeg awr o fod mewn dŵr cyn bydd hynny'n digwydd i'r gradde hyn, ac fe alle hynny roi rhyw syniad i ni o pryd fuodd e farw.' Oedodd gan ddisgwyl y byddai gan Ken Roberts sylw i'w wneud, ond er bod yr arolygydd yn amau'n gryf y gwyddai i ba gyfeiriad roedd Dr Mason yn mynd, roedd yn ddigon bodlon i'w adael i gwblhau'r daith.

'Nawr,' meddai'r meddyg, gan wenu ar dawedogrwydd Ken Roberts. 'Os cwmpo i'r môr, a hwnnw ar ben llanw, na'th e, a hynny dros ddeg awr yn ôl o leia, dwi'n 'i cha'l hi'n anodd iawn credu y bydde'r llanw wedi ei adel fan hyn. Bydden i wedi disgwyl iddo ga'l ei gario mas i'r môr. Chi yw'r ditectif, inspector, a falle 'mod i'n mynd o fla'n gofid, ond mwya i gyd dwi'n 'i weld, mwya i gyd dwi'n meddwl y dylech chi ga'l Kevin Harry mas 'ma cyn i ni neud rhywbeth y byddwch chi'n ei ddifaru.'

Ar dir Blaendolau, fferm ar gyrion pentref Pontberian, roedd gwersyll *Gerawe!*, a gan fod pebyll y gwersyll yn rhai mawr, gwyn ar ffurf clychau, roedd i'w weld yn glir o'r ffordd fawr. Cafodd Gareth yr wybodaeth hon gan ofalwr Capel Bethania, a oedd yn frawd yng nghyfraith i yrrwr y lorri ludw a alwai'n wythnosol yn y gwersyll dros fisoedd yr haf. Dywedodd y gofalwr wrth Gareth hefyd mai am gyfnod o wythnos ar y tro roedd y plant yno, a'i fod yn wersyll i fechgyn ac i ferched am yn ail wythnos. Roedd hi'n rhesymol disgwyl mai o benwythnos i benwythnos y byddai'r plant yn y gwersyll, ac os mai bechgyn o wersyll *Gerawe!* oedd y rhai a welodd Ieuan Daniels fe ofnai Gareth eu bod naill ai ar fin gadael neu wedi gadael eisoes.

Saith milltir allan o'r dref gwelodd Gareth gopaon y pebyll y tu ôl i glwstwr o goed. Saith milltir, meddyliodd, cryn bellter i griw o fechgyn gerdded ar ôl noson fawr a'r bws olaf wedi hen ddychwelyd i'r garej. Trodd o'r ffordd fawr yn ymyl arwydd fferm Blaendolau a dilyn y llwybr garw, llychlyd am hanner canllath cyn cyrraedd bwlch y cae lle'r oedd y pebyll. Roedd y glwyd ar agor a gyrrodd Gareth y car i mewn i'r cae a fu'n caledu ers yn agos i fis o dan haul crasboeth, ac anelu at res o hanner dwsin o ger-bydau eraill, yn eu plith ddau fws mini gwyrdd a gwyn a *Gerawe!* wedi ei beintio mewn paent melyn ar eu hochrau.

Wrth iddo gerdded i gyfeiriad y pebyll clywai Gareth wynt cryf cawl a thatws rhost ac fe'i hatgoffwyd o'r cinio roedd Carys yn ei goginio – ni feiddiai fod yn hwyr iddo. Llyncodd ei boer.

Atgoffai'r ugain o bebyll crwn a'r un babell sgwâr Gareth o luniau o wersylloedd yr Urdd yn y tridegau, ond os oedd pebyll yn rhy gyntefig i fois canŵs y nawdegau roeddynt yn dal i wneud y tro i fois Glannau Merswy, neu yn hytrach i ferched Glannau Merswy, gan mai dim ond merched oedd i'w gweld yn y gwersyll. Ofnai Gareth ei fod yn rhy hwyr.

Anelodd at y babell sgwâr gan ddyfalu mai yno y bydd-ai'r gwersyllwyr yn ystod y dydd ac mai ar gyfer cysgu yn unig roedd y pebyll eraill. Pan oedd o fewn pumllath iddi gwthiwyd cynfas y drws naill ochr a daeth merch fawr, fronnog yn cario bwced plastig yn llawn dŵr a chroen tatws drwyddo. Yr eiliad y gwelodd hi Gareth fe arhosodd a rhythu arno.

'Helô,' meddai Gareth, ond nid ymatebodd y ferch, dim ond syllu arno a golwg wag a difywyd yn ei llygaid. Gwisgai jîns glas blêr a chrys T a'r enw Yvonne wedi'i ysgrifennu'n blentynnaidd ar draws ei bronnau.

'O's 'na rywun arall 'ma?' gofynnodd Gareth. 'Yn y babell, ife?' gofynnodd wedyn pan na chafodd ateb. Nid atebwyd ei ail gwestiwn chwaith ac fe gerddodd heibio i'r ferch ac i mewn i'r babell. Arhosodd wrth y fynedfa am rai eiliadau i'w lygaid gyfarwyddo â'r tywyllwch. Roedd y lle'n llawn prysurdeb y merched yn brysur yn clirio llestri cinio o fyrddau mawr symudol. Cerddodd hanner dwsin tuag ato ac roedd y rhain yn fwy siaradus na'r Mari Fawr Trelech y cyfarfu â hi y tu allan.

'Pwy sy'n gyfrifol am y gwersyll?' gofynnodd iddynt ac fe bwyntiodd y merched i gyd i gyfeiriad bwrdd hir yng nghefn y babell. Yno yn darllen papurau'r Sul, tra oedd tair gwraig yn arolygu clirio'r byrddau, roedd dau ddyn.

Roedd y Rhingyll Joseph Kennedy a'r Heddwas Hugh Sutton, y naill yn swyddog cymunedol a'r llall yn athro ymarfer corff gyda Heddlu Glannau Merswy, yn barod iawn i siarad ag aelod o Heddlu Dyfed-Powys. Ac yng nghwrs yr hanner awr nesaf dysgodd Gareth fod *Gerawe!*, yn ogystal â chynnig gwyliau i blant nad âi byth i ffwrdd ar wyliau, hefyd yn anelu at feithrin yn y plant – a ddeuai o rannau mwyaf difreintiedig a dirwasgedig y ddinas – ysbryd o gydweithio a chyfrifoldeb. Ac os oedd hynny i gyd yn swnio fel breuddwyd gwrach, fel y credai trigolion yr ardal, sicrhawyd Gareth gan y ddau blismon nad oedd yr un ohonynt yn ffŵl naïf.

Pan soniodd Gareth am helynt y noson cynt roedd y ddau yr un mor awyddus i sicrhau Gareth na châi'r plant oedd yn eu gofal fynd i'r dref heb fod un oedolyn yno hefyd i gadw llygad arnynt, ac yn bendant ni chaent adael tir 'Blend-óle' ar ôl iddi nosi. Er, ychwanegodd y Rhingyll Joseph Kennedy â balchder, pe gadewid nhw ar eu pennau eu hunain fe allai'r gwersyllwyr ddinistrio'r ardal gyfagos fel llu o farbariaid – ac roedd hynny'n wir am y bechgyn hefyd.

Diystyrodd y ddau arwyddocâd y bathodyn a ddarganfu-wyd ger Capel Bethania gan ddweud eu bod yn eu gwasgaru fel cen pen ar hyd ac ar led yr ardal fel rhan o'u hymgyrch i dawelu ofnau'r brodorion. A beth bynnag, os mai chwilio am fechgyn oedd Gareth, merched oedd yn y gwersyll nos Sadwrn; roedd y bechgyn wedi dechrau ar eu taith yn ôl i Lerpwl brynhawn dydd Sadwrn, felly, *ipso facto*, ni allent fod yn sefyll ar ben rhyw ffrigin wal am hanner nos yn taflu *scabby* cerrig at ryw *poxy* capel.

Cyfaddefodd Gareth yn wyneb y fath dystiolaeth ei fod yn gwastraffu ei amser, ond ni allai gytuno ag awgrym y Rhingyll Kennedy y byddai'n llawer mwy buddiol iddo dreulio'i amser yn ymchwilio i sut roedd y ffermwyr lleol yn gwario'u grantiau hael. Diolchodd Gareth i'r ddau am eu cymorth a gadael. Wrth yrru ar hyd y ffordd arw yn ôl i'r briffordd, diolchodd hefyd nad oedd yn byw mewn rhan ddifreintiedig o Lerpwl, nac ychwaith yn perthyn i Heddlu Glannau Merswy.

'Unrhyw syniad pwy yw e?' gofynnodd Clem Owen, gan dynnu ei esgid dde a'i hysgwyd i waredu'r graean mân.

Siglodd Ken Roberts ei ben. 'Dwi ddim wedi ca'l golwg iawn arno fe 'to. Fe gewn ni gyfle ar ôl i Kevin orffen.'

Gollyngodd Owen yr esgid a cheisio'i gwisgo. Herciodd ar ei hôl ar draws y graig – gan gadw llygad ar Kevin Harry er mwyn gweld i ba gyfeiriad roedd hwnnw'n pwyntio'r camera fideo – cyn llwyddo i'w dal a chodi ei droed i ben carreg i'w chlymu.

'Rhywun ar ei wylie?' gofynnodd Owen, gan chwarae ei droed chwith yn ei esgid a'i theimlo'n llac.

'Bosib,' meddai Dr Mason, y trydydd o'r drindod, pan sylweddolodd nad oedd Ken Roberts yn mynd i leisio barn.

Safai'r tri ar y creigiau yn edrych ar Kevin Harry yn mynd

drwy'r broses o gofnodi tra oeddynt yn disgwyl i Dr Anderson, patholegydd y Swyddfa Gartref, gyrraedd i wneud ei ymchwiliad. Roedd Kevin eisoes wedi archwilio'r graig o amgylch y corff am unrhyw beth a allai fod o gymorth i'r heddlu, y patholegydd neu'r arbenigwyr fforensig, ac wedi tynnu lluniau llonydd o'r corff yn ei leoliad; nawr roedd yn ei fwynhau ei hun yn cofnodi'r cyfan ar y camera fideo.

Er gwaethaf yr holl dynnu coes o du rhai o'r plismyn am fideos anllad ac yn y blaen, bu ychwanegu'r camera fideo at ei offer yn fodd i fyw i Kevin. Adnewyddwyd ei ddiddordeb yn ei waith yn ogystal ag ychwanegu at ei ddiddordebau amser hamdden; yn enwedig pan gytunodd y Prif Uwch Arolygydd David Peters i dalu ei dâl aelodaeth o weithdy fideo lleol. Edrychai Kevin ymlaen at y noson pan ddeuai ei dro ef i arddangos ychydig o'i waith i'r aelodau eraill. Efallai y câi ychwanegiad at ei ddetholiad heddiw.

Ysgubodd Kevin y camera o'r corff i fyny ac i lawr wyneb y clogwyn cyn canolbwyntio unwaith eto ar y corff. Roedd y cyfan yn dechrau ac yn gorffen gyda'r corff. Nid oedd rhuthro i fod. Gweithiwr hamddenol a gofalus oedd Kevin wrth natur, ac roedd y priodoleddau hynny'n rhinweddau yn ei waith. Pwy allai fesur pwysigrwydd blewyn neu edau mor gynnar mewn achos? Dyma'r unig dro y byddai'r corff yn y fan yma, a'r eiliad y câi ei symud byddai'r amgylchiadau unigryw hyn wedi eu dinistrio am byth. Gallai munud neu ddwy o ofal yn awr arbed diwrnod neu ddau o waith yn ddiweddarach. Hyd yn oed os mai marwolaeth drwy ddamwain fyddai dyfarniad y patholegydd, byddai Kevin Harry yn gwybod ei fod ef wedi gwneud ei waith yn iawn.

Disgynnodd carreg yn ei ymyl ac yna un arall. Tynnodd y camera o'i lygaid a phan edrychodd i fyny gwelodd bennau dau fachgen yn ymwthio dros wefus y clogwyn.

'Cerwch 'nôl!' gwaeddodd Clem Owen. Diflannodd y

pennau a throdd y prif arolygydd at Dr Mason. 'Wedi ail-ystyried eich amheuon?'

'Na, dwi'n weddol fodlon nad damwain o'dd hi.'

'Wel, os y'ch chi'n iawn, ma' gwaith o'n blaene ni.'

'Bydd rhaid i chi archwilio'r arfordir i gyd er mwyn dod o hyd i'r fan ble disgynnodd e i'r môr,' meddai'r meddyg, fel pwyllgorddyn parod ei gyngor a wyddai nad ef fyddai'n gorfod gwneud y gwaith.

'Alle fe fod wedi disgyn o gwch?'

'Na, dwi ddim yn meddwl. Ma'r crafiade a chyflwr ei ddillad yn dangos mai o'r tir y disgynnodd e i'r môr.'

'Hm. Os ca'l ei olchi fan hyn na'th e, fe fydd yn rhaid i ni wbod o ba gyfeiriad ro'dd y môr yn symud ac am faint o amser fuodd e yn y môr ...'

'Yn ôl cyflwr a thymheredd y corff,' meddai'r meddyg, 'ma'n debygol 'i fod e wedi bod yn y dŵr rhwng deuddeg ac ugain awr.'

'Rhwng deg a deuddeg awr wedoch chi gynne,' meddai Ken Roberts gan dorri ei fudandod.

Gwgodd Mason arno. 'Dwi wedi ca'l amser i ystyried erbyn hyn, ac ma' hi'n well rhoi gormod o amser na rhy fach.'

'Faint o ffordd alle'r môr 'i gario fe yn yr amser hynny?' gofynnodd Clem Owen.

'Alle Gwylwyr y Glanne weud 'ny wrthoch chi,' awgrym-odd y meddyg, yn barod eto â'i gyngor.

'Ie, chi'n iawn. Ken? Nei di ddechre neud y trefniade?'

Syllai Ken Roberts allan i'r môr ac edrychodd Clem Owen i'r un cyfeiriad. Roedd y llanw wedi troi unwaith eto ac yn cyflym agosáu at y creigiau. Trodd Roberts ei ben i edrych ar y corff.

'Ken?' gofynnodd Clem Owen.

'Ie?'

'Nei di ddechre ar y trefniade ar gyfer yr ymchwiliade?'

'Iawn. Ond pwy sy'n mynd i fynd ar ôl y bechgyn achosodd ddamwain Ieuan Daniels?'

'Mater o flaenoriaethe yw hi dwi'n ofni, Ken. Os gewn ni gyfle fe ewn ni ar ôl y bechgyn, ond os bydd y patholegydd yn cadarnhau amheuon Dr Mason am hwn, ma' fe'n llawer mwy difrifol na'r ddamwain. Do's gyda ni mo'r adnodde i roi'r un sylw i'r ddau.'

Nodiodd Ken Roberts ei ben.

'Wyt ti ddim yn meddwl bod 'na gysylltiad rhwng y parti plant ysgol 'na ar Draeth Gwyn neithiwr a hwn, wyt ti?'

'Nadw,' meddai'r arolygydd.

'Ddim plentyn ysgol yw hwn,' meddai Dr Mason. 'Ma' hwn rywle rhwng dau ddeg wyth a thri deg un mlwydd o'd.'

'Ond dau ddigwyddiad ar yr un noson,' meddai Ken Roberts. 'Hyd yn o'd os nad o'dd e yn y parti, ma'n bosib bod y rhai fuodd yn y parti wedi gweld rhywbeth. Dwi'n meddwl y dylen ni ddal i roi sylw i'r bechgyn.'

Nodiodd y prif arolygydd ei ben. 'Wyt ti wedi dod o hyd i rywbeth amdanyn nhw hyd yn hyn?'

'Mwy o ddisgrifiad, ond dim byd sy'n mynd i neud ein gwaith ni'n haws. Os llaeswn ni'n dwylo ar hwn, ma' 'na berygl y gwneith e lithro drwy'n dwylo ni. Wyt ti ddim yn cytuno?'

Cyn ateb Ken Roberts, trodd Clem Owen i edrych ar Kevin Harry oedd yn rhoi'r camera fideo yn ofalus ar y llawr. 'Ma'r achos hwn i ga'l blaenoriaeth, Ken, ond os gei di gyfle i fwrw mla'n gyda'r bechgyn, popeth yn iawn. Ac os doi di o hyd i rywbeth sy'n cysylltu'r bechgyn â hyn, dwi ise gwbod ar unwaith.'

'Wrth gwrs,' a dechreuodd Ken Roberts gerdded yn ôl unwaith eto dros y creigiau.

Ar ôl i Kevin orffen ffilmio, ac i'r patholegydd wneud gymaint ag y gallai, fe gâi Dr Mason gyfle i edrych ar y clwyf a châi Clem Owen gyfle i archwilio pocedi'r trowsus yn ofalus am unrhyw beth a allai ddweud pwy oedd y dyn – waled â chardiau banc a chredyd, neu amlen a'i enw a'i gyfeiriad arni, neu ddarn o bapur ac arno rif ffôn ffrindiau.

'Cofia gymryd ôl 'i fysedd e, Kevin!' galwodd Clem Owen ar y swyddog man-y-drosedd a oedd wrthi'n rhoi'r camera fideo yn ôl yn ofalus yn ei ges.

'Iawn,' atebodd Kevin fel un oedd yn hen gyfarwydd ag eraill yn amau ei drylwyredd.

'A rho flaenoriaeth iddyn nhw, nei di? Falle byddwn ni'n lwcus.' Cododd o'i gwrcwd a gweld Dr Anderson yn agosáu hyd y creigiau.

'Cymerwch ofal, doctor,' meddai Clem, gan gerdded tuag at y patholegydd, 'rhag ofn i chi ga'l damwain.' Ond gan ei fod yn talu mwy o sylw i'r patholegydd nag i'r hyn roedd ef ei hun yn ei wneud, llithrodd y prif arolygydd ar y graig anwastad, ac mewn ymgais i'w achub ei hun rhag disgyn ar ei wyneb rhoddodd ei droed dde mewn pwll o ddŵr.

'Neb i weud gair,' rhybuddiodd rhwng ei ddannedd wrth iddo dynnu ei esgid dde ac arllwys y dŵr allan.

Gwthiodd y Ditectif Ringyll Carol Bennett y glanhawr yn ôl ac ymlaen ar draws llawr yr ystafell fyw gydag arddeliad. Os na lwyddai i sugno'r llwch o'r carped, fe wnâi'n siŵr y byddai'n ei guro ohono rywsut. Roedd yn gas gan Carol unrhyw fath o waith tŷ, ac roedd y modd yr âi ati y funud honno'n profi hynny. Swydd ddirprwyol oedd i'r carped mewn gwirionedd; gwir wrthrych ei ymosodiad egnïol oedd Glyn Stewart, a dyma'r ail dro o fewn tridiau iddi dynnu'r glanhawr allan o'i blegid ef. Addewid Glyn i ddod i dreulio'r penwythnos gyda hi oedd i gyfrif am y tro cyntaf, a'r ffaith nad oedd wedi cadw at ei air oedd i gyfrif am ei diwydrwydd ffyrnig yn awr.

Saith wythnos yn gynharach y cyfarfu Carol â Glyn Stewart am y tro cyntaf. Prif swyddfa cwmni Lawtons, cyflenwyr nwyddau adeiladu, oedd wedi ei anfon i ymchwilio i dân amheus a ddinistriodd bron hanner eu canolfan ar ystad ddiwydiannol y dref. Ken Roberts a Gareth Lloyd oedd yn gyfrifol am yr ymchwiliad i'r tanau, ond o dipyn i beth – i gadw Glyn allan o dan draed Ken Roberts yn bennaf – fe berswadiwyd Carol i fod yn rhyw fath o swyddog cyswllt rhwng y ddwy ochr.

Pe bai Carol yn onest â hi ei hun, fe fyddai'n cyfaddef na fu raid i neb wasgu'n galed arni i dderbyn y gwaith, ond roedd yn llawer haws iddi'n awr feddwl mai amgylchiadau'r gwaith oedd wedi dod â'r ddau ohonynt at ei gilydd. Yn enwedig pan fyddai'n cofio bod Glyn yn ŵr priod a bod ganddo ef a Sheila, ei wraig, ddwy o ferched – Catherine, naw oed, a Louise, saith oed. Roedd Glyn wedi dweud hyn i gyd wrthi, ynghyd â phethau diniwed a dibwys eraill am ei deulu, yn gynnar iawn yn eu perthynas. Mân siarad i basio'r amser wrth aros i Ken Roberts gael pum munud rhydd i drafod yr ymchwiliad gyda Glyn oedd y cyfan, a cham bychan rhesymol, a'r un mor ddiniwed a dibwys, oedd parhau sgwrs amser gwaith dros swper. Roedd ef yn ymwelydd mewn tref ddieithr a doedd ganddi hi ddim galwadau eraill ar ei hamser fin nos. Felly beth oedd o'i le ar hynny?

Gwyddai Carol yn iawn beth oedd o'i le ar hynny. Ac nid oedd dweud bod mwy o fai ar Glyn nag yr oedd arni hi am yr hyn a ddilynodd yn lleddfu dim ar ei chydwybod, yn enwedig pan fyddai'n cofio ei fod yn ŵr priod ac yn dad i ddwy o ferched …

Ers yr wythnos honno roedd Glyn wedi dychwelyd i'r dref deirgwaith er mwyn cadw'r ymchwiliad i'r tân yn y ganolfan yn fyw. Fe allai fod wedi gwneud hynny dros y ffôn yn iawn, ond nid yr ymchwiliad oedd yr unig beth yr oedd Glyn Stewart yn gobeithio'i gadw'n fyw. Ond eto, er gwaethaf ei holl siarad cadarnhaol am 'gariad' ac 'ymrwym-iad', roedd 'cyfrifoldeb' a 'dyletswydd' yn eu negyddu bob tro a golygai hynny mai tair noson a dyrnaid o alwadau ffôn oedd swm a sylwedd eu perthynas. Dyna pam roedd Carol mor benderfynol o gael y penwythnos hwn i gyd iddyn nhw eu hunain, a thrwy fygwth, addo a chrafu i'w chydweithwyr llwyddodd i gael yr amser yn rhydd.

Roedd Sheila a'r merched i fynd at ei rhieni hi am y pen-wythnos ac fe fyddai Glyn yn cyrraedd yn hwyr nos Wener. Dyna'r trefniadau, a dyna'r oedd Carol wedi bod yn edrych ymlaen ato ers dyddiau. Roedd hi hyd yn oed wedi paratoi pryd arbennig ar eu cyfer. Ond roedd hi'n awr yn brynhawn dydd Sul ac roedd Carol yn dal heb weld Glyn nac wedi clywed gair oddi wrtho.

Diffoddodd Carol y glanhawr a chlywodd y ffôn yn canu. Neidiodd ar draws yr ystafell rhag ofn ei fod wedi bod yn canu ers amser.

'Helô?'

'Carol?' Adnabu lais crafog Clem Owen ar unwaith.

'Ie, syr.'

'Lle wyt ti wedi bod? Dwi wedi bod yn ffonio ers amser.'

'Dwi ddim yn gweithio heddi, syr. Ma' gyda fi benwth-nos rhydd.'

'Wel, alli di anghofio am hynny. Ma' dwy ferch wedi dod o hyd i gorff dyn ar waelod Craig y Bwlch a dwi ise i ti ga'l gair 'da nhw.'

Dyn a dwy ferch ...

'Iawn, syr, fe ddo i mewn nawr.'

Tynnodd Carol y cwdyn o'r glanhawr, ei gario at y bin sbwriel ac arllwys ei gynnwys yn ofalus ar ben cynhwysion pryd bwyd nos Wener.

Rhywle roedd yna deulu yn dechrau poeni am y dyn a orweddai'n awr yn y marwdy. Rhywle roedd yna rieni, neu wraig a phlant, yn disgwyl iddo ddod adref o'i waith neu o fod allan am dro, neu o ble bynnag yr oedd wedi dweud ei fod yn mynd. O ddarganfod ei dylwyth roedd yna obaith wedyn o ddarganfod yr amgylchiadau a arweiniodd at ei farwolaeth. A gobeithiai'r heddlu fod ei dylwyth yn poeni digon amdano i gysylltu â nhw i rannu eu pryderon – ac i'w cynorthwyo i ddatrys dirgelwch arall heb iddynt orfod treulio gormod o amser a defnyddio adnoddau prin ar yr achos; yn enwedig gan nad oedd dim ym mhocedi ei drowsus i'w cynorthwyo.

Edrychai'r cyfan yn addawol iawn ar bapur ond yn ymarferol … Ers pryd roedd y teulu wedi bod yn poeni? Ddoe? Echddoe? Wythnos? Mis? Blwyddyn? Mwy na blwyddyn? A beth os oeddent wedi cysylltu â'r heddlu wythnosau, fisoedd yn ôl, a'r heddlu eisoes wedi palu drwy'r miloedd o achosion o ddiflaniadau a gofnodir bob blwyddyn yn y pedair gwlad heb lwyddiant? Hyd yn oed gydag enw a llun roedd dod o hyd i rywun a oedd wedi diflannu yn gallu bod yn dasg amhosibl bron. A beth os nad oedd gan y dyn deulu na ffrindiau agos oedd yn poeni amdano? Beth oedd y cam cyntaf? Ble i ddechrau? Yn yr unig le y gallwch chi ddechrau pan nad oes gennych ddim – wrth eich traed.

A'r cam cyntaf i'r pedwar deg tri o wŷr traed Heddlu Dyfed-Powys a alwyd yn ôl o'u diwrnodau gorffwys, fyddai cerdded o ddrws i ddrws, o westai i fflatiau gosod, i dai gwely a brecwast, i feysydd carafannau, i dai haf. Cam wrth gam wrth gam yn gofyn yr un cwestiynau ac yn cael yr un atebion negyddol, yr un ysgwyd pennau a'r un edrychiadau hurt. Ond pan nad oes gennych ddim byd arall, mae ateb negyddol yn gallu bod yn ateb cadarnhaol.

Dim ond am rai munudau y bwriadai Gareth Lloyd aros yn yr orsaf pan ddychwelodd i'r dref am ychydig wedi tri o'r gloch y prynhawn. Byddai hynny'n ddigon o amser i ddweud wrth Clem Owen nad oedd ganddo ddim i'w ychwanegu at eu gwybodaeth am y bechgyn ac i holi sut oedd Ieuan Daniels cyn ei throi hi, o'r diwedd, am dŷ rhieni Carys, lle y gwyddai y byddai ei mam, er gwaethaf bygythiad Carys i'r gwrthwyneb, wedi cadw ei ginio. Ond am yr eildro'r diwrnod hwnnw, wrth iddo yrru ei gar i mewn i faes parcio gorsaf yr heddlu, fe'i synnwyd. Roedd y lle'n llawnach nag y bu ers tro, a meddyliodd Gareth am eiliad fod yr awdurdod yn cynnal arwerthiant cist car er mwyn codi arian i dalu am betrol i'r hofrennydd.

'Dwi ise i ti roi help llaw i Inspector Roberts i ddechre'r ymchwiliad i shwd y bu farw'r dyn y cafwyd hyd i'w gorff ar waelod Craig y Bwlch,' meddai Clem Owen wrtho yr eiliad y cerddodd i mewn i'w swyddfa. 'Dy'n ni ddim yn siŵr eto, ond ma'n edrych yn debyg i achos o lofruddiaeth.'

A dyna'r cyntaf i Gareth glywed amdano.

'Ry'n ni hefyd, ar hyn o bryd, yn cymryd yn ganiataol mai ymwelydd o'dd e. Gall hynny newid, wrth gwrs, ond hyd y clywn ni'n wahanol, dieithryn yw e, a dyna pam dwi am i ni holi ym mhobman amdano. Ond dwi ise gwneud ymdrech gyda'r gwestai gore gan fod ei ddillad e'n rhai drud, felly go brin mai aros mewn carafán neu babell o'dd e. Iawn?'

'Iawn.'

'Dwyt ti ddim wedi gweld Eifion yn rhywle, wyt ti?'

'Naddo. Odi fe ar goll?'

'Na, ddim mwy nag arfer, yn ôl Carol.'

'Ers pryd mae e'n llefen?'

'Dyw e ddim wedi stopo drwy'r dydd.'

'Ro'dd e'n iawn pan adawes i'r bore 'ma.'

'O, mae e'n iawn pan wyt ti 'ma, odi fe? Arna i mae'r bai 'i fod e'n dechre sgrechen yr eiliad rwyt ti'n troi dy gefn?'

'Nage …'

'Wel, os yw e'n well pan wyt ti 'ma yna dwyt ti ddim yn 'i weld e ar 'i waetha. Fi sy'n neud popeth drosto fe, a fi sy'n gorfod diodde'i sgrechen e drwy'r dydd.'

Gwyddai Eifion nad oedd dim i'w ennill o ddadlau nac o geisio rhesymu â Siân pan fyddai yn yr hwyliau hyn. Ac roedd hi wedi bod yn yr hwyliau hyn byth ers geni Emyr. Roedd gofalu amdano yn llenwi ei diwrnod gan wneud hyd yn oed feddwl am unrhyw beth arall yn ormod o ymdrech iddi. Nid oedd byth awydd arni wneud dim, a byddai pob ymgais ar ran Eifion i'w chael i adael y tŷ a mynd allan am bryd o fwyd neu i weld ffilm – pethau y byddai wrth ei bodd yn eu gwneud lai na blwyddyn ynghynt – yn ddim ond achos iddi gwyno wrtho am yr holl waith oedd ganddi i'w wneud. Gwaith na welai Eifion byth ei ôl ar y tŷ nac ar Siân ei hun.

Roedd hi'n awr yn hanner awr wedi tri y prynhawn, a Siân yn dal yn ei gŵn gwisgo. Roedd Eifion yn barod i fentro bod y llestri brecwast a chinio unwaith eto yn dal yn y gegin heb eu golchi. Arferent rannu'r dyletswyddau o gwmpas y tŷ ac roedd ef yn ddigon parod i wneud mwy na'i siâr am y tro, ond nid oedd yn barod i adael iddi roi'r gorau i fyw.

Cerddodd Eifion yn dawel o gwmpas yr ystafell a'i fab yn ei freichiau. Pwysai pen y baban ar ei ysgwydd a siglai Eifion ef yn araf gan rwbio'i gefn yr un pryd i'w gysuro. Anadlai Emyr yn herciog wrth i'w gorff bychan geisio rheoli'r dagrau a'r poen, ond bob hyn a hyn tynnai ei goesau i fyny mewn gwewyr a throi ei ben yn gyflym o'r naill ochr i'r llall ar ysgwydd ei dad.

'Dwi'n mynd i ffonio Dr Stephens,' meddai Eifion.

'Nagwyt!' poerodd Siân o'r setî lle'r eisteddai a'i choesau wedi eu tynnu i fyny o'i blaen a'i breichiau wedi'u plethu o'u cwmpas.

'Ma' rhywbeth yn 'i boeni fe. Alla i ddim 'i adel e i ddi-odde.'

'Dwyt ti ddim yn ffonio'r doctor. Bydd e'n dweud wrth y blydi ymwelydd iechyd 'na a bydd hi rownd 'ma fel mellten yn twt-twtio ac yn edrych lawr 'i thrwyn arna i. Alla i ddim diodde mwy ohoni hi.'

'Ond Siân, ma' Emyr mewn po'n,' meddai Eifion gan symud ei fab i'w ysgwydd arall.

'Gwynt yw e, 'na i gyd. Bydd e'n well ar ôl ca'l ei la'th.'

'Wyt ti'n trio rhoi'r botel iddo fe nawr, fel awgrymodd ...?' dechreuodd Eifion ofyn cyn iddo gofio pwy oedd wedi gwneud yr awgrym.

'Wyt ti'n ochri gyda hi nawr, wyt ti?'

'Nagw, Siân.'

'Wel paid â dadle'i hachos hi 'te.'

'Nid 'i hachos hi yw e, ond lles Emyr. Falle bod ise mwy o faeth arno fe nag wyt ti'n gallu 'i roi iddo fe.'

'O diolch yn fawr, diolch yn fawr iawn! Dwi ddim yn gallu gofalu am fy mhlentyn fy hun nawr. Er mai 'nghorff i gariodd e, a 'nghorff i roddodd enedigaeth iddo fe, dyw 'nghorff i ddim yn gallu 'i gynnal e! Dyna wyt ti'n ddweud?'

Cnodd Eifion ei dafod a cherdded yn ôl ac ymlaen ar draws yr ystafell gan ddal ei fab yn dynn a disgwyl am y don nesaf o boen a fyddai'n siglo'i gorff bychan.

'Ti welodd y dyn gynta, Melanie. Ydw i'n iawn?' gofyn-nodd Carol Bennett.

Nodiodd Melanie, ond ni ddywedodd air. Er gwaethaf holi taer Carol nid oedd Melanie Simms wedi dweud fawr ddim ar wahân i gytuno â'r hyn ddywedai'r ditectif wrthi, a doedd hynny'n ddim help o gwbl. Ond roedd ei ffrind, Andrea Thorpe, a oedd wedi dod ar ei gwyliau gyda Melanie a'i rhieni, yn fwy parod i siarad.

'Cerdded i mewn i'r dre o'r maes carafanne o'n ni,' meddai Andrea, gan chwarae â thun Coca Cola gwag. 'Dyna'r ffordd gyflyma pan fydd y llanw mas. Ro'n ni'n cerdded rownd y graig fawr ar waelod y glogwyn pan stopiodd Melanie a phwyntio at y dyn. Ro'n ni'n meddwl mai torheulo neu gysgu o'dd e, ond wrth i ni ddod yn agosach ato ro'n ni'n gallu gweld o'r ffordd ro'dd e'n gorwedd mai wedi cwmpo o'dd e.'

'Gyffyrddodd un ohonoch chi ag e?'

'Do. Cydiodd Melanie yn ei ysgwydd a'i ysgwyd e i weld os o'dd e'n iawn.'

'Dyna i gyd. Nethoch chi mo'i symud?'

'Naddo. Ro'dd e jyst yn gorwedd fan'na, a phan sylweddolon ni 'i fod e … chi'n gwbod … redon ni i chwilio am help.'

'Welsoch chi rywun arall ar y creigie?'

'Dim ond y plismon, yr un wedodd wrtha i i ffonio am yr ambiwlans.'

'Nage, cyn hynny, rhwng y maes carafanne a lle'r o'dd y dyn wedi cwmpo.'

'Naddo.'

'Dda'th neb i gwrdd â chi ar y traeth cyn i chi gyrra'dd y creigie?'

'Naddo.'

'A welest ti neb yn mynd o'ch bla'n ar y creigie?'

'Naddo.'

'Iawn, diolch yn fawr i ti, Andrea.'

Cododd y ferch ac estyn y tun Coca Cola i Carol; roedd wedi ei blygu bron at ei dorri.

Disgwyliai Melanie a'i rhieni amdanynt ger y fynedfa ac roedd Carol yn ffarwelio â hwy, ac yn canmol y merched am y canfed tro, pan gerddodd Eifion Rowlands drwy'r drysau.

'Ble wyt ti wedi bod?' gofynnodd Carol iddo.

'Gartre.'

'Gartre!' a sgwariodd Carol o'i flaen. 'Wel, ers i ti fod gyda ni ddwetha ...'

'Dyw Siân ddim yn dda.'

'O.' A sylwodd Carol am y tro cyntaf ar yr olwg druenus oedd arno. 'Be sy'n bod arni?'

'Iselder, yn ôl y doctor.'

'Ar ôl geni ...' ond ni allai Carol gofio'i enw '... geni'r babi?'

'Ie. Dyw hi ddim yn gallu ymdopi ag Emyr o gwbwl. Ma'r doctor gyda hi nawr. Ond ro'n i am aros gyda hi nes iddo gyrra'dd.'

'Cer i weld Mr Owen a gwed wrtho fe am Siân. Mae e wedi bod yn chwilio amdanot ti drwy'r prynhawn.'

'Reit. Diolch.'

Edrychodd Carol arno'n ei lusgo'i hun i fyny'r grisiau. Un eiliad roedd e'n gofyn am gic dda yn ei ben-ôl, a'r eiliad nesaf roedd angen mwy o ofal arno fe nag oedd ar faban blwydd.

Pwysai Clem Owen yn ôl yn ei gadair gan herio crefft y saer, yn ogystal â disgyrchiant, yn myfyrio ar droeon y dydd. Diwrnod tawel oedd heddiw i fod iddo ef a'i wraig. Dyna'r oedden nhw wedi ei fwriadu tan iddyn nhw gael neges brynhawn dydd Sadwrn i ddweud bod hen fodryb i Llinos, yr olaf o'i chenhedlaeth, wedi ei tharo'n wael. Newidiwyd y trefniadau; roeddynt yn mynd i'w gweld, ond yna derbyniodd Clem y neges am ddamwain Ieuan Daniels a bu raid i Llinos fynd ar ei phen ei hun – fel y bu raid iddi ei wneud droeon o'r blaen.

Roedd gwreiddiau Clem hefyd yn yr un rhan o'r hen sir Gâr, ac er ei fod wedi dweud wrtho'i hun, ac wrth Llinos, sawl gwaith dros y blynyddoedd ei fod am ddod i adnabod y rhan honno o'r wlad yn well, roedd ei waith wedi ei rwystro bron bob tro. A nawr, a chysylltiadau Llinos â'r ardal yn llacio, mynd i angladdau oedd bron yr unig adegau yr âi hithau'n ôl.

Ond roedd rhywbeth arall, ar wahân i gydwybod ddrwg, yn ei boeni. Ni wyddent yn bendant eto beth achosodd farwolaeth y dyn ar y traeth ond roedd Dr Anderson yn cytuno â Dr Mason bod yr amgylchiadau'n edrych yn amheus. Fe gâi wybod yn iawn drannoeth yn yr archwiliad *post mortem* – achlysur a oedd yn gas ganddo.

Ond er bod ei stumog yn dechrau corddi'n barod wrth feddwl am yr archwiliad, nid dyna a bwysai arno. Teimlai rywsut eu bod yn colli gafael ar yr ymchwiliad cyn iddo ddechrau o ddifrif. Roedd wedi ceisio edrych yn gadarnhaol ar y sefyllfa ond heb unrhyw gysur.

Ar wahân i'r ddwy ferch, Ken Roberts oedd y cyntaf i weld y corff. Roedd Dr Mason wedi cyrraedd man y drosedd yn gyflym hefyd, ac wedi bod yn effro iawn i sylwi y gallai fod yna amheuaeth ynglŷn â'r farwolaeth. A gan fod amser yn hollbwysig ar ddechrau ymchwiliad, fe fyddai'r ddeubeth hynny o'u plaid. Ac nid oedd y dirgelwch ynglŷn â phwy oedd y dyn ac union amgylchiadau ei farw yn ei boeni ryw lawer chwaith. Fe ddeuai goleuni ar y pethau hynny, dim ond iddo ef a'i dîm wneud eu gwaith yn iawn. Dyna oedd yn ei boeni. Roedd ganddo amheuon ynglŷn â'i dîm.

Gallai gydymdeimlo ag Eifion os oedd yn gofidio am ei wraig a'i blentyn, ond doedd ef yn werth dim i neb os na allai ganolbwyntio ar ei waith a rhoi'r gorau i grwydro o gwmpas y lle fel rhyw ysbryd ar ddisberod. A hyd nes y dangosai fod ei feddwl ar ei waith byddai'n rhaid i Owen ei ddefnyddio fel pâr o ddwylo i wneud y gorchwylion mwyaf elfennol yn unig.

Ac os oedd diffyg ymroddiad Eifion Rowlands yn achosi pryder i Clem Owen, roedd ymddygiad Ken Roberts yn ddirgelwch llwyr iddo. Roedd y ddau wedi cydweithio'n glòs ers cymaint o flynyddoedd erbyn hyn, roedd i'r naill ddal annwyd yn peri i'r llall beswch. Roedd ei dawedogrwydd pan oeddynt ar y creigiau gyda Dr Mason yn rhywbeth oedd yn hollol groes i'w natur. Fel arfer fe fyddai Ken yn llawn awgrymiadau a chynghorion ac yn awyddus i ddechrau'r ym-chwiliadau, ond nid felly gyda'r llofruddiaeth hon. Am ryw reswm roedd fandaliaeth y noson cynt yn bwysicach iddo. Roedd hi'n amlwg i ddyn dall fod rhywbeth yn ei boeni.

Tynnodd Clem Owen ei hun i fyny yn ei gadair. Digon i'r dydd, meddai gan godi. Fe âi adref. Byddai Llinos wedi hen ddychwelyd erbyn hyn. Teimlai ei fod yn haeddu cysur a chwmni – heb sôn am bryd iawn o fwyd.

Disgynnodd y grisiau i'r cyntedd a chodi ei law ar yr heddwas a safai y tu ôl i'r cownter ymholiadau.

'Syr!'

Arhosodd Owen. 'Beth?'

'Neges oddi wrth Mrs Owen, syr. Ffoniodd hi dros awr 'nôl ond do'n i ddim yn gallu dod o hyd i chi bryd hynny. Fe fydden i wedi dod i chwilio amdanoch chi wedyn ond ro'dd Davies 375 yn meddwl 'ych bod chi wedi gadel ...'

'Y neges?' gofynnodd y prif arolygydd yn flinedig ar ei draws.

'Ro'dd ei modryb am iddi aros gyda hi. Fydd Mrs Owen ddim yn dod adre heno.'

Gwasgodd Gareth fotwm cloch y tŷ. Diwrnod arall o orffwys wedi mynd i'r gwynt, meddyliodd, a thorrodd ton o wendid a blinder drosto. Pwysodd ei ben yn erbyn y drws. Brecwast am hanner awr wedi wyth y bore hwnnw oedd yr unig bryd iawn iddo'i gael drwy'r dydd. Collodd ginio Carys a the ei mam – prydau fu'n ddigon i'w gynnal drwy sawl dydd Llun hir a chaled yn y gorffennol. Roedd ffreutur yr orsaf wedi bod ar agor ar gyfer cinio, ond erbyn i Gareth ddychwelyd o Bontberian roedd cinio ar ben a'r ffreutur wedi cau. Goroesodd weddill y diwrnod ar greision a choffi llugoer wrth gynorthwyo Ken Roberts i gyfarwyddo'r holi o ddrws i ddrws, cyn i hwnnw ddiflannu a'i adael i lywio'r gwaith i gyd ei hun.

Roedd hynny, a diffyg llwyddiant gyda'r ymchwiliadau, yn peri ei fod yn teimlo'n hunandosturiol iawn, ond os oedd wedi gobeithio y byddai Carys yn cynnig cydymdeimlad a chysur iddo, chwalwyd ei obeithion pan agorodd hi'r drws, edrych arno, a'i gau eiliad yn ddiweddarach gan weiddi ar ei rhieni, yn ddigon uchel i Gareth ei chlywed hefyd, 'Neb! Tystion Jehofa, 'na i gyd!'

Canodd Gareth y gloch unwaith eto; doedd unman arall ganddo i fynd.

Roedd Ken Roberts wedi gwneud ei orau i wthio'i amheuon am Geraint o'r neilltu drwy ganolbwyntio ar sefydlu'r fframwaith ar gyfer yr ymchwiliad i'r llofruddiaeth ond nid oedd wedi llwyddo. Ar ôl dwyawr o dindroi ac anghofio sawl cam elfennol, trosglwyddodd y cyfrifoldeb i Gareth, a gan ddweud ei fod am daro allan i weld sut roedd pethau'n datblygu, gadawodd yr orsaf.

Ceisiodd ymresymu â'i hun unwaith eto nad oedd yna ddim i gysylltu Geraint â difrod y noson cynt nac â damwain Ieuan Daniels. Oedd, roedd Geraint wedi bod yn y parti, ac roedd ganddo siaced debyg i'r un roedd David

Ellis wedi gweld un o'r bechgyn yn ei gwisgo. Ond, os oedd Ken Roberts wedi deall yn iawn, roedd bron pob bachgen iach o fewn ugain milltir i'r dref yn bresennol yn y parti, ac os oedd y siaced mor ffasiynol bwysig ag yr honnodd Geraint, roedd gan sawl un o'r rheiny siaced debyg. Ac er gwaethaf ei ofnau, dyna'r cyfan a wyddai! Ond lle byddai unrhyw dad arall o dan yr un amgylchiadau wedi troi'n naturiol amddiffynnol o'i fab, roedd e'n credu'r gwaethaf am Geraint. Ar bwy oedd y bai am hynny? Ar Geraint neu arno ef?

Roedd Angela a Geraint yn y lolfa yn gwylio'r teledu pan gyrhaeddodd Ken Roberts adref. Trodd Angela a'i weld yn sefyll yn y drws; dechreuodd godi o'r gadair i baratoi bwyd iddo.

'Ken, wyt ti …?'

Cododd ei law ac amneidio arni i aros ble'r oedd. 'Dwi'n iawn am funud.' Edrychodd ar Geraint, nad oedd wedi cydnabod ei bresenoldeb. 'Geraint, dwi ise gair 'da ti.'

'Ken,' meddai Angela a ragwelai ffrwgwd arall. Edrychodd ar Geraint, a oedd yn dal i syllu ar y teledu.

'Geraint, dwi ise gwbod ble'r o't ti neithiwr,' meddai Ken Roberts.

'Ken, paid â dechre …'

'Geraint!'

'Beth?' gofynnodd, a'i lygaid yn dal ar y teledu.

'Dwi'n siarad â ti.'

'Nady'ch, ry'ch chi'n gweiddi arna i.'

Cnodd Ken ei dafod a gofyn yn dawel, 'Nei di ddweud wrtha i ble'r o't ti neithiwr?'

'Wi 'di gweud wrthoch chi, yn y parti ar y traeth.'

'Ddigwyddodd rhywbeth yn ystod y parti?'

'Naddo, dim na fyddech chi'n disgwl iddo ddigwydd mewn parti.'

'I ble'r est ti ar ôl gadel Traeth Gwyn?'

'Wedes i wrthoch chi bore 'ma; i unman, fe ddes i adre.'

'Ken, pam wyt ti'n neud môr a mynydd o'r parti?' gofynnodd Angela gan godi ac agosáu at ei gŵr.

'Fel dy dad rown i'n gofyn bore 'ma, Geraint, ond dwi'n gorfod gofyn i ti nawr fel plismon.'

'Ha!'

'Be sy wedi digwydd, Ken?' gofynnodd Angela, yn sylweddoli bod yna reswm difrifol y tu ôl i gwestiynau ei gŵr.

'Ro'dd criw o fechgyn wedi dwyn car neithiwr, a nhw achosodd ddamwain Ieuan Daniels. Ac os nad yw hwnna'n ddigon o reswm i fi ofyn ble'r o'dd Geraint, da'th dwy ferch o hyd i gorff dyn ar waelod Craig y Bwlch brynhawn 'ma, ac mae'n dod yn fwy amlwg bob munud 'i fod e wedi 'i lofruddio.'

Neidiodd Geraint ar ei draed. 'A ry'ch chi'n meddwl mai fi lofruddiodd e, odych chi?'

'Nadw, ond falle bod 'na ymladd wedi bod ar y traeth neithiwr.'

'Ddigwyddodd dim byd fel'na!' gwaeddodd Geraint.

'O'dd 'na gyffurie yn y parti?'

'Weles i ddim.'

'Ac ro't ti yna tan y diwedd?'

''Sen i'n gwbod 'ych bod chi am i fi ffereta am gyffurie, fydden i ddim wedi gadel o gwbwl.'

'Ble ma' dy siaced Dallas Cowboys di?'

'Beth?' a thrawodd yr olwg euog a wibiodd ar draws wyneb Geraint Ken Roberts fel ergyd.

'O't ti'n 'i gwisgo hi neithiwr?'

'O'dd,' atebodd Angela, pan na chynigiodd Geraint ateb. 'Pam wyt ti'n gofyn?'

'Ro'dd rhywun wedi gweld y bechgyn ddifrododd y ceir

yn Ffordd yr Eglwys, ac ro'dd un ohonyn nhw'n gwisgo siaced y Dallas Cowboys …'

'Ac wrth gwrs fi o'dd e!'

'Dwi'n trio …'

'Rown i'n meddwl mai gofyn i fi hel clecs am rywrai er'ill o'ch chi, ond nawr dwi'n deall 'ych bod chi'n fy ame i o gyflawni pob trosedd ddigwyddodd neithiwr. Be sy? Dim digon o bobol ddiniwed er'ill ar ôl i chi 'u taflu nhw i garchar?'

'Geraint!' gwaeddodd ei fam gan gamu rhwng y ddau. 'Paid â siarad fel'na â dy dad.'

'Peidiwch poeni, dwi ddim ise siarad ag e o gwbwl,' meddai cyn rhuthro o'r ystafell. Dechreuodd Ken Roberts ei ddilyn, ond cydiodd Angela yn ei fraich.

'Paid â mynd ar ei ôl e yn dy dymer, Ken. Plîs?' ymbiliodd arno. 'Dwyt ti ddim wir yn credu bod gyda Geraint rywbeth i'w wneud â'r ddamwain ac â llofruddiaeth?'

Siglodd Ken Roberts ei ben yn flinedig. 'Dwi ddim yn gwbod, Angela.'

'Ken!'

'Wel, alli di ddweud yn bendant dy fod ti'n gwbod beth ma' fe'n 'i neud bob munud o bob awr mae e mas o'r tŷ?'

'Nadw, ond dwi *yn* 'i drysto fe.'

'Ma' 'na dyst, Angela, ac yn ôl hwnnw, ro'dd un o'r bechgyn yn gwisgo siaced debyg i'r un Dallas Cowboys sy gyda Geraint.'

'Ond dwyt ti ddim yn meddwl mai Geraint o'dd e, wyt ti?'

'Ma'n bosib y bydd pob bachgen o'dd yn y parti neithiwr yn ca'l ei holi. Wedes i wrth Clem Owen fod Geraint yno ac os nad ydw i'n gofyn iddo ble'r o'dd e ac yn gwneud yn siŵr, y tu hwnt i unrhyw amheuaeth, nad o'dd gydag e ddim i'w wneud â'r difrodi a'r ddamwain, fe fydd yn rhaid i rywun arall ei holi. Pa un fydde well 'da ti?'

'Wyt ti'n meddwl ei bod hi'n hawdd i Geraint ga'l ei holi 'da ti?'

'Do's dim ots beth dwi'n 'i feddwl.'

'Ond ma' ots 'da Geraint.'

Siglodd Ken Roberts ei ben. 'Blwyddyn, chwe mis yn ôl, hyd yn o'd, fe allen i fod wedi siarad ag e a cha'l ateb call, ond nawr do's dim ond rhaid i fi agor 'y ngheg ac mae e'n cyfarth arna i. Pam na wedith e i ble'r a'th e ar ôl i'r parti gwpla? Yn lle hynny, dim ond i fi sôn am y siaced ac ma' fe'n gwylltio'n llwyr.'

'Do's dim dirgelwch ynglŷn â'r siaced, Ken, ma' honno'n hongian yn y cwpwrdd cotie,' a cherddodd Angela Roberts allan i'r cyntedd.

Dilynodd ei gŵr hi gan ddisgwyl iddi dynnu'r got o'r cwpwrdd a'i chwifio o'i flaen yn dystiolaeth bellach o'i annhegwch tuag at Geraint; ond pan drodd tuag ato, ei hwyneb yn welw a'i dwylo'n wag, ni theimlai Ken Roberts ronyn o foddhad.

Eisteddai Gareth Lloyd wrth ei ddesg yn rhoi trefn ar domen o bapur – swm a sylwedd gweithgaredd y noson cynt. Yr Arolygydd Ken Roberts oedd i fod yn gyfrifol am y gwaith hwn, ond wrth i Gareth gyrraedd y bore hwnnw roedd yr arolygydd yn gadael gan fwmian rhywbeth am ddilyn trywydd un o'r adroddiadau a dderbyniwyd y noson cynt. Nid bod Gareth yn gresynu i'r arolygydd, a allai fod yn feistr caled a diamynedd, ei adael i drefnu pethau ei hun. Ond os oedd yna fwy o ryddid ar gael i ddyn ddilyn ei drwyn fe fyddai Gareth hefyd wedi hoffi gallu manteisio ar hynny a mynd allan i'r priffyrdd a'r caeau yn lle eistedd yn y swyddfa yn gwneud gwaith Ken Roberts. A gan fod Eifion Rowlands yn y llys yn rhoi tystiolaeth mewn achos o ddwyn defaid y bore hwnnw, ac am weddill y dydd fwy na thebyg, roeddynt yn mynd i fod yn brin o bobl.

Cydiodd mewn swp arall o adroddiadau a dechrau mynd trwyddynt. Bu yn agos i ugain o blismyn a chlercod wrthi'n ddiwyd drwy'r oriau hir yn nodi canlyniadau'r holi, ond gwaith Gareth nawr oedd distyllu'r cyfan i ddwy dudalen o adroddiad fel y gallai Clem Owen, wedi deng munud o ddarllen, wybod yn union ble'r oedd yr ymchwiliad yn sefyll. Doedd hi ddim yn dasg anodd yn y bôn. Gallai Gareth dalfyrru'r cyfan i un frawddeg: nid oedd unrhyw un wedi cysylltu â'r heddlu i ddweud fod un o'i anwyliaid ar goll, ac ar ôl pum awr (yn agos i ddau gant o oriau gwaith) o gerdded strydoedd (bron i saith milltir ar hugain), curo drysau (dros bum cant) a gofyn cwestiynau (dirifedi) nid oeddynt fawr ddim yn nes at ddarganfod pwy oedd y dyn y cafwyd hyd i'w gorff ar waelod Craig y Bwlch, heb sôn am ddal y sawl a'i lladdodd.

Dim ond dau lygedyn o oleuni oedd yn y tywyllwch, ond roeddynt yn ddigon i'w cadw i fynd am ddiwrnod arall. Y cyntaf oedd ymateb gweinyddes yng ngwesty'r Fairwinds. Roedd hi'n weddol bendant fod y dyn y dangoswyd iddi lun ohono wedi bwyta yn y gwesty ar y nos Iau flaenorol. Daeth yno ar ei ben ei hun ac ni welodd ef yn siarad ag unrhyw un yn ystod yr amser y bu yno. Nid oedd y weinyddes yn credu ei fod wedi mynd i'r bar ar ôl iddo orffen ei fwyd, ac roedd y ffaith nad oedd neb arall o blith staff y gwesty yn ei gofio yn awgrymu'n gryf mai dim ond mynd yno i fwyta a wnaeth y dyn a'i fod wedi gadael yn syth wedyn.

Wrth iddo nodi hyn i gyd yn ei lyfr cafodd yr heddwas fflach o ysbrydoliaeth a gofynnodd i reolwr Fairwinds am gael gweld biliau a derbynebau nos Iau. Aeth y rheolwr drwy filiau'r weinyddes am y noson, a phan gadarnhaodd hithau rif y bwrdd a phryd bwyd y dyn, dechreuodd yr heddwas gymharu'r bil â slipiau derbyn y til. Os oedd y dyn wedi talu am ei bryd â siec neu gerdyn credyd, yna roedd yr heddwas o fewn trwch blewyn i ddarganfod pwy oedd ef. Ond nid hon oedd ei awr fawr. Talodd y dyn ag arian parod.

Gwerthwr petrol mewn modurdy ar gyrion y dref oedd yr ail berson a gredai iddo weld y dyn pan brynodd betrol yno'n gynnar brynhawn dydd Iau. Roedd hi'n adeg brysur o'r dydd ac nid oedd y bachgen yn cofio sut gar oedd ganddo nac i ba gyfeiriad yr aeth ar ôl gadael. Unwaith eto, roedd wedi talu ag arian parod.

Er cyn lleied oedd hyn, roedd hi'n deg casglu bod y dyn wedi bod yn y dref, neu'r cyffiniau, ers dydd Iau o leiaf. Ond roedd hynny yn ei dro yn codi'r cwestiwn ymhle y bu ef rhwng nos Iau a nos Sadwrn? Er gwaetha'r ffaith nad oedd y ddau ymateb yma'n rhoi hwb mawr ymlaen i'r ymchwiliad, fe wyddai Gareth y byddai Clem Owen yn eu defnyddio yn y gynhadledd i'r wasg yn hwyrach yn y dydd er mwyn dangos i'r cyhoedd bod ymchwiliadau'r heddlu yn mynd yn eu blaen ac mai mater o amser fyddai hi cyn i'r achos ddod i ddiwedd boddhaol. Gobeithiai Gareth y byddai ei bennaeth, a oedd yn casáu cynadleddau i'r wasg â chas perffaith, yn llwyddo i swnio'n hyderus.

Fe fyddai'n rhaid iddynt gael rhagor o atebion heddiw, ac roedd hi'n amlwg y byddai'n rhaid iddynt daflu'r rhwyd ymhellach, ac ymweld â meysydd carafannau, ffermdai a thai haf yr ardal. Wrth i Gareth nodi hynny ar ei adroddiad i'r prif arolygydd canodd y ffôn.

'Helô, D. S. Lloyd.'

'Gareth, Tony Lewis, Brigad Dân Dyfed. Dim ond gair cyflym i gadarnhau bod y tân 'na ar faes carafanne Sunburst wedi ei gynnau yn yr un ffordd yn union â'r lleill.'

'Wel, rown i wedi ofni hynny, Tony. O's 'na rywbeth a alle'n helpu ni gyda'r ymchwiliad?'

'Na, dwi ddim yn meddwl. Ro'dd cyffinie'r tân yr un mor foel â'r lleill. Dyw e'n gadel dim byd mwy na sydd rhaid iddo fe. Mae e'n gwbod yn iawn sut i neud y difrod mwya posib gyda chyn lleied o offer â phosib.'

'Wyt ti'n dal i feddwl 'i fod e wedi bod wrthi o'r bla'n?'

'Odw. Naill ai hynny neu mae e wedi bod mewn cysylltiad â rhywun sy wedi bod wrthi ei hunan.'

'Yn y carchar yr un pryd â nhw, wyt ti'n feddwl?'

'Ie. Dyna sut ma'r mwyafrif o droseddwyr yn dysgu 'u crefft, ontefe?'

'Ie. Rhywun lled broffesiynol yn hytrach nag amatur lleol.'

'Bron yn bendant. O's gyda ti rywbeth pellach i'w ychwanegu at yr achos?'

'Nago's, gwaetha'r modd, a dwi'n ofni na fydd gyda fi

lawer o gyfle i roi sylw i'r tane am ychydig, chwaith. Ma'
gyda ni farwolaeth sy bron yn siŵr o droi'n llofruddiaeth.
Felly wela i mohonot ti am dipyn.'

'Paid â bod yn rhy siŵr. Dwi'n ofni bod sawl matsien ar
ôl gyda hwn.'

'Mrs Johnson?'

'Ie.'

'Inspector Roberts, Heddlu Dyfed-Powys.'

'O, ro'dd un o'ch pobol chi rownd 'ma neithiwr.'

'Dyna pam dwi 'ma. Weles i ei adroddiad e a hoffen i
ofyn rhagor o gwestiyne i chi, os ca i?'

'Wrth gwrs. Dewch i mewn.' Ac agorodd Megan Johnson
glwyd yr ardd i'r arolygydd. Cerddodd y ddau heibio i
ymyl y tŷ ac eistedd ar fainc bren allan o haul cryf y bore.
Gofynnodd yr arolygydd iddi beth yn union roedd hi wedi
ei weld nos Sadwrn.

'Wel, fel wedoch chi, nos Sadwrn o'dd hi, neu fore dydd
Sul yn hytrach gan 'i bod hi newydd droi hanner nos. Ro'n
i'n methu cysgu; ro'dd hi'n hen noson fyglyd, chwyslyd.
Codes i er mwyn agor mwy o'r ffenest ac fe weles i'r car
'ma'n stopio lan fan'co ar bwys y siedie. Car mawr du o'dd
e ond ro'dd hi'n ddigon hawdd 'i weld e yng ngole'r stryd.'

'Dwi'n deall i chi weld pwy o'dd ynddo fe hefyd.'

'Do. Pump o fechgyn, a mas â nhw cyn gynted ag y stop-
iodd y car a rhedeg lan ffor'co am Lôn y Gelli.'

'Ro'dd 'na bump ohonyn nhw?'

'O'dd.'

'Chi'n siŵr o hynny?'

'Bendant. Da'th dau mas o'r bla'n a thri o'r cefn.'

'Ac fe redon nhw i gyd i'r un cyfeiriad, am Lôn y Gelli?'

'Do, wel do'dd dim dewis 'da nhw os nad o'n nhw am
fynd 'nôl ar hyd y ffordd ro'n nhw wedi dod.'

'Weloch chi nhw wedyn?'

'Naddo.'

'Beth o'ch chi'n meddwl o'n nhw'n neud?'

'Gadel y car ro'n nhw wedi 'i ddwyn.'

'Os o'ch chi'n meddwl 'ny, pam na fyddech chi wedi'n ffonio ni ar y pryd?'

'Do's dim ffôn 'da fi, a beth bynnag, ma' 'na geir wedi ca'l 'u gadel draw fan'co o'r bla'n. Do'dd hwn yn ddim byd newydd, ry'n ni wedi hen arfer â phethe fel hyn.'

'O'ch chi'n nabod y bechgyn?'

'Nago'n.'

'Allwch chi 'u disgrifio nhw?'

'Dim ond am ychydig eiliade y gweles i nhw.'

'Odych chi'n cofio rhywbeth amdanyn nhw?'

'Dim byd, ar wahân i'r seren fawr arian o'dd ar gefn un ohonyn nhw. Dwi'n cofio hynny'n glir am 'i bod hi wedi fflachio yng ngole'r stryd wrth iddyn nhw redeg i ffwrdd.'

Gorweddai'r corff ar y bwrdd o dan y golau llachar. O'i gwmpas, wedi eu gwisgo'n bwrpasol mewn gynau gwyrdd, ac esgidiau a menig rwber, safai patholegydd y Swyddfa Gartref, aelod o staff y marwdy, ffotograffydd a'r Prif Arolygydd Clem Owen.

Cyn dadwisgo'r corff archwiliwyd y dillad yn fanwl gan gofnodi a chadw pob blewyn, gweiryn ac edefyn rhydd a gafwyd arnynt. Tynnwyd lluniau o'r dillad cyn ac ar ôl iddynt gael eu diosg ac yna fe'u gosodwyd yn ofalus mewn bagiau pwrpasol, eu labelu a'u rhoi yn ddiogel o'r neilltu gan y byddai angen cyfeirio atynt yn yr achos a ddygai'r Goron yn erbyn y llofrudd. Yna tynnwyd y bagiau plastig yr oedd Kevin Harry wedi eu rhoi am y dwylo fel na fyddai'r mymryn lleiaf o dystiolaeth yn cael ei golli pan symudwyd y corff.

Cofnodi a chadw. Cadw a chofnodi, gan fod y dynion yn yr ystafell hon yn dad-wneud ac yn dinistrio'n effeithiol, gam wrth gam, gyfuniad unigryw o eitemau ac amgylchiadau a oedd yn adrodd hanes oriau olaf y dyn a orweddai o dan y golau llachar. Cofnodi a chadw. Pe bai gan lofruddion y fath adnoddau wrth law i ddelio â chyrff fe allai'r heddlu roi'r ffidil yn y to a mynd adref.

Edrychodd Clem Owen ar y corff ac ar y newid roedd marwolaeth ac oriau hir yn y môr wedi ei wneud iddo. Roedd y croen yn welw a rhychiog, a'r cnawd oddi tano yn ymddangos yn drwchus a meddal fel clai. Edrychai fel pe byddai cyffyrddiad ysgafn yn ddigon i adael ôl amlwg arno. Roedd dŵr y môr wedi golchi'r clwyf ar ei ben yn lân a gwelai Owen ei fod yn un dwfn ond heb y rhwygiadau y byddai wedi disgwyl eu gweld pe bai wedi ei dorri ar agor wrth ddisgyn ar greigiau.

'Fel y gwyddoch, mae'n siŵr, inspector,' meddai Dr Anderson, gan dynnu meddyliau'r prif arolygydd yn ôl at y gorchwyl oedd o'u blaen. 'Mae egni ergyd i'r pen yn cael ei lyncu gan y benglog sy'n peri iddi chwalu mewn ffordd arbennig.'

'Co ni'n mynd! meddyliodd Clem Owen, gan wneud ei ddwylo'n ddyrnau a'u gwthio'n ddwfn i bocedi ei wisg.

Archwiliad rhagarweiniol oedd hwn i ddarganfod beth oedd achos marwolaeth y dyn, ond fe wyddai'r prif arolygydd ei fod yn gallu bod yn brofiad digon ysgytwol. Roedd wedi gobeithio anfon Ken Roberts i gynrychioli'r heddlu yn yr archwiliad, ond gan nad oedd ef ar gael yn unman yn yr orsaf y bore hwnnw, doedd dim dewis gan y prif arolygydd ond mynychu'r archwiliad ei hun. Dyma'r unig agwedd o'r gwaith nad oedd gan Clem Owen, yn llythrennol, y stumog ar ei chyfer, ac roedd eisoes yn edifarhau iddo goginio cig moch ac wy iddo'i hun y bore hwnnw – fel plentyn ar sgwlc a Llinos oddi cartre. Pe bai'n gwybod beth a'i harhosai, byddai wedi bodloni ar baned o de gwan. Ond os oedd yna un peth a allai droi ei stumog yn waeth na'r profiad uniongyrchol hwn o freuder dyn, yna sylwebaeth ddi-baid Dr Anderson o'r archwiliad oedd hwnnw. Ond o leiaf roedd Clem Owen wedi dysgu nad oedd raid iddo gadw'i lygaid ar agor i glywed ffeithiau pwysig yr archwiliad.

'Doedd yr ergyd ynddi'i hun ddim yn ddigon i'w ladd. Fe'i trawodd yn anymwybodol, ond ddim mwy na hynny,' meddai'r patholegydd ar draws synfyfyrio Clem Owen.

'Ai disgyn ar y creigie achosodd y clwyf ar ei dalcen?' gofynnodd Owen er mwyn gwneud yn siŵr o amheuon Dr Mason.

'Nage. Mae'r clwyf yn fwy cydnaws ag erfyn o ryw fath, ochor morthwyl falle, neu faryn haearn.'

'Ymosodiad.'

'Ie, ond nid o ganlyniad i'r ymosodiad y buodd e farw.'

'Ac ro'dd e'n fyw pan ddisgynnodd i'r môr?' Agorodd y prif arolygydd ei lygaid er mwyn clywed yn well.

Gwenodd y patholegydd. 'Arhoswch funud, inspector, popeth yn ei dro. Cyn y down i wybod yn union beth ddigwyddodd, fe fydd yn rhaid i ni dyllu'n ddyfnach.'

Tyllu! Caeodd Owen ei lygaid.

Roedd Dr Anderson wedi archwilio'r corff ar y creigiau y prynhawn cynt ond gan nad oedd yr amgylchiadau hynny'n caniatáu iddo wneud archwiliad manwl ar y pryd, yma yn y marwdy roedd y patholegydd yn ei elfen. Gweithiai'n systematig o'r pen i'r traed, gan chwilio'n fanwl am anafiadau neu arwyddion o glefydau a nodi pob lleoliad ar ddiagram parod o'r corff dynol. Os oedd unrhyw faw neu waed ar y corff fe grafai ef i ffwrdd a'i gadw. Cofnodi a chadw. Ar ôl gorffen fe gâi'r corff ei olchi'n lân cyn dechrau ar yr archwiliad mewnol a ddechreuai bob tro â thoriad syml i lawr canol y corff. Byddai'r patholegydd yn archwilio cynnwys y stumog a'r coluddion, yr afu, ac yn olaf yr ymennydd am olion o wenwyn, hyd yn oed os oedd hi'n amlwg mai rhywbeth arall a achosodd ei farwolaeth.

Dros y blynyddoedd roedd Clem Owen wedi dysgu y byddai Dr Anderson yn bwrw yn ei flaen yn ddigon hapus gyda'i waith dim ond iddo ef ei borthi nawr ac yn y man. Ni wyddai – ac nid oedd am wybod, chwaith – beth roedd Anderson yn ei wneud, ond roedd clywed siffrwd araf y gyllell yn torri'r cnawd yn creu lluniau yn ei ddychymyg a oedd yn aml yn llawer iawn gwaeth na'r hyn oedd yn digwydd o dan y golau llachar. Ar yr adegau hynny roedd Clem Owen yn ddiolchgar iawn am sŵn diddiwedd llais y patholegydd.

'Roedd Dr Mason yn llygad ei le i amau mai achos o farwolaeth drwy ddamwain oedd e,' meddai Dr Anderson. 'Does dim ôl cwymp i'w weld yn unman ar y corff ac mae'n dod yn fwyfwy tebygol mai boddi achosodd ei farwolaeth.'

'Dyna o'n ni'n ei feddwl,' meddai'r prif arolygydd. 'Ro'dd rhanne o'i ddillad yn wlyb a do'n i ddim am ddiystyru boddi a bod y corff wedi ei olchi i'r lan.'

'Ond nid yn y môr foddodd e.'

'Beth?' Agorodd y prif arolygydd ei lygaid mewn syndod.

Cododd Anderson ei ben a throi ato. 'Mae'r dystiolaeth fan hyn, inspector, os hoffech chi weld.'

Siglodd Owen ei ben ac aeth Anderson yn ei flaen. 'Os yw rhywun yn boddi mewn dŵr hallt, mae dŵr yn cael ei dynnu o'r corff i mewn i'r dŵr hallt a anadlwyd i'r ysgyfaint, sy'n golygu bod mwy fyth o ddŵr yn llenwi'r ysgyfaint. Iawn?'

Nodiodd Owen ei ben a mwmian, 'Iawn.'

'Ar y llaw arall,' meddai'r patholegydd, 'pan fydd rhywun yn boddi mewn dŵr afon – neu mewn dŵr glân, i fod yn fanwl gywir – mae dŵr yn ca'l ei dynnu o'r ysgyfaint i mewn

i'r gwaed gan ddinistrio celloedd coch y gwaed sy'n gyf-
rifol, yn y pen draw, am stopio'r galon rhag curo. A dyna,
dwi'n credu, sydd gyda ni fan hyn. Bydd rhaid gwneud
arbrofion i gadarnhau hyn, ond dwi'n weddol …'

'Hanner munud,' meddai Clem Owen, gan gamu'n agosach
at y corff, ac edifarhau ar unwaith am fod mor fyrbwyll.
'Felly … felly, er i'r corff ga'l ei ddarganfod ar waelod Craig
y Bwlch, erfyn ac nid cwymp ar y creigie achosodd y clwyf
ar ei ben.'

'Cywir.'

'Ac er iddo ga'l ei ddarganfod yn ymyl y môr a bod ei
ddillad wedi eu gwlychu …'

'Gan ddŵr y môr,' meddai'r patholegydd. 'Mae ôl yr
halen i'w weld yn glir ar y dillad.'

'Iawn, er bod y corff yn amlwg wedi bod yn y môr, nid
yn y môr y boddodd e.'

'Cywir. Fe fydda i'n archwilio cynnwys ei stumog am
unrhyw amhuredd y mae'n siŵr iddo ei lyncu cyn iddo farw
a bydd hynny'n dweud wrthyn ni p'un ai mewn afon neu
fàth y boddodd e.'

'Bàth!'

'Ie, fe allai'n hawdd fod wedi boddi mewn bàth. Ar
wahân i'r ergyd ar ei dalcen does dim ôl ymladd i'w weld
yn unman ar y corff. Ac yn bendant does 'na ddim byd i
awgrymu bod ei ben wedi cael ei ddal o dan ddŵr. Cewch
adroddiad llawn gen i cyn gynted ag y bydda i wedi gorffen
yr arbrofion i gyd, ond dwi'n siŵr bod hynny'n fwy na
digon i'ch cadw chi i fynd am y tro.'

Siop fara deuluol oedd Watts's Bakery, ac yn gynnar bob
bore byddai'r staff wrthi'n ddyfal yn cyflenwi anghenion
beunyddiol y dref yn ogystal â nifer helaeth o'r pentrefi
cyfagos. Roedd angen sawl pâr o ddwylo i lwytho'r faniau,

a bob dydd Sadwrn ac adeg gwyliau byddai Martin Watts, mab y perchennog presennol a gorwyr y sefydlydd, yn cynorthwyo gyda'r gwaith.

Roedd Ken Roberts yn rhyw led gofio Martin yn dod, gyda dwsin o fechgyn eraill, i bartïon pen blwydd Geraint, ac er y byddai ef wedi bod yn barod i dyngu nad oedd ond rhyw dair blynedd ers y parti diwethaf, roedd Angela wedi dweud wrtho, gydag awdurdod un a wyddai bethau felly, nad oedd Geraint wedi cael parti pen blwydd yn eu tŷ ers yr ysgol gynradd. Y cyfan y gallai Ken Roberts ei ddweud oedd bod Geraint yn ymddwyn fel pe bai'n dal i fod yn yr ysgol gynradd.

Ond os oedd cof Ken Roberts wedi ei fethu ar dreigl y blynyddoedd, roedd cystal ag erioed gydag wynebau ac adnabu Martin Watts yr eiliad y gwelodd ef yn cerdded ar draws iard y popty.

'Martin!'

Arhosodd y bachgen gan godi'r fasged fetal fawr llawn bara a gariai a'i dal yn ddiymdrech at ei frest. Cofiai Ken Roberts ef yn fachgen tenau, lletchwith oedd yn freichiau a choesau i gyd, ac a'i câi hi'n haws baglu ar draws byrddau a chadeiriau na cherdded mewn llinell syth. Ond er bod y corff wedi llenwi a magu cadernid a sicrwydd, roedd yr wyneb yn dal yn hirgrwn a'r gwallt melyn yn das mor flêr ag erioed. Hanner caeodd Martin ei lygaid rhag yr haul cryf a ddisgleiriai yn ei wyneb ac roedd Ken Roberts o fewn dwylath cyn iddo ei adnabod.

'Mr Roberts. Helô.'

'Helô, Martin. Shwd wyt ti?'

'Yn iawn, diolch.'

'Digon o waith?'

'Dyw hi ddim yn rhy ddrwg,' meddai gan wthio'r fasged fetal i gefn un o'r faniau.

'O leia rwyt ti'n codi cyn cinio.'

Gwenodd Martin gan ddangos dwy res o ddannedd gwyn-
ion a ddisgleiriai yn erbyn y croen tywyll, a chofiodd Ken
Roberts bod yna waed Eidalaidd ar ochr ei fam-gu.

'Ro'n i'n meddwl bod Geraint yn godwr da.'

Wrth gwrs ei fod e, a theimlodd Ken Roberts bwl o euog-
rwydd ei fod wedi gwneud cam â Geraint.

'Ma' dy dad yn falch iawn o ga'l dy help, ma'n siŵr.'

Crychodd Martin ei drwyn. Roedd yn dechrau gofyn iddo'i
hun pam roedd tad un o'i ffrindiau, a oedd yn digwydd bod
yn blismon, wedi digwydd galw i'w weld.

'Martin,' dechreuodd Ken Roberts, a oedd hefyd wedi
sylweddoli ei bod hi'n amser iddo ddod at y glo mân. 'Gwed,
o't ti yn y parti 'na ar Draeth Gwyn nos Sadwrn?'

'O'n.'

'O'dd criw da 'na?'

'O'dd.'

'Faint?'

'Sa'i'n siŵr, pum deg, chwe deg, rhywbeth fel 'na. Pam?'

'O'n nhw i gyd yn lleol?'

'O'n, dwi'n meddwl.'

'Neb nad o't ti ddim yn 'u nabod?'

Siglodd Martin ei ben. 'Weles i ddim pawb o'dd 'na ond
dwi ddim yn cofio gweld unrhyw un dierth.'

'O'dd 'na drwbwl?'

'Nago'dd.'

'Dim byd o gwbwl?'

'Nago'dd.' Yn bendant.

'Arhosest ti 'na tan y diwedd?'

'Naddo.'

'Felly fe alle rhywbeth fod wedi digwydd ar ôl i ti adel.'

'Galle, ond dwi ddim wedi clywed bod 'na drwbwl 'na.'

'Pryd adawest ti'r parti?'

'Deg, chwarter wedi deg. Dwi ddim yn cofio'n iawn.'

'Chi o'dd y cynta i adel?'

'Dim syniad. Ro'dd 'na fynd a dod drwy'r amser.'

'I nôl mwy o gwrw, ife?' a gwenodd Ken Roberts yn gynllwyngar, ond unig ymateb y bachgen oedd codi ei ysgwyddau'n ddi-hid.

'O'dd 'na rywbeth cryfach na chwrw i' ga'l?'

Cododd Martin ei ysgwyddau unwaith eto.

'Dere mla'n, os o'n i'n yfed seidir pan o'n i dy oedran di, ma'n siŵr fod pobol ifanc heddi yn yfed rhywbeth cryfach na Coke.'

'Ro'dd ambell i botel win 'na.'

'A beth am gyffurie?'

'Weles i ddim cyffurie.'

'Ond ro't ti wedi gadel cyn y diwedd.'

'O'n.'

'Pwy arall adawodd 'run pryd â ti?'

Oedodd Martin am eiliad cyn ateb, a sylwodd Ken Roberts ar ansicrwydd yn ei lygaid. Roedd yn amlwg bod Martin wedi bod yn ceisio dyfalu ers peth amser pam roedd y plismon yn ei holi am y parti a'i fab ei hun wedi bod yno. Nawr roedd hi'n ymddangos fel pe bai Ken Roberts naill ai wedi taro ar fan tyner, neu fod Martin wedi sylweddoli beth oedd y rheswm y tu ôl i'r holi. Roedd Ken Roberts yn amau a gâi ragor o'r hanes nawr.

'Gadawodd rhyw hanner dwsin ohonon ni 'run pryd. Do'dd y parti ddim cystal ag yr o'n ni wedi gobeithio. Ro'dd y merched wedi gweud y bydden nhw'n neud digon o fwyd ond ro'dd e i gyd wedi mynd erbyn hanner awr wedi naw. Arhoson ni tan ddeg ...'

'Hanner awr wedi deg wedodd Geraint,' meddai Ken Roberts gan dynnu'r amser allan o'r awyr.

'Ie, ie, falle'i bod hi'n agosach at hanner awr wedi, ond

ro'dd hi'n amlwg cyn hynny nad o'dd pethe'n mynd i wella, a 'na pam adawon ni.'

'Pwy arall adawodd 'run pryd â ti?' gofynnodd Ken Roberts eto.

Nid atebodd Martin.

'Wedest ti bod 'na hanner dwsin ohonoch chi wedi gadel yr un pryd. Pwy o'dd y lleill ar wahân i ti a Geraint?'

Roedd y ddau ohonynt yn rhaffu celwyddau am y gorau erbyn hyn ac fe wyddai'r ddau hynny'n iawn. Ac er bod Ken Roberts yn ddigon hapus i barhau er mwyn gweld pa mor bell roedd Martin Watts yn barod i fynd i amddiffyn Geraint rhag ei dad, roedd hi'n amlwg nad oedd y bachgen yn gyfforddus â'r sefyllfa.

'Mr Roberts, ro'n i wedi ca'l gormod i' yfed yn y parti a dwi ddim yn cofio'n fanwl beth ddigwyddodd ar ôl i ni adel y traeth, ond os yw Geraint wedi gweud wrthoch chi beth ddigwyddodd, yna dwi'n fodlon derbyn mai dyna beth ddigwyddodd.'

Nodiodd Ken Roberts ei ben. 'Glywest ti am y ddamwain ar bwys Pont yr Esgob nos Sadwrn?'

'Do.'

'Ac mai cwrso car o'dd wedi ei ddwyn o'dd y plismon pan drawodd 'i gar yn erbyn y bont?'

'Do.'

'Ma'n bosib bod y bechgyn a ddygodd y car wedi bod yn y parti ar Draeth Gwyn. Meddwl o'n i, os o'dd hynny'n wir, falle y bydde gyda ti ryw syniad pwy o'n nhw.'

Siglodd Martin ei ben. 'O'dd 'da Geraint syniad pwy o'n nhw?'

'Na.'

Syllodd Martin Watts ar yr arolygydd, yn ystyried y sefyllfa ac yn ceisio gweld pa mor gadarn oedd y tir y safai arno. 'Na finne chwaith.'

'Do'dd Geraint ddim gyda ti pan adawest ti Draeth Gwyn, o'dd e? Pam wyt ti'n barod i weud celwydd drosto fe?'

'Beth y'ch chi'n feddwl?'

'Gyda pwy adawodd e?'

'Gofynnwch hynny i Geraint.'

'Pam na ddwedi di wrtha i?'

Caeodd Martin ddrws cefn y fan. 'Do's 'da fi ddim byd i' weud wrthoch chi,' meddai a cherddodd yn ôl am y popty.

Roedd llawer mwy o las nag o wyrdd ar y mapiau ar furiau swyddfa Gwylwyr y Glannau ac ni allai Carol Bennett wneud na phen na chwt o'r holl linellau a ffigurau oedd yn blastar ar eu hyd. Siaradai'r swyddog ar ddyletswydd ar y ffôn â swyddog bad achub Dinbych-y-pysgod am long hwylio a adawodd y porthladd hwnnw am Abertawe tua hanner dydd ddydd Sul ond nad oedd neb wedi ei weld ar ôl tri o'r gloch y prynhawn.

'Pedwar o griw? Ond dim ond lle i dri sy yn y cychod 'ny ... ie, ac ma'r un peth yn wir am y siacedi achub.'

Symudodd Carol o'r wal lawn mapiau i'r ffenest fechan a edrychai allan dros adeilad a fu ar un adeg yn weithdy adeiladwyr cychod ond a oedd yn awr yn siop deganau. Nid oedd y glannau i'w gweld o gwbwl, oni bai eich bod yn sefyll ag un droed ar ben y ddesg a'r llall ar ben y cwpwrdd ffeiliau. Roedd hi'n amlwg na allai'r gwylwyr aros yn y swyddfa os oeddent o ddifrif ynghylch eu gwaith. Trodd Carol o'r ffenest ac edrych ar y swyddog. Synhwyrodd yntau ei bod hi'n dechrau aflonyddu a chododd ei law i ddangos bod y sgwrs ar orffen.

'Na, dim byd, na'r RAF chwaith, ond os glywn ni rywbeth neu weld rhywbeth fe gysylltwn ni â chi. Iawn, ie. Hwyl, Mike,' meddai gan roi'r ffôn i lawr. 'Llong hwylio ar

goll,' meddai wrth Carol. 'Synnen i ddim os nad y'n nhw
wedi penderfynu galw yn Iwerddon ar y ffordd i Abertawe.
Ma' fe'n digwydd yn rhy amal.'

'O'dd 'na long neu gwch ar goll ddydd Sadwrn? Neu a
gwmpodd rhywun i'r môr o long neu gwch?'

Siglodd y swyddog ei ben. 'Na, ddim ym Mae Caerfyr-
ddin, wel o leia a'th neb ar goll. Ma' dwsine o ryw fân
ddamweinie'n digwydd bob dydd amser hyn o'r flwyddyn
ond dy'n ni ddim wedi colli neb yn ddiweddar, a dwi'n
gobeithio na neith hynny newid heddi,' a chyffyrddodd ag
ymyl y ddesg.

'Cerrynt a llanw Bae Caerfyrddin sy ar y map 'na?' gofyn-
nodd Carol gan bwyntio at un o'r mapiau y bu'n eu hastud-
io'n gynharach.

'Ie.'

'Ry'n ni ise gwbod o ble da'th y corff gafwyd hyd iddo
ar waelod Craig y Bwlch ddoe.'

'Ro'n i'n meddwl mai cwmpo o ben y Bwlch na'th e.'

'Na, ma'n edrych yn fwy tebygol mai wedi 'i olchi yno
o'r môr o'dd e, ac os nad o'dd e wedi cwmpo o gwch, yna
ma'n rhaid 'i fod wedi cwmpo i'r môr yn rhywle arall a
cha'l 'i gario i Graig y Bwlch gan y môr.'

'Ie, reit. O's 'da chi syniad faint fuodd e yn y môr?'

'Rhwng deuddeg ac ugain awr.'

'Pryd yn hollol ddethoch chi o hyd i'r corff?'

'Tua hanner awr wedi un prynhawn ddoe.'

'Wel … ro'dd y penllanw ola cyn 'ny ddydd Sul am …'
ac fe gydiodd yn y llyfr tablau llanw a bodio trwyddo '… am
un funud ar ddeg i ddeg.' Cododd y swyddog a mynd i edrych
ar y mapiau y bu Carol yn eu hastudio. 'Dyw cyflymdra
codi a disgyn y llanw byth yn gyson.'

'Dyna pam ma' ise llyfr table arnoch chi.'

'Reit. Pan fydd y llanw ar 'i ucha, neu ar 'i isa, mae e'n

symud yn gymharol araf, ond hanner ffordd rhwng y ddau mae e'n codi ac yn disgyn yn gyflym iawn. Nawr, fel arfer ma'r llanw'n cymryd rhyw chwe awr i newid o'i fan ucha i'w fan isa ac felly ma'n weddol hawdd i amcangyfri lefel y llanw ar unrhyw amser drwy ddefnyddio Rheol Deuddegau ...'

'Iawn,' meddai Carol ar ei draws, yn ei gweld ei hun yn mynd i ddyfroedd dyfnion, a'r swyddog yn gwneud gwyddor allan o ddim. 'Dwi'n deall bod yr amser yr a'th y corff i mewn i'r môr, a phwynt y llanw pan ddigwyddodd hynny, yn bwysig pan y'ch chi am wbod ymhle ar y lan y bydde'r llanw'n 'i adel, ond ry'n ni'n gwbod ble dda'th e mas o'r môr; yr hyn ry'n ni ise'i wbod yw ble'r a'th e mewn.'

'Iawn,' meddai'r swyddog gan geisio ymarfer amynedd er gwaethaf y min yn ei lais. 'I ddarganfod 'ny, ma'n rhaid i ni weithio'n ffordd 'nôl, ac ma' gwbod cyfeiriad a chryfder y gwynt a'r cerrynt yn bwysig ...' ac am y deng munud nesaf fe arweiniwyd Carol drwy un o ddirgelion pennaf dynolryw cyn o'r diwedd gyrraedd tir.

'O ystyried yr amgylchiade o'dd yn bodoli nos Sadwrn a bore dydd Sul, dwi ddim yn credu y bydde fe wedi ca'l 'i gario ymhell iawn,' meddai'r swyddog gan edrych yn ôl ac ymlaen ar hyd y map. 'A'r lle mwya tebygol iddo fe ddisgyn i mewn i'r môr fydde rhywle ar hyd y rhan yma o'r arfordir.' A thrawodd y map â'i fys. 'Rhywle rhwng Pen y Garan a ...'

Syllodd Carol dros ei ysgwydd a gweld rhimyn o arfordir yr oedd hi'n gyfarwydd iawn ag ef. 'A Thraeth Gwyn,' meddai Carol, yn falch o allu dangos i'r dyn ei bod yn gwybod rhywbeth.

Llechai pentref Abercamen rhwng clogwyni Pen y Dibyn a Phen Ffynnon. Un stryd oedd i'r pentref ac fe ddisgynnai honno'n serth o Fryn y Fynwent i lawr at y traeth. Gellid gweld tŵr yr eglwys yn glir o'r môr ac mewn dyddiau a fu, pan oedd gwŷr y pentref i gyd yn forwyr, roedd ei weld ar y gorwel yn arwydd bod mordaith arall wedi ei chwblhau'n ddiogel.

Gobeithiai Carol Bennett, wrth iddi lywio'i char heibio i wal y fynwent a dechrau disgyn i lawr y rhiw, y byddai hynny'n wir yn ei hachos hithau hefyd gan ei bod hi o'r farn bod cyrraedd y pentref o ochr y tir yn llawer peryclach erbyn hyn nag y bu erioed o'r môr. Ac yn rhyfedd ddigon, cychod oedd y perygl mwyaf roedd wedi dod ar ei draws ers iddi adael y ffordd fawr am y pentref.

Erbyn iddi gyrraedd gwaelod y rhiw, sylweddolodd Carol y byddai wedi bod yn llawer doethach petai hi wedi gadael y car ar bwys yr eglwys a cherdded. Roedd un ochr y stryd gul yn rhes ddi-dor o geir o'i dechrau i'w diwedd. Fe geisiodd droi yn y drofan ar ben y llwybr troed i'r traeth, ond gan fod yna dri beic modur wedi eu parcio yno fe gymerodd sawl symudiad 'nôl-ac-ymlaen cyn iddi lwyddo i droi'r car.

Ar ei ffordd yn ôl i fyny'r rhiw, sylwodd ar fwlch gwag yn ymyl bwthyn gwyngalchog o'r enw West Winds. Roedd cadwyn gref wedi ei thynnu ar draws y fynedfa i'r bwlch, ac er bod yna fachyn ar ei diwedd i'w chloi wrth wal y tŷ, nid oedd clo arno. Stopiodd Carol y car, a chyn i neb gael cyfle i'w hatal, roedd wedi gollwng y gadwyn a gyrru'r car i mewn i'r bwlch.

Ar ôl hynny i gyd credai Carol ei bod yn haeddu cinio, ac er bod llai na hanner cant o dai ym mhentraf Abercramen, roedd yno ddau dafarn: Y Llong, adeilad du a gwyn traddodiadol, a'r Homeward Bound, a oedd yn dipyn mwy lliwgar ac uchelgeisiol gydag estyniad to gwastad a byrddau ac ymbarelau arno, a llithren a ffrâm ddringo yn yr ardd gefn ar gyfer plant. Er gwaethaf yr holl atyniadau hyn fe ddewisodd Carol y Llong.

Ochrgamodd ei ffordd heibio i goetsiau babanod, coesau rhwydi, byrddau ewynsglefrio a chŵn wrth dennyn i gyfeiriad yr adeilad. Prynodd sudd oren a lemonêd a brechdanau salad a mynd i eistedd yn llonyddwch y bar cefn.

Abercamen oedd y trydydd pentref ar yr arfordir rhwng Pen y Garan a'r dref iddi ymweld ag ef y bore hwnnw, ond gan fod pob un ohonynt wedi ei feddiannu gan ei bla blynyddol o ymwelwyr, roedd hud a rhamant pentrefi glan môr Dyfed wedi hen bylu. Roedd tymor yr haf yn gyfnod roedd yr heddlu hefyd yn ei gasáu, yn enwedig os oedd ganddynt ymchwiliad mawr ar eu dwylo. Byddai'r gwaith holi o ddrws i ddrws wastad yn anodd a llafurus, ond gan fod poblogaeth yr ardal yn fwy na dyblu rhwng misoedd Mai a Medi, fe droai'n hunllef.

Pan gyrhaeddodd Carol Ben y Garan y bore hwnnw i geisio darganfod ble yn union roedd y dyn wedi disgyn i'r môr, fe sylweddolodd ar unwaith pa mor amhosibl – a ffôl – oedd y gorchwyl roedd Clem Owen wedi ei osod iddi. Ar ôl munud o sefyll uwchben y môr yn edrych yn ôl i gyfeiriad y dref, fe wyddai Carol ei bod yn gwastraffu ei hamser gan y gallai'r dyn fod wedi disgyn i'r môr yn unrhyw le ar hyd yr ugain milltir o arfordir a welai o'i blaen. Rhegodd Carol ei hun am beidio â sylweddoli hynny cyn iddi gychwyn ar ei siwrnai seithug. Pe bai ei meddwl wedi bod ar ei gwaith yna byddai wedi gweld hynny'n glir. Ond Glyn Stewart, ac nid ei gwaith, fu ar ei meddwl wrth iddi yrru o'r dref.

Nid bod ganddi unrhyw beth newydd i feddwl amdano; dim ond yr un hen atgofion, breuddwydion a gofidiau roedd hi wedi bod yn gori arnynt ers dyddiau. Heb unrhyw obaith am ddyfodol, gwnaeth Carol ei gorau i gladdu'r gorffennol a bodloni ar ei phresennol.

Ond un peth yw bwriadu, peth arall yw gweithredu. Câi Carol hi'n anodd iawn credu y gallai Glyn fod yn gymaint o gachgi. Y tro diwethaf y cyfarfu'r ddau nid oedd wedi dweud dim a awgrymai ei fod yn anhapus â'u perthynas. Felly, pam roedd wedi penderfynu ei bod hi'n bryd iddo roi terfyn ar ei antur fawr a dychwelyd at ei deulu; ei bod hi'n amser iddo ailgydio yn ei rôl fel gŵr a thad – tan y tro nesaf? Roedd Carol wedi derbyn na welai ef ac na chlywai oddi wrtho byth eto, ac roedd hynny'n drueni gan ei bod wedi paratoi yn union beth yr hoffai ei ddweud wrth Mr Glyn Stewart.

Yfodd ddiferion olaf ei diod a chodi. Byddai'n rhaid iddi wneud rhywfaint o waith er mwyn cael rhywbeth i'w roi yn ei hadroddiad i Clem Owen. Aeth at y bar, ac ar ôl tynnu sylw'r tafarnwr gofynnodd iddo'r un cwestiwn ag roedd wedi ei ofyn sawl gwaith eisoes y bore hwnnw, 'Odych chi'n cadw ymwelwyr?'

Gadawodd Carol Bennett ei char yn y maes parcio lle'r oedd Ieuan Daniels wedi parcio ar y nos Sadwrn, a dilyn y llwybr troed i lawr at y traeth. Roedd naw car arall wedi eu parcio yno ac roedd Carol yn adnabod perchenogion dau ohonynt. Roedd hi hefyd yn gyfarwydd â Thraeth Gwyn, a llifai rhyw ryddhad drosti bob tro y teimlai ei thraed yn suddo i'r tywod meddal, cynnes.

Nid oedd y môr erioed wedi apelio ati cyn iddi ddod i'r ardal hon i weithio, ond o fewn ychydig ddyddiau roedd wedi disgyn yn llwyr dan ei hud. Am fisoedd treuliodd oriau bwygilydd yn cerdded ar ei lan yn syllu ar y tonnau naill ai'n siffrwd yn araf dros y graean neu'n hyrddio'n gynddeiriog yn erbyn muriau'r traeth. A phan ddarganfu Draeth Gwyn adeg tywydd crasboeth annisgwyl ddechrau mis Mai, agorwyd byd hudolus iddi.

Roedd dwy flynedd ers hynny, a bellach roedd wedi magu ymdeimlad o berthyn a oedd wedi gwreiddio'n ddwfn ynddi. Amlygwyd ynddi hefyd ymdeimlad cryf o berchenogaeth dros y traeth a'i filltir a hanner o dwyni ac roedd gweld dieithriaid yno yn tarfu ar ei mwynhad. Fel nifer o bobl sy'n darganfod Afallon, roedd Carol Bennett yn amharod i'w rannu gydag eraill.

Ond mewn gwirionedd, prin oedd yr ymwelwyr a ddeuai i Draeth Gwyn. Nid oedd yno gaffi na fan hufen iâ, dim byd ond twyni tywod a thri ar hugain o hen gabanau pren. Roedd hi'n well gan yr ymwelwyr haf gadw o fewn ffiniau cyfarwydd y siopau, y tafarndai a'r adeiladau hapchwarae a chyfleusterau gwâr eraill y dref.

Sylweddolodd Carol mai yma y dylsai hi fod wedi treulio'i phenwythnos, nid yn aros yn ei fflat yn disgwyl i Glyn ei ffonio ... Ysgydwodd ei phen i ddisodli'r meddyliau a oedd yn cyniwair unwaith eto.

Cyrhaeddodd ddiwedd y llwybr a thynnu ei hesgidiau. Gwthiodd ei thraed drwy'r tywod cynnes a feddalai'n groesawgar odanynt. Trodd at y cabanau lle safai dyn ar ben cadair yn glanhau ffenestri. Cerddodd Carol tuag ato.

'Prynhawn da, Cyril!' galwodd.

Trodd y dyn, ac ar ôl rhai eiliadau o syllu'n ddall arni fe'i hadnabu. Chwarddodd Carol; o ystyried mai cyn-optegydd oedd Cyril Adams, roedd ei olwg yn anobeithiol. Roedd tipyn o olwg arno'n gyffredinol hefyd, ei wallt gwyn trwchus fel calch yn ymyl tywyllwch ei groen. Gwisgai hen grys porffor a gwyn a throwsus cwta brown, ac am ei draed roedd esgidiau hwylio gwyn a glas. Dyma'i ddillad traeth, a doedd ronyn o wahaniaeth ganddo pwy a'i gwelai'n eu gwisgo. Roedd yn saith deg chwech oed ond yn cael mwy o flas ar fywyd na llawer o ddynion hanner ei oedran, ac roedd bod yn anghonfensiynol yn rhan o'r mwynhad. Yn siambr y cyngor, fodd bynnag, roedd Cyril Adams yn berson cwbl wahanol, o ran gwisg ac ymddygiad.

'Carol!' meddai gan gamu'n ystwyth o ben y gadair a thaflu'r cadach i lawr. 'Do's 'na ddim pum munud ers o'n i a May yn siarad amdanat ti. Ac ro'n i'n gweud na fydden i'n synnu dy weld ti heddi.'

'Bydden i wrth 'y modd yn treulio'r prynhawn 'ma, ond dwi'n gweithio.'

'Gwaith? Gwaith? Beth yw hwnnw?'

'Ry'ch chi'n dal i ffeindio digon ohono fe fan hyn, beth bynnag,' meddai Carol gan eistedd yn un o'r cadeiriau haul oedd o flaen y caban.

'Llafur cariad. May!' galwodd Cyril drwy'r drws agored. 'May, dewch 'ma.'

'Ry'ch chi'ch dau'n lwcus iawn 'ych bod chi'n gallu dod fan hyn pryd bynnag ry'ch chi ise.'

'Dy'n ni ddim wedi bod 'ma ers bron i wthnos. Ro'dd mab ifanca Simon yn bum mlwydd o'd ddydd Mercher ac fe fuon ni draw yn 'i barti pen blwydd e. Ddoe gyrhaeddon ni'n ôl, a rhwng gwyntoedd cryf nos Iau a'r barbiciw nos Sadwrn, ro'dd tipyn o waith glanhau.'

'Helô, May,' meddai Carol wrth y wraig oedd wedi ymddangos yn nrws y caban. Roedd May Adams flwyddyn yn iau na'i gŵr ac er ei bod hithau'n mwynhau dod i Draeth Gwyn, ni theimlai fod rhaid iddi ostwng ei safon cyn y gallai ei mwynhau ei hun. Roedd ei ffrog ysgafn, olau wedi gweld gwasanaeth yn yr eglwys a chynhadledd Sefydliad y Merched cyn hyn.

Roedd y ddau yn nodweddiadol o do hŷn pobl fusnes y dref. Deuai'r ddau o hen deuluoedd a oedd wedi ymsefydlu yno ers canrif a mwy ac wedi llywio datblygiad yr ardal ar bwyllgorau byth ers hynny. Parhâi'r awenau i fod yn nwylo'r teuluoedd hyn, a throsglwyddwyd y dylanwad, gyda'r busnes teuluol, o genhedlaeth i genhedlaeth. Ar un adeg roedd y cabanau pren – neu'r *chalets* fel roedd yn well gan y perchenogion eu galw – yn arwydd o safle cymdeithasol y teuluoedd a'u cododd, ac i rai, megis Cyril a May Adams, roedd hi'n dal yn bwysig eu bod yn eu defnyddio, os dim ond er mwyn ymarfer eu hawliau.

Rhoddent yr un gofal i'r cabanau ag i'w cartrefi. Siaradent yn aml am y dyddiau da pan oedd pob *chalet* yn gyfan a Thraeth Gwyn yn ganolfan gymdeithasol. Ond os oedd i gabanau Traeth Gwyn hanes a thraddodiad, roedd yna hefyd hanes hir o wrthwynebiad i'r gymdeithas fechan a dylanwadol honno. Yn ôl rhai a'i gwrthwynebai, ar sail gwarchod yr amgylchedd yn ogystal ag ar sail democratiaeth, roedd datblygiad economaidd yr ardal gydol yr ugeinfed ganrif wedi ei benderfynu mewn cyfarfodydd anffurfiol ar nosweithiau hafaidd o flaen y cabanau, gyda buddiannau a hunan-les y rhai a oedd yno'n cael blaenoriaeth. A phan aeth yr hwch drwy siop economi'r ardal yn ystod chwarter olaf y ganrif ni chafodd y beirniaid eu synnu; beth arall oedd i'w ddisgwyl o economi a adeiladwyd ar dywod?

Ond roedd oes aur y cabanau wedi hen fachlud cyn i lewyrch y dref ddechrau pylu. Llwyddodd y perchenogion i atal llanw'r newidiadau a welodd y dref ers diwedd yr Ail Ryfel Byd rhag eu sgubo i ffwrdd, ond yn wyneb y don ar ôl ton o newidiadau cymdeithasol ers y chwedegau, nid oedd ond prin hanner y cabanau ar ôl. Ac o'r cabanau oedd yn dal ar eu traed, nid pob perchennog a'u defnyddiai dros yr haf. Ond tra âi eu plant a'u hwyrion i'w tai a'u fflatiau ar y cyfandir, fe dreulient hwy eu hafau'n trwsio a pheintio'r cabanau a chael ambell egwyl i fwynhau eu llafur. Iddynt hwy roedd cynnal y cabanau'n orchwyl tebyg i gynnal eu capeli, er bod cadw'r naill a'r llall yn mynd yn fwy anodd bob blwyddyn.

Fe wyddai Carol hyn i gyd, fel y gwyddai mai Cyril oedd wedi llwyddo i gael Ieuan Daniels yno nos Sadwrn.

'Ro'dd Cyril yn siŵr y byddet ti'n dod lawr 'ma heddi,' meddai May Adams gan eistedd.

'I fwynhau dy hun ro'n i'n feddwl,' meddai Cyril. 'Nid yn rhinwedd dy swydd.'

'O?' meddai May. 'Be sy'n dod â ti fan hyn?'

'Y corff 'na a olchwyd o'r môr i Graig y Bwlch. Yn ôl pob tebyg, rhywle rhwng Pen y Garan a fan hyn mae'r lle mwya tebygol iddo fod wedi disgyn i'r môr.'

'Disgyn!' ebychodd Cyril. 'Go brin y galle rhywun ddisgyn i'r môr fan hyn. Baglu, falle, fel na'th Hiwi Michael 'slawer dydd ar ôl yfed potel gyfan o win ysgawen. Odych chi'n cofio, May?'

'Peidiwch â dechre ar Hiwi Michael, da chi,' meddai May Adams wrth ei gŵr cyn troi at Carol a gofyn, 'Alle fe fod yn un o'r plant 'na fuodd yn y barbiciw nos Sadwrn? Ma'n siŵr y bydden nhw wedi ca'l tipyn i'w yfed.'

'Na, ro'dd e'n rhy hen i fod yn un ohonyn nhw, ond fe alle fe fod wedi bod yn y parti.'

'Ond do'dd 'na ddim trwbwl yn y barbiciw, o'dd 'na, Carol?' gofynnodd Cyril.

'Nago'dd, hyd y gwyddon ni. Glywsoch chi am y ddamwain gafodd un o'n plismyn nos Sadwrn?'

'Do.'

'Fe o'dd wedi bod yn cadw llygad ar y *chalets* yn ystod y parti.'

'O, na,' meddai May.

'Bydd rhaid i fi fynd i' weld e,' meddai Cyril.

'Unrhyw ddifrod i'r *chalets*?' gofynnodd Carol.

'Ddim hyd y gwela i. Ma'n bosib fod presenoldeb y plismon wedi bod o help. Ond ro'dd yn rhaid i fi neud cais swyddogol fel cynghorydd i'w ga'l e 'ma, er gwaetha'r parti a'r perygl o drwbwl,' meddai Cyril Adams.

'Chi'n gwbod nad o's 'da ni'r dynion i gadw llygad ar y *chalets* ddydd a nos, Cyril.'

'Nago's, dwi'n gwbod, a dyna pam …' Dechreuodd anesmwytho yn ei gadair. 'Dyna pam ry'n ni, y perchenogion, yn ystyried ca'l rhywun i ofalu am y lle yn ystod y nos.'

'Gofalwr, chi'n feddwl?' gofynnodd Carol, gan amau'n gryf nad hynny oedd ar ei feddwl.

Carthodd Cyril Adams ei wddf ac edrych ar ei wraig. Nodiodd hithau ei phen, gan gadarnhau cred Carol bod May Adams yn gymeriad llawer cryfach na'r argraff roedd hi'n ei gyfleu.

'Nage, nid gofalwr. Cwmni diogelwch.'

'Ro'n i'n meddwl ein bod ni wedi cytuno nad dyna'r ffordd ore o …'

'Ma'n ddrwg 'da fi, Carol, ond ma' pethe wedi gwaethygu ers 'ny. Nid fi yw'r unig un sy'n poeni am y *chalets*. Rwyt ti'n gwbod cystal â fi bod 'na fwy o achosion o fandaliaeth yn yr ardal na all y *Dyfed Leader* eu cynnwys, ond yn bwysicach na 'ny ma' 'na fwy o achosion nag y gall yr heddlu 'u hatal.'

'Dyw hynny ddim yn wir, Cyril. Y papure sy'n rhoi'r argraff 'ny ac yn codi ofn ar bobol. Fel cynghorydd, a chynaelod o'r pwyllgor heddlu, fe ddylech chi wbod faint o bwyse sy arnon ni ac fe ddylech chi o bawb ddangos 'ych bod chi'n ymddiried ynddon ni.'

'Fel cynghorydd, Carol, dwi hefyd yn ymwybodol o bryderon pobol, ac ma'n nhw'n rhai real. Mi'r ydw i a'r perchenogion er'ill yn sylweddoli na allwn ni ga'l plismon yma drwy'r amser, a dyna pam ma'n nhw am i ni ga'l gair gyda'r cwmni diogelwch.'

'Ond Cyril, fydd hynny ddim yn datrys y broblem.'

'Ond fe all ddatrys ein problem ni, Carol.'

'Pwy yw'r cwmni? Fe alla i neud ychydig o ymholiade os y'ch ...'

'Diolch, ond ry'n ni wedi neud 'ny.'

'Iawn.'

'Ma'n rhaid i ti'i weld e o'n safbwynt ni, Carol.'

'Dwi yn, Cyril, ond dwi'n dal i ddweud nad dyna'r ffordd.'

Nodiodd Cyril Adams ei ben yn araf, ond ni ddywedodd air. Edrychodd Carol ar May a gweld yr un pendantrwydd yn ei hwyneb hithau.

'Wel,' meddai Carol gan godi'n araf. 'Os clywch chi rywbeth am ryw ddigwyddiad nos Sadwrn, fe fyddwn i'n ddiolchgar iawn o ga'l gwbod.'

'Wrth gwrs.'

'Diolch,' meddai Carol, gan ddechrau ei ffordd yn ôl at ei char. Ond bellach ni theimlai'r tywod mor feddal a chynnes dan ei thraed.

Cerdded o'r gegin i'r lolfa gyda llestr o rosynnau roedd newydd eu torri oedd Judith Watkins pan ganodd y ffôn. Oedodd am eiliad cyn mynd yn ei blaen i'r lolfa. Gosododd y fas ar y bwrdd bychan yn ymyl y lle tân, ei symud sawl gwaith, ond ddim mwy na modfedd neu ddwy ar y tro, cyn ei bod yn fodlon. Yna dychwelodd i'r cyntedd a chodi'r ffôn.

'Dau saith ...' dechreuodd, cyn cofio bod Arwel wedi dweud wrthi i beidio â rhoi eu rhif wrth ateb y ffôn. Edrychodd arni ei hun yn y drych ar y wal gyferbyn. Cododd ei llaw dde i'w gwddf a'i thynnu ar draws y croen.

'Helô!' Clywodd y llais ar ben arall i'r ffôn yn galw.

'Ie?'

'Judith? Chi sy 'na?'

'Ie.'

'Raymond Manning sy 'ma. Odi hi'n bosib ca'l gair 'da Arwel?'

'Prynhawn da, Raymond. Ma' Arwel mas yn yr ardd ar hyn o bryd.'

'O, wel, falle'i bod hi'n anghyfleus 'te, ond os yw Arwel rywbeth yn debyg i fi, fe fydd e'n falch o'r esgus i ga'l hoe fach.'

'Na, whare teg, ma' fe wrth ei fodd yn yr ardd. Ca'l yr amser yw'r broblem.'

'Wel, dwi'n addo peidio'i gadw'n rhy hir, Judith, ond *mae* e'n fater pwysig.'

Edrychodd Judith Watkins unwaith eto ar ei hadlewyrchiad yn y drych gyferbyn. Pam na allai pobl adael i Arwel gael ychydig o lonydd? meddyliodd. Roedd ef wedi bod o dan gryn straen yn ddiweddar a dyna pam roedd wedi mynnu ei fod yn cael ychydig o lonydd y prynhawn 'ma. Ni fyddai dweud wrth Raymond Manning fod Arwel wedi gadael am y swyddfa am saith y bore hwnnw ar ôl bod yno tan hanner nos nos Sadwrn yn gwneud dim gwahaniaeth. Ochneidiodd. Yn ogystal â bod yn gleient da, roedd Raymond Manning hefyd yn gyfaill.

'Os newch chi aros funud, Raymond, fe a' i i'w nôl e.'

Rhoddodd y derbynnydd i lawr ar y bwrdd a cherdded drwy'r gegin i'r ardd. Ym mhen pella'r lawnt roedd ei gŵr yn chwistrellu'r llwyni rhosod a ymestynnai'n rhes ddi-dor o flaen y wal gefn. Croesodd Judith y lawnt lydan, ac wrth iddi gamu o gysgod y tŷ teimlodd yr haul cynnes, cryf ar ei chefn. Arhosodd a throi i'w wynebu. Haf neu aeaf, roedd hi wrth ei bodd yn yr awyr agored. Anrheg briodas iddi oddi wrth Arwel oedd y tŷ, ac er i rai, gan gynnwys ei theulu, ei rhybuddio yn erbyn priodi rhywun a oedd ddeuddeng mlynedd yn hŷn na hi, fe wyddai'n iawn fod Arwel yn ei charu. Nid oedd unwaith wedi edifarhau am ei phenderfyn-iad yn ystod y saith mlynedd ers iddynt briodi, ac roedd cynllunio a datblygu'r ardd wedi cyfrannu'n helaeth at yr hapusrwydd hwnnw; ychydig rhagor o waith ac fe fyddai'n agos iawn at wireddu breuddwyd. Ond i beth roedd e'n trafferthu â hynny? Ni fyddai dim yn berffaith nawr, byth ...

Clywodd ei gŵr hi'n agosáu ac fe gamodd yn ôl o'r llwyni. Gwenodd arni. 'Rwy'n falch i ti fy mherswadio i gael prynhawn rhydd.'

'Mae'n hyfryd, on'd yw hi?' meddai Judith gan droi ato a rhoi ei braich am ei ganol.

'Mae'r rhosod yn iach iawn ac ystyried eu bod wedi cael eu hesgeuluso'n ddiweddar,' meddai Arwel, gan dynnu un o'r canghennau i lawr fel y gallai ei wraig weld y blodau.

'Wel, bydd gan y ddau ohonon ni ddigon o amser i' roi iddyn nhw nawr. Falle fydd 'na ddim byd arall ...'

Cododd Arwel ei fys i'w wefusau. 'Paid.'

Gwenodd Judith arno a chydio yn ei law a'i chusanu.

'Ma' Raymond Manning ar y ffôn ise gair 'da ti.'

'Ddwedodd e beth roedd e'n moyn?'

'Naddo, ond mae e'n siŵr o fod yn rhywbeth pwysig sy ddim yn gallu aros tan fory.'

'Gwell i fi siarad ag e, 'te,' meddai Arwel, gan estyn y chwistrellwr i'w wraig. Edrychodd Judith arno'n cerdded ar draws y lawnt ac yn camu i mewn i gysgod y tŷ. Fe geis-iodd gadw ei llygaid arno ond roedd yr haul isel uwchben y to'n ei dallu. Cododd ei llaw dros ei llygaid ond erbyn iddynt gyfarwyddo â'r goleuni roedd Arwel wedi diflannu ac ymddangosai'r cysgodion oedd o gwmpas yr ardd yn ddyfnach ac yn oerach.

Cymerodd y Prif Arolygydd Clem Owen yr amlen oddi

wrth yr heddwas ac aileistedd y tu ôl i'r ddesg. Roedd hi'n ddeng munud i wyth ar ddiwedd diwrnod hir, crasboeth a blinedig, a hwn oedd y cyfle cyntaf roedd wedi 'i gael i gyfarfod â'r rhai a gariai bwysau'r ymchwiliad. Cyn i'r heddwas ddod â'r amlen iddo roedd y prif arolygydd wedi anobeithio ynghylch cwrs yr ymchwiliad. Roedd newydd glywed adroddiad Carol Bennett o'i hymchwiliad ac yn dechrau gwrando ar Gareth Lloyd yn rhestru'r holl ymatebion negyddol a gafwyd o'r holi o ddrws i ddrws. Agorodd yr amlen a darganfod llygedyn o oleuni ynddi.

'Adroddiad Dr Anderson o'r *post mortem*,' meddai gan edrych yn frysiog ar y cynnwys. Ar ôl iddo orffen trodd at Gareth. 'Mae'n cadarnhau beth ddwedodd e yn yr ymchwiliad rhagarweiniol y bore 'ma mai boddi na'th y dyn. Ac ma' ymchwiliade pellach wedi dangos, fel ro'dd Dr Anderson yn ame, nad yn y môr ond mewn dŵr croyw y boddodd e; ma' presenoldeb graean ac amhuredde er'ill sy'n gyffredin i afonydd yn 'i ysgyfaint yn cadarnhau hynny. Trueni na fydden ni'n gwbod hyn yn gynharach, fe fydde fe wedi arbed taith i ti, Carol.'

Roedd Carol Bennett yn syllu'n freuddwydiol drwy'r ffenest. 'Carol?'

'Beth?' Edrychodd o'i hamgylch ar y gweddill a'i thynnu ei hun i fyny yn ei chadair. 'Ma'n ddrwg 'da fi, syr.'

Ddim tithe hefyd, meddyliodd Clem Owen. 'Y môr. Ma' adroddiad Dr Anderson yn rhoi gwedd newydd ar bethe.'

'Odi, dyna ddiwedd ar ddamcaniaeth Gwylwyr y Glanne mai o gyfeiriad Pen y Garan y golchwyd y corff i Graig y Bwlch,' meddai Gareth.

'Wel, ddim yn hollol. Ma'n dal yn bosib iddo ga'l 'i olchi o'r cyfeiriad hwnnw; yr unig beth ma' Dr Anderson yn 'i ddweud yw nad yn y môr y boddodd e.'

'Ond pa mor bell o'r cyfeiriad hwnnw y ca'th e'i gario

gyda'r môr?' gofynnodd Gareth wedyn. 'Os mai mewn afon y boddodd e, do's 'na ddim afon ddigon dwfn yr adeg hon o'r flwyddyn yr ochor draw i Draeth Gwyn am ryw dair milltir ar hugain.'

'Ond do's dim rhaid ca'l dyfnder i foddi,' meddai Ken Roberts yn swta.

'Nago's,' cytunodd Carol. 'Ond ma' ise dyfnder i gario corff i'r môr, ac yn ôl Gwylwyr y Glanne ro'dd 'na wynt cryf nos Sadwrn yn chwythu o'r môr i'r tir. Bydde'r gwynt hwnnw wedi cadw'r corff yn agos at y tir, a fwy na thebyg wedi'i olchi i'r lan ymhell cyn cyrra'dd Craig y Bwlch.'

'Os yw hynny'n wir, ma'n rhaid mai'r ochor hyn i Draeth Gwyn yr a'th y dyn i'r dŵr,' awgrymodd Clem Owen.

'Ond y Sawddan yw'r unig afon rhwng Traeth Gwyn a Chraig y Bwlch,' meddai Ken Roberts. 'Os mai iddi hi y disgynnodd e fe fydde'r môr wedi 'i gario ymhellach i lawr yr arfordir na Chraig y Bwlch.'

'Carol?' gofynnodd Clem Owen, yn falch bod ei arbenig-wraig ar fôr a cherrynt a gwyntoedd a llanw yn dangos mwy o fywyd.

'Ddim o reidrwydd. Os o'dd y corff yn ca'l 'i gario i lawr yr afon i'r môr ar adeg pan o'dd y llanw ar 'i gryfa fe fydde'r corff wedi ca'l ei ddal rhwng y ddau, a fwy na thebyg wedi ca'l 'i olchi'n ôl ac ymla'n rhyngddynt am beth amser. A chofiwch y bydde'r gwynt hefyd yn helpu i'w gadw rhag ca'l 'i gario mas i'r môr.'

'Wyt ti wedi cadarnhau hynny gyda Gwylwyr y Glanne?' holodd Owen.

'Ydw. A gydag un neu ddau o'r pysgotwyr.'

'Ond ma' afon Sawddan yn llifo i'r môr o fewn hanner canllath i'r adeilad hwn,' meddai Ken Roberts.

'Odi,' cytunodd Clem Owen. 'Fe all hynny fod yn lletwith, ond os mai yn y Sawddan y boddodd e, allwn ni neud dim i newid hynny.' Cydiodd yn adroddiad y *post mortem* unwaith eto.

'Yr ergyd i'w ben. Ar ochor dde'r talcen. Fan hyn,' a chododd ei law i'w ben ei hun er mwyn dangos yr union fan. 'Yn ôl Dr Anderson ro'dd y sawl a ymosododd arno naill ai'n sefyll ar yr ochor dde iddo neu wedi dod o'r tu ôl iddo a bod y dyn wedi troi 'i ben i'r dde ar yr union eiliad y trawodd yr erfyn e,' a throdd y prif arolygydd ei ben i'r dde i ddangos sut y byddai'r dyn wedi gwneud hynny.

Roedd hi wedi bod yn ddiwrnod hir a blinedig, meddyliodd Gareth, ond aeth y prif arolygydd ymlaen.

'Ma' cyfeiriad yr ergyd ar draws ochor y talcen o'r cefn i'r bla'n yn hytrach nag ergyd gadarn mewn un man yn tueddu i gadarnhau'r hyn ma' Dr Anderson yn 'i ddweud. Bod rhywun wedi dod o'r tu ôl iddo a'i fod ynte wedi troi 'i ben tuag ato ar yr eiliad y disgynnodd yr ergyd. Ma' hynny'n help mawr, ond dyw e ddim yn mynd â ni gam yn agosach at wbod pwy o'dd y dyn nac o ble y da'th e. Gareth, bydd rhaid ymestyn yr holi o ddrws i ddrws y tu hwnt i ffinie'r dre, i'r pentrefi cyfagos. Iawn?'

Nodiodd Gareth a chnoi ei dafod i'w atal ei hun rhag gofyn pam nad oedd Ken Roberts yn chwarae mwy o ran yn nhrefnu'r ymholiadau fel y gallai ef wneud rhywbeth mwy adeiladol.

'Atebion negyddol iawn ges i heddi, syr,' meddai Carol.

'Ie, dwi'n gwbod, ond ma' fe'n rhywbeth fydd yn rhaid i ni 'i neud.'

'Os gallwn ni 'i fforddio,' meddai Ken Roberts.

Nodiodd Clem Owen ei ben. 'Carol, dwi ise i ti ddilyn busnes yr afon. Iawn?'

'Iawn,' meddai Carol Bennett gan rag-weld diwrnod arall o gerdded yn ddigyfeiriad.

'O'r gore,' meddai Clem Owen gan edrych ar ei oriawr. 'Dyna ddigon am heddi.'

Cododd y tri, ac wrth i Gareth arwain y ffordd o'r ystafell fe glywodd Clem Owen yn dweud, 'Ken, allen i ga'l gair 'da ti am funud?'

Efallai bod rhywun arall o'r farn nad oedd yr Arolygydd Ken Roberts yn tynnu ei bwysau, meddai Gareth wrtho'i hun.

'Ken, ro'dd yr hyn wedest ti gynne am y bechgyn yn ddigon diddorol, ond o's 'na gysylltiad rhyngddyn nhw a'r llofruddiaeth?' gofynnodd ar ôl i Gareth gau'r drws ar ei ôl.

Carthodd Ken Roberts ei wddf. 'Na, fydden i ddim yn meddwl bod 'na. Do'dd neb o'r rhai o'dd yn y parti dwi wedi siarad â nhw'n cofio gweld unrhyw un dierth yno.'

'Dyna fe 'te. Fory dwi am i ti roi dy holl sylw i'r llofruddiaeth fel y gall Gareth gymryd rhan yn yr holi o ddrws i ddrws.'

'Ma' Lloyd yn neud y gwaith yn iawn.'

'Nid dyna'r pwynt. Rwyt ti'n treulio gormod o amser yn mynd ar ôl y bechgyn 'na. Ble est ti bore 'ma? Pan es i mewn i ga'l yr adroddiad am ymholiade neithiwr dim ond Gareth o'dd 'na. Ro't ti wedi hen fynd. Rown i'n gobeithio mai mas yn trefnu'r dyletswydde o't ti, ond dwi'n deall nawr mai holi rhywun a welodd y bechgyn yn gadel y Sierra o't ti.'

'Hi yw'r unig lygad-dyst a welodd y bechgyn gyda'r car. Ro'dd yn rhaid i ni 'i holi.'

'Ond ro'dd rhywun wedi bod yn 'i holi hi, Ken. Nid yn unig o't ti'n gwastraffu amser, ro't ti'n dyblygu'r hyn ro'dd rhywun arall wedi 'i neud yn barod.'

'Dwi ise rhoi ychydig mwy o amser iddo fe, Clem.'

'A beth os na chei di damed mwy o lwyddiant fory?'

'Ca'th Kevin Harry hyd i sawl set o olion bysedd yn y Sierra. Gyda dy ganiatâd di, Clem, bydda i ise cymryd olion bysedd pob bachgen rhwng pymtheg a deunaw er mwyn eu cymharu.'

'Pob bachgen o'dd yn y parti, neu bob bachgen yn yr ardal?'

'Yn yr ardal os bydd rhaid.'

'Ken, do's 'da ni mo'r dynion na'r arian i neud 'ny.'

'Fe awgrymest ti neud 'ny ddydd Sul.'

'Ro'dd hynny cyn i ni ddarganfod y corff. Ma' pawb … bron pawb … ynghlwm wrth yr ymchwiliad 'na ar hyn o bryd, ac fel rwyt ti'n gweld, dy'n ni ddim wedi ca'l llawer o lwyddiant hyd yn hyn.'

Edrychodd y ddau ar ei gilydd mewn distawrwydd am rai eiliadau. Ni allai Owen ddeall agwedd y llall, ac roedd hynny'n brofiad dieithr iddo. Diwrnod neu ddau yn gynharach ac fe fyddai wedi mentro ei fod yn deall a bob amser yn cymeradwyo cymhelliad Ken Roberts ynglŷn â'i waith, ond ddim nawr.

'Pam wyt ti ise cario mla'n 'da'r ymchwiliad?'

'Ma' un o'n plismyn ni wedi ca'l niwed, ac os nad yw hynny'n ddigon o reswm, ro'dd y bechgyn yn gyfrifol am ddifrodi llond stryd o geir ac achosi gwerth cannoedd o bunne o ddifrod i Gapel Bethania. Ein gwaith ni yw amddiffyn pobol rhag y fath fandaliaeth.'

'Wyt ti'n dal i ame mai bechgyn o'r barbiciw 'n nhw?'

'Mae e'n bosibilrwydd.'

'Beth am Geraint?'

'Beth amdano fe?' A daliodd Clem Owen y dinc amddiffynnol yn llais Ken Roberts.

'O's 'da fe unrhyw syniad pwy alle'r bechgyn 'ma fod?'

Siglodd Roberts ei ben. 'Na.'

Nodiodd Clem Owen ei ben cyn pwyso'n ôl yn ei gadair a chrafu ei war.

'Da'th galwad ffôn i David Peters brynhawn 'ma, ond gan 'i fod e ar 'i wylie fe ges i'r pleser o siarad â Mr David Ellis sy'n byw yn Gwynfryn, Ffordd yr Eglwys. Fuest ti'n 'i weld e ddoe?'

'Do.'

'Wel, ro'dd Mr Ellis yn cwyno am dy agwedd di pan o't ti'n 'i holi fe ynglŷn â'r fandaliaeth yn y stryd.'

'Hen fenyw yw e, Clem. Paid gwrando arno fe.'

'Funud yn ôl wedest ti mai gofalu am eiddo pobol fel fe o'dd un o'r rhesyme dros fynd ar ôl y bechgyn; nawr ti'n gweud na ddylen ni gymryd sylw ohonyn nhw.'

'Dwyt ti …'

'Gad i fi gwpla, Ken. Ti'n gwbod cystal â fi 'yn bod ni o dan bwyse dychrynllyd ar hyn o bryd. Ma' nifer y trosedde ar gynnydd; dyw e ddim cynddrwg â ma' pobol yn 'i feddwl, ond mae e'n gwaethygu. A dyw'n delwedd ni 'da'r cyhoedd ddim yr hyn ddyle hi fod …'

'Clem …'

'Dwi'n gwbod beth yw dy farn di am bwysigrwydd delwedd, ond mae e'n bwysig os y'n ni am i'r cyhoedd 'yn helpu ni, ac rwyt ti'n gwbod yn iawn nad y'n ni'n mynd i ddal neb heb 'u help nhw. Os collwn ni ymddiriedaeth y cyhoedd, ma'n nhw'n mynd i ddechre neud pethe drostyn nhw'u hunain.'

'Clem …'

'Ken, jyst ca dy geg am funud a gwranda, nei di? Yn dilyn dy ymweliad â Ffordd yr Eglwys ddoe ma'r perchenogion yn mynd i ystyried creu gwar…chodlu.'

'Beth?'

'Ffoniodd Timothy Morris o'r *Dyfed Leader* 'ma gynne hefyd. Ro'dd e ise gwbod a o'dd 'da fi unrhyw sylw i' neud ar y ffaith fod trigolion Ffordd yr Eglwys, yn wyneb anallu'r heddlu i warchod 'u heiddo rhag fandaliaid, yn mynd i ddechre gwarchodlu cymunedol.'

'Ond ma' Morris 'i hunan yn byw yn Ffordd yr Eglwys.'

'Fe ddyle fe fod yn weddol siŵr o'i ffeithie, 'te.'

'Dwyt ti ddim yn mynd i adel i bobol o'r tu fas weud wrthon ni shwt i neud ein gwaith, wyt ti? Yn enwedig dau fel Ellis a Morris. Ma'r ddau ohonyn nhw'n cydweithio ar hyn.'

'Wel ma' hynny'n dipyn mwy nag y'n ni'n dau'n 'i neud. Petai David Peters 'ma, dwi'n gwbod na fydde fe ddim am i ti ga'l mwy i' neud â'r achos. Fe fyddet ti mewn yn y stafell reoli 'na o fore tan nos. Rwyt tithe'n gwbod 'ny, on'd wyt ti? Do's 'da ni ddim slac o gwbwl, Ken. Ma' rhaid i bawb dynnu 'i bwyse. Sy'n golygu mai ti, o bore fory mla'n, fydd yn gyfrifol am lywio'r ymchwiliad i'r llofruddiaeth.'

Eisteddai Ken Roberts yn ei ystafell yn ymdrybaeddu mewn hunandosturi. Ni wyddai pwy i'w regi fwyaf – David Ellis a Timothy Morris am wthio'u trwynau i mewn i rywbeth nad oedden nhw'n ei ddeall, Clem Owen am beidio â'i gefnogi, neu Geraint am dynnu'r helynt am ei ben yn y lle cyntaf.

Roedd ei ddiwrnod wedi mynd o ddrwg i waeth yn gyflym iawn. Nid oedd yr hyn glywodd gan Mrs Johnson a Martin Watts wedi lleddfu dim ar ei ofnau, ac ers dychwelyd i'r swyddfa nid oedd wedi gallu canolbwyntio ar ei waith. Ar wahân i ffonio Karston Kars yn Llundain i holi pwy oedd wedi llogi'r Sierra, nid oedd wedi gwneud dim. Yn ôl cofnodion y cwmni, roedd dyn o'r enw Michael Jackson wedi llogi'r car ar y dydd Mawrth blaenorol am gyfnod o fis. Ar ôl cael ei gyfeiriad cysylltodd Ken Roberts â heddlu Llundain a gofyn iddynt anfon rhywun i'w gartref i weld a oedd ganddo deulu. Disgwyl i Lundain ei ffonio'n ôl roedd e'n awr. A thra oedd yn disgwyl roedd yn hel meddyliau.

Ofnai Ken Roberts mai pen draw'r cyfan fyddai cael ei dynnu i'r twll roedd pob plismon yn ofni ei enaid y byddai'n disgyn iddo. Yn ystod ei yrfa roedd wedi gweld gormod o lawer o blismyn yn defnyddio'u dylanwad, neu'n llyfu traed eu penaethiaid, er mwyn cael aelodau o'u teuluoedd yn rhydd o ddirwyon parcio, gyrru'n rhy gyflym, yfed ar ôl amser a chant a mil o fân droseddau eraill. Doedd neb wedi bod yn fwy beirniadol o'r fath ymddygiad nag ef, ac fe wyddai'n iawn y byddai ei weld ef yn yr un trybini yn fêl ar fysedd llawer un – ac nid rhyw fân drosedd oedd dwyn car ac achosi damwain ddifrifol i eraill.

Wel, beth bynnag, roedd hi'n rhy hwyr bellach. Roedd Clem Owen wedi dangos yn ddigon clir na fyddai ganddo unrhyw gydymdeimlad â sefyllfa Ken. Gallai lindagu Geraint am ddwyn y fath ofid arno ef ac Angela. Ond nid oedd dim i'w ennill o hynny. Cadw golwg ar y ffeithiau oedd ei arwyddair fel plismon, a waeth pa mor fyrbwyll ac emosiynol bynnag yr ymatebai i bethau yn ei fywyd personol, roedd ei yrfa broffesiynol wedi ei seilio ar y gred honno. Byddai'n rhaid iddo lynu wrth hynny'n awr, hyd yn oed os oedd ei yrfa broffesiynol yn y fantol.

Canodd y ffôn.

'Ie?'

'Inspector Roberts?'

'Ie.'

'Sarjant Lang, *Metropolitan Police*. Michael Jackson. Fe a'th un o'n dynion i'r cyfeiriad roesoch chi i ni a do's neb yn byw 'na. Siop yw hi.'

'O's 'na fflat uwchben y siop?'

'Nago's. Ma'r siop ar dri llawr o'r adeilad a swyddfa ar y llawr ucha.'

'O's 'na stryd arall ag enw tebyg yn y cyffinie?'

'Nago's. Feddylion ni am 'ny.'

'Fe a' i 'nôl at Karston Kars ...'

'Ry'n ni wedi gwneud 'ny'n barod, syr.'

'A do's 'na ddim camgymeriad?'

'Nago's.'

'Wel, diolch yn fawr i chi, Sarjant Lang. Ma'n ddrwg 'da fi am wastraffu'ch amser.'

Ac fe roddodd Ken Roberts y ffôn i lawr gan ddyfalu beth ar y ddaear roedd hynny'n ei olygu.

'Diolch i ti am ddod, Arwel.'

'Popeth yn iawn, Raymond. Ry'ch chi mewn tipyn o gyfyng-gyngor.'

'Odw, ond do'n i ddim am ddweud gormod ar y ffôn.'

'Dwi'n deall hynny, ond bydd rhaid i fi gael yr hanes i gyd cyn y galla i eich cynghori.'

'Wrth gwrs, wrth gwrs, cer drwodd i'r cefn. Fe ddweda i wrth Helen dy fod ti 'ma.'

Cyd-berchennog cwmni penseiri Manning a Wynne oedd Raymond Manning, cwmni roedd ef ar ei ben ei hun, er gwaethaf rhannu'r enw gyda Martin Wynne, wedi ei adeiladu dros y chwarter canrif diwethaf i fod yn un o'r hanner dwsin o gwmnïau cynllunio gorau yn Nyfed. Jarvis a Jones, lle'r oedd Arwel Watkins yn bartner, fu cyfreithwyr Raymond Manning a'i gwmni o'r cychwyn, ac yn dilyn marwolaeth Edgar Jarvis ddwy flynedd ynghynt, Arwel fu'n gyfrifol am holl waith cyfreithiol Raymond Manning. Yn rhinwedd y cyfrifoldeb hwnnw bu Arwel yn ymwelydd cyson â Llys Alaw gan mai oddi yno roedd y pensaer yn cynnal y rhan fwyaf o'i fusnes erbyn hyn.

Agorodd Arwel ddrws ei hoff ystafell yn ei hoff dŷ. Roedd camu i mewn i'r ystafell hon wastad yn rhoi boddhad mawr iddo. Roedd yn ystafell gyfforddus, olau, ac edmygai'r olygfa dros yr ardd lydan, hir a choediog. Ac nid seboni ffals nac awydd i blesio cleient oedd y tu ôl i'w edmygedd. Roedd wedi ymserchu yn y tŷ a choleddai freuddwyd o allu gofyn i Raymond Manning gynllunio tŷ tebyg iddo ef a Judith ryw ddydd. Doedd hynny ddim gronyn yn fwy nag yr oedd hi'n ei haeddu. Ac ar ôl y cyfan yr oedd wedi ei ddioddef yn ddiweddar, efallai mai nawr oedd yr amser iddynt symud tŷ.

'Stedda, daw Helen â choffi i ni mewn munud.'

Tynnodd Arwel ei hun o'r ffenest a'r olygfa hudolus ac eistedd yn ei hoff gadair. Eisteddodd Raymond Manning gyferbyn ag ef, yn ŵr busnes llwyddiannus o'i gorun i'w sawdl. Roedd yn tynnu at drigain mlwydd oed erbyn hyn ond yn dal yr un mor brysur ag erioed.

'Rhywbeth i'w wneud â Paul, ddwedsoch chi.'

'Ie, be nei di â phlant, Arwel? Ma'n nhw'n boen ac yn bleser ... O, ma'n ddrwg 'da fi, do'n i ddim yn bwriadu ...'

'Popeth yn iawn, Raymond.'

'Wel, fel rwyt ti'n gwbod, ma' Robert wedi troi mas yn iawn ac yn setlo lawr yn y busnes, ond am Paul, dwi ddim yn gwbod beth ddaw ohono fe.'

'Paid â llwytho Arwel â'n gofidie ni i gyd, Raymond,' meddai Helen Manning wrth iddi ddod i mewn i'r ystafell.

Cododd Arwel. 'Helô, Helen, shwd wyt ti?'

'Yn iawn, ac ystyried.' Ail wraig Raymond Manning oedd Helen ac roedd hi ugain mlynedd yn iau na'i gŵr. Roedd hi wedi dod i Lys Alaw i ofalu am wraig gyntaf Raymond yn ystod wythnosau olaf ei brwydr â chancr; priododd y ddau dri mis ar ôl iddi golli'r frwydr honno.

Cymerodd Arwel yr hambwrdd oddi wrthi tra tynnodd hi fwrdd bychan o'r gornel a'i roi yng nghanol y llawr.

'Beth yn hollol sy wedi digwydd?' gofynnodd Arwel.

'Dyw Paul ddim wedi bod yn rhyw barod iawn i siarad am y peth eto,' meddai Helen, gan estyn cwpanaid o goffi du i Arwel. 'Ddim ise ca'l 'i ffrindie i drwbwl, medde fe. Oni bai am yr anafiade, dwi ddim yn meddwl y bydden ni wedi ca'l gwbod dim. Pan es i lan i'w ddihuno fe bore ddoe allen i mo'i symud e. Ro'dd e'n gweud 'i fod e'n teimlo'n sâl ar ôl y parti nos Sadwrn, felly fe adawon ni fe ble'r o'dd e.'

'Fe aethon ni mas i ginio ddoe,' meddai Raymond. 'Ac wedyn draw i weld ffrindie yn Llansteffan. Pan ddaethon ni adre ro'dd Paul yn dal yn ei wely.'

'Ac ro'dd e am aros yno bore 'ma hefyd,' meddai Helen. 'Ond mae e'n fachgen iach ac fe fygythies i y bydden i'n ffonio'r doctor os na fydde fe'n codi, ac ar ôl tipyn o gwyno fe dynnodd y dillad 'nôl a chodi'i ben. Dyna pryd sylwes i fod sgathrad gas ar ochor 'i wyneb.'

'Pan wedodd Helen wrtha i am 'i olwg, a phan weles i fe, ro'n i'n siŵr 'i fod e wedi bod yn ymladd 'da rhywun. Ro'dd 'na farbiciw ar y traeth nos Sadwrn, draw ar bwys y cabane hyll 'na, ac ro'n i'n meddwl falle bod rhywbeth wedi digwydd fan'ny.'

'Ro'dd 'i ddillad yn dal yn bentwr ar y llawr ac ro'dd 'i jîns a'i grys wedi 'u rhwygo.'

'Dechreues i 'i holi beth o'dd wedi digwydd yn y parti ond na, yn ôl Paul, do'dd dim byd wedi digwydd yno, a do'dd e ddim wedi bod yn ymladd.'

'Ond wede fe ddim beth o'dd wedi digwydd, chwaith,' meddai Helen.

'Colles i 'nhymer gydag e yn y diwedd. Ro'dd e mor stwbwrn. Yn gwrthod gweud dim. Dim ond edrych arna i fel delw.'

'Ond pam ffonio fi?' gofynnodd Arwel.

'Dwi'n ofni bod hyn yn fwy difrifol na helynt y parti, hyd yn o'd,' atebodd Helen Manning. 'Ar ôl trio ymresymu ag e a chyrraedd unman, fe ga'th e 'i fygwth â haf hir o waith heb arian poced ac fe adawon ni iddo fe ferwi yn 'i gawl drwy'r bore.'

'Ac fe weithiodd hynny, diolch byth,' meddai Raymond Manning. 'Fe dda'th ata i a'i gynffon rhwng ei goese y prynhawn 'ma. Yn ôl Paul, sy'n dal i wrthod enwi neb – ma'n rhaid 'i fod e'n meddwl ein bod ni'n dwp os yw e'n meddwl na allwn ni ddyfalu yng nghwmni pwy o'dd e nos Sadwrn – ro'dd e a'i ffrindie wedi blino ar y parti pan gwplodd y cwrw ac wedi gadel y traeth i chwilio am hwyl yn rhywle arall.'

'Chwilio am ddrygioni, ti'n feddwl,' cywirodd ei wraig.

'Wel, ie, rhestr hir o ddrygioni sy'n dilyn, beth bynnag. Difrodi ceir yn Ffordd yr Eglwys a thorri ffenestri Capel Bethania. Allen i gydymdeimlo ag e os mai protestio yn erbyn pensaernïaeth yr adeilad o'dd e,' meddai Raymond Manning dan wenu, 'ond alla i ddim esgusodi difrodi maleisus fel hyn. Yn y capel fe sgathrodd e'i wyneb, medde fe, pan gwmpodd o ben y wal, a fan'ny gadawodd 'i ffrindie fe a diengid. Ac mae e'n dal ise'u hamddiffyn nhw.'

'Mae e'n ddifrifol, on'd yw e, Arwel?' gofynnodd Helen Manning.

'Ydi, mae e'n swnio'n ddigon difrifol, ond bydd lot yn dibynnu ar faint y difrod. Falle gallwn ni leihau rhywfaint ar hynny.'

'Dwi ddim ise trio cuddio dim, Arwel,' meddai Raymond Manning. 'Beth bynnag fydd rhieni'r lleill am 'i neud, ma' Paul yn mynd i orfod wynebu hyn 'i hunan; derbyn y cyfrifoldeb a'r canlyniade.'

'Ydych chi am i fi ddod gyda chi i weld yr heddlu?'

'Os nei di.'

'Wrth gwrs, ond dwi am siarad â Paul gynta.'

'A' i i' nôl e,' meddai Raymond Manning, gan adael yr ystafell.

Casglodd Helen y llestri i'r hambwrdd a'u cario i'r gegin. Cododd Arwel a chroesi unwaith eto at y ffenest.

Caeodd Kevin y cwdyn plastig olaf a'i ychwanegu at y pentwr oedd yn barod i'w ddanfon i labordy'r heddlu yng Nghas-gwent. Pwysodd yn ôl yn y gadair a phlethu ei ddwylo ar ei war. Deuddeg awr di-dor o waith. Wyth o'r gloch y bore hyd bedwar o'r gloch y prynhawn oedd ei oriau gwaith i fod – i fod – ond gyda dim ond un swyddog man-y-drosedd rhwng y ddau ranbarth, roedd e'n ffodus i gael gorffen cyn hanner nos.

Edrychodd o gwmpas yr ystafell; byddai'n rhaid iddo gael awr neu ddwy o rywle i roi trefn arni cyn mynd ar ei wyliau. Gwrthodai adael i'r glanhawyr ddod i mewn drwy'r drws rhag ofn iddynt ddinistrio tystiolaeth fforensig unigryw yn eu brwdfrydedd. Roedd gwahaniaeth rhwng llwch a llwch ac roedd hi'n hawdd, yn rhy hawdd o lawer, gymysgu samplau neu ganlyniadau. Oedd, roedd hi'n hen bryd i roi pethau'n ôl yn eu lle, ond nid heno.

Roedd ei law ar ddolen y drws pan ganodd y ffôn, a chafodd y newyddion da bod lladron wedi torri i mewn i archfarchnad yn y rhanbarth arall. Ochneidiodd Kevin a rhoi'r derbynnydd i lawr gan sylwi ar yr amlen ar y silff yn ei ymyl. Gwyddai heb ei hagor mai canlyniad i'w gais am wybodaeth am olion bysedd oedd ynddi. Wedi darllen y cynnwys, cododd y ffôn a gwasgu'r botwm am swyddfa'r CID. Ond er trio pob rhif posib, ni chafodd hyd i neb.

'O, wel, bydd rhaid iddo aros tan fory,' meddai Kevin gan adael yr ystafell a chloi'r drws ar ei ôl. Gwyddai ef, o leiaf, enw'r dyn a ddarganfuwyd ar waelod Craig y Bwlch.

'Kevin! Kevin!' bloeddiodd y Prif Arolygydd Clem Owen ar draws cyntedd yr orsaf.

'Ie?'

'Pryd dda'th hwn?'

'Beth yw e?'

'Adroddiad ar olion bysedd y corff o'dd ar Graig y Bwlch.'

'Ro'dd e'n disgwl amdana i pan ddes i 'nôl neithiwr o'r lladrade ar faes carafanne Dolau.'

'Ac fe adawest ti fe tan heddi cyn 'i roi e i fi.'

'Naddo. Ffonies i CID neithiwr ond do'dd neb 'na. Fe dries i bobman ond ro'dd rhaid i fi fynd draw i ladrad yn Spar, Llancerian, ac erbyn i fi gwpla fan'ny ro'dd hi'n hanner nos.'

Cododd Clem Owen ei law i'w dalcen. Roedd ei broblemau'n dechrau'n gynharach bob dydd. 'Iawn, Kevin, dwi'n gwbod dy fod ti'n ca'l dy dynnu i bob cyfeiriad. Do'dd dim byd allen i fod wedi 'i neud neithiwr, beth bynnag.'

Diwrnod arall yn dechrau yn union fel y diwrnod cynt, meddyliodd Gareth Lloyd. Tomen o adroddiadau negyddol ddoe i'w didoli, gwaith y dydd i'w drefnu a Ken Roberts ar goll. Ond roedd patrwm diwrnod Gareth ar fin newid. Agorodd y drws a cherddodd yr Arolygydd Ken Roberts i mewn yn union fel pe bai ond wedi taro allan i'r tŷ bach bum munud yn gynharach.

'Odi popeth yn barod ar gyfer y cyfarfod bore 'ma?' gofynnodd yr arolygydd gan gydio mewn pentwr o adroddiadau.

'Bron â bod,' atebodd Gareth. 'Dwi wrthi nawr yn trefnu dyletswydde pawb ar gyfer heddi.'

Nodiodd Roberts ei ben a phori drwy'r papurau. Y cyfan

dwi ise nawr, meddyliodd Gareth, yw rhywun i 'nhynnu i mas o fan hyn cyn i Roberts weld rhyw sgwarnog arall fydd yn rhaid iddo'i ddilyn. Canodd y ffôn. Cydiodd Gareth ynddo a chlywed llais Clem Owen ar y pen arall.

'Dwi newydd ga'l canlyniade olion bysedd ein corff. Odi Inspector Roberts 'na?'

'Newydd ddod mewn.'

'Wel gwed wrtho fe 'mod i d'ise di am ychydig.'

'Reit, fe fydda i draw nawr.' Rhoddodd Gareth y ffôn i lawr a throi at Ken Roberts. 'Ma' Mr Owen ise fi am y bore.' Ac estynnodd restr dyletswyddau'r dydd i'r arolygydd ar ei ffordd allan.

'Stephen Michael Llewelyn,' meddai'r prif arolygydd gan bwyso'n ôl yn ei gadair.

'O?'

'Neu os yw'n well 'da ti, Michael Stephens. Neu, a hwn dwi'n 'i licio ore, Stephen Lyons.'

'Yr un un yw'r tri ohonyn nhw?'

Nodiodd Owen ei ben. 'Ie.'

'A fe yw'n corff ni?'

'Ie.'

'Tri enw?'

'A hanes.'

'Record?'

'O's, ond ddim un sy'n cyfiawnhau tri enw, chwaith. Mân drosedde ar y cyfan, sy'n mynd 'nôl pymtheng mlynedd, a chafon nhw i gyd eu cyflawni yn Llundain, ar wahân i'r drosedd gynta – torri i mewn i siop bapure a dwyn dau gant o sigaréts. A ble wyt ti'n meddwl o'dd hynny?'

'Yma?'

'Ie. Ro'dd e'n ddwy ar bymtheg o'd ar y pryd ac fe gafodd flwyddyn o brofiannaeth. Dim byd wedyn am ddwy flynedd nes iddo ga'l 'i garcharu am dair blynedd yn Llundain am fwrgleriaeth. Mas ar ôl dwy a hanner, ond 'nôl mewn bron yn syth am fod â chyffurie yn 'i feddiant. Ond dim byd ers hynny, sy'n dangos naill ai 'i fod wedi dysgu 'i wers neu …'

'Neu wedi llwyddo i gadw'i dra'd yn rhydd.'

'Ie. Cysyllta â Llundain er mwyn i ni ga'l gweld beth yn union o'dd Stephen Lyons yn 'i neud cyn iddo fe ddod adre i farw.'

Ail-lunio'r rhestr ddyletswyddau am y dydd a gawsai gan Gareth Lloyd oedd Ken Roberts pan ganodd y ffôn.

'Roberts.'

'Ma' rhywun 'ma ise ca'l gair 'da chi ynglŷn â'r difrod yn Ffordd yr Eglwys nos Sadwrn,' meddai'r heddwas ar ben arall y ffôn.

'Ai David Ellis neu Timothy Morris yw e?'

'Nage, syr. Mr Arwel Watkins a Mr Raymond Manning.'

Enwau cyfarwydd, ond enwau newydd yn y cyswllt hwn.

'Cer â nhw lan i'n stafell i, fe fydda i draw 'na nawr.'

Pa ofid roedd y rhain yn mynd i'w daflu i'w gyfeiriad? meddyliodd Ken Roberts wrth iddo gerdded ar draws y trydydd llawr i'w swyddfa. Y noson cynt roedd Angela wedi ei berswadio i adael llonydd i Geraint am ychydig gan ddweud y câi hi air ag ef ymhen diwrnod neu ddau. Nid oedd Ken yn fodlon iawn i adael i Geraint gael ei ffordd, ond o bwyso a mesur gofidiau'r tad yn erbyn ofnau'r plismon fe gytunodd ag Angela. A beth bynnag, ni fyddai Geraint, a oedd erbyn hyn yn amau cymhelliad unrhyw gwestiwn o eiddo'i dad, byth wedi siarad ag ef. Gwyddai Ken Roberts hefyd nad dim ond yr helynt hwn oedd yn gyfrifol am y pellhau rhyngddynt.

Pan gyrhaeddodd ei ystafell roedd yr heddwas Keith Parry

yn dod i fyny'r grisiau ac fe welodd Ken Roberts fod yno dri ac nid dau ymwelydd.

'Steddwch,' meddai gan gyfeirio Arwel Watkins a Raymond Manning at y ddwy gadair o flaen y ddesg. 'Allen i ga'l cadair arall, Parry, ar gyfer …' ac edrychodd at y cyfreithiwr gan ddisgwyl iddo'i hysbysu o enw'r trydydd person a edrychai'n bur anghyffordddus.

'Paul Manning.'

'Reit. Beth alla i 'i neud i chi, Mr Watkins?'

'Rwy'n deall mai chi sy'n gyfrifol am yr ymchwiliadau i'r hyn ddigwyddodd yn Ffordd yr Eglwys nos Sadwrn.'

Nodiodd yr arolygydd ei ben. 'Ie.'

'Dwi'n cynrychioli Mr Manning a'i fab, Paul, sy wedi dod yma'n wirfoddol i wneud datganiad ynglŷn â'r hyn ddigwyddodd yn Ffordd yr Eglwys.'

'Ro'dd e 'na?'

'O'dd.'

'Ry'n ni'n deall fod mwy nag un bachgen yn gysylltiedig â'r digwyddiad.'

'Beth am adael i Paul wneud ei ddatganiad?' awgrymodd y cyfreithiwr.

'Ar bob cyfri,' meddai Ken Roberts gan godi'r ffôn er mwyn galw am rywun i gofnodi'r datganiad, 'os bydd y datganiad yn un llawn ac yn enwi'r bobol er'ill o'dd gydag e.'

'Na!' meddai Paul Manning.

'Paul!' Trodd Raymond Manning at ei fab. 'Bydd yn rhaid i ti. Rwyt ti'n gwbod nad wyt ti'n neud dim lles i dy achos drwy gadw'u henwe nhw'n ôl.'

'Na!'

Nodiodd Ken Roberts ei ben yn araf. 'Wel, gyfeillion,' meddai, 'dyw hi ddim yn ymddangos eich bod chi'n gytûn ynglŷn â'r hyn ma' Paul yn mynd i'w ddweud yn ei ddatganiad. Felly, os y'ch chi am i fi eich gadel am ychydig er mwyn i chi ga'l cyfle i drafod?'

'Na, inspector,' meddai'r cyfreithiwr. 'Dwi'n credu y gall datganiad Paul fod yn werthfawr i chi gyda'ch ymchwiliadau hyd yn oed os nad yw e'n barod i ddweud os oedd rhywun arall gydag e neu beidio.'

'Os mai'r difrodi yn Ffordd yr Eglwys ry'ch chi'n sôn amdano, Mr Watkins, ry'n ni'n gwbod yn barod fod 'na rywrai er'ill gydag e, ond os yw e'n barod i gymryd y cyfrifoldeb i gyd 'i hunan ...'

Cilwenodd Arwel Watkins. 'Does neb wedi dweud bod Paul yn gyfrifol am unrhyw beth.'

'Beth mae e'n 'i wneud fan hyn 'te?'

'Cydnabod 'i fod e, o bosib, yn gysylltiedig â'r hyn ddigwyddodd yn Ffordd yr Eglwys.'

'O bosib?' Roedd y dryswch yn drwch ar wyneb Ken Roberts. 'Dyw e ddim yn gwbod a yw e'n gysylltiedig â'r digwyddiad neu beidio?'

'Mae Paul Manning wedi dod yma'n wirfoddol i wneud datganiad ynglŷn â'r hyn ddigwyddodd yn Ffordd yr Eglwys,' meddai Arwel Watkins yn araf ac yn amyneddgar.

'Pam ei gyfyngu ei hunan i hynny?' meddai Ken Roberts. 'Ma' gyda ni sawl digwyddiad arall y galle fe o bosib fod yn gysylltiedig â nhw, Mr Watkins. Dwi'n credu y dylech chi a Paul fod wedi dod i ddealltwriaeth cyn dod 'ma.'

Anesmwythodd Raymond Manning yn ei gadair. 'Dy'n ni ddim ...' Ond rhoddodd ei gyfreithiwr ei law ar ei fraich i'w atal a gofyn i Ken Roberts, 'Pam y'ch chi'n cymryd yr agwedd yma, inspector?'

'Fe ddechreuon ni'n hymchwiliade ddydd Sul, Mr Watkins, ac ry'n ni wedi ca'l cryn lwyddiant yn barod. Dwi ddim yn meddwl 'mod i'n datgelu cyfrinach drwy ddweud ein bod ni'n gwbod yn bendant fod yna bum bachgen yn Ffordd yr Eglwys nos Sadwrn. Os nad y'ch chi'n fy nghredu i, gofynnwch i Paul.' Trodd yr arolygydd i edrych ar Paul Manning.

'Ro'dd 'na sawl tyst ac ry'n ni wedi ca'l disgrifiade o'r bechgyn i gyd, ac ma'n rhaid i fi ddweud bod Paul yn debyg iawn i un o'r rhai a ddisgrifiwyd.'

Agorodd Arwel Watkins ei geg ond aeth Ken Roberts yn ei flaen. 'Os yw Paul am ein cynorthwyo ac arbed amser, gwaith ac arian, dyma'i gyfle, Mr Watkins. Falle na fydd angen ei help arnon ni yn nes ymla'n.'

Cododd a cherdded am y drws. Edrychodd ar y tri, ac yn y dryswch a'r anghydweld a'u hamgylchynai, fe welai Ken Roberts lygedyn o olau yn torri drwy'r cymylau o amheu-aeth fu'n cyniwair o'i amgylch yn ddiweddar. Agorodd y drws a chyfarch y tri yn fwy calonnog nag yr oedd wedi cyfarch neb ers dyddiau.

'Cymerwch eich amser, gyfeillion.'

Ystyriai llawer o bobl – rhai lleol ynghyd â rhai dieithr – fod y filltir a hanner olaf y teithiai afon Sawddan cyn cyrraedd y môr yn un o olygfeydd harddaf y dref. Tai gwely a brecwast lliwgar pedwar llawr, stordai cerrig cadarn a oedd wedi eu haddasu'n fflatiau a thai bwyta, ac adeiladau bychain y marina newydd a oedd, er gwaethaf eu cynllun chwaethus a'u taclusrwydd unffurf, yn edrych gymaint allan o le â thŷ hir Cymreig ar lannau'r Môr Canoldir. Eto, roedd yr olygfa yn wledd i'r llygaid ac yn llwyr haeddu ei lle ar glawr y llyfryn a baratoai'r cyngor ar gyfer yr ymwel-wyr.

Ond stori wahanol oedd y filltir a hanner i fyny'r afon o'r Hen Bont i Bont yr Esgob. Yr ochr hon i lewyrch grant y Gymuned Ewropeaidd ac awch datblygwyr dienw a di-wyneb o'r tu allan, roedd olion truenus hen ddiwydiannau ac anialwch llaindiroedd na welai fyth glawr unrhyw gyhoeddiad ac eithrio adroddiad ar ardaloedd difreintiedig.

Safai Carol Bennett yn ymyl y bont a wahanai'r ddau fyd,

yn ceisio penderfynu ble'r oedd y lle gorau i daflu corff i mewn i'r Sawddan. Beth bynnag roedd llyfryn ymwelwyr y cyngor yn eu rhestru fel prif atyniadau'r ardal, credai Carol y gallai hi gyfrannu pennod ar y llefydd gorau i daflu cyrff i'r môr neu i afonydd y cylch.

Syllodd yn galed ar y tir gyferbyn a oleddfai'n raddol o'r ffordd fawr hyd at rimyn llydan o gerrig a graean yn ymyl yr afon. Yn ôl tri o'r pysgotwyr roedd hi newydd sgwrsio â nhw, prin gyffwrdd â'r tir wnâi'r dŵr ar yr ochr honno, hyd yn oed ar adeg penllanw. Ar y llaw arall, ar yr ochr y safai Carol arni roedd yr afon yn wastadol yn golchi'r wal gerrig a godwyd i'w chadw rhag gorlifo. Lefel y dŵr oedd yr unig beth a amrywiai. Gollwng corff, ac nid ei daflu, fyddai'r llofrudd wedi ei wneud yr ochr hon i'r afon.

Ond, wrth gwrs, nid oedd hynny'n ddigon o reswm dros anwybyddu'r posibilrwydd mai o'r ochr draw y taflwyd y corff. Gallai pedwar dyn cyhyrog – dau'n cario'r breichiau a dau'n cario'r coesau – daflu corff allan i ganol yr afon. Ac yna roedd Pont yr Esgob ei hun. Byddai un dyn wedi bod yn ddigon i'w wthio dros yr ymyl i mewn i'r afon, ac os câi ei daflu o ganol y bont ni fyddai perygl iddo gael ei ddal ar y lan cyn cyrraedd y môr. Ond roedd olion gwair a phridd ar y dillad a wisgai'r dyn, felly roedd hi'n fwy na phosib mai o'r ochr draw yr aeth y corff i afon Sawddan.

Roedd hi'n gas gan Carol y math hwn o ymresymu gan ei fod, yn amlach na pheidio, yn arwain i'r unlle. A doedd cael Glyn Stewart yn ymwthio i'w meddwl o hyd ddim yn helpu, chwaith. Taflodd y garreg y bu'n chwarae â hi i'r afon a chroesi'r bont.

'Kevin, beth yw'r diweddara am olion bysedd y Sierra?'

'Y Sierra? Ym … dwi wedi'u nodi nhw i gyd, Mr Roberts,' meddai Kevin gan wasgaru'r papurau oedd ar y bwrdd o'i flaen. Prin cadw ei ben uwchben y dŵr roedd ef wedi ei wneud ers dyddiau ond roedd prysurdeb anghyffredin y penwythnos, a'r baich ychwanegol a ysgwyddai, yn ei wthio'n is ac yn is. Ac er mwyn cadw llygad barcud ar y datblygiadau yn yr ymchwiliad i'r corff ar Graig y Bwlch, ers iddo brofi min tafod Clem Owen, roedd Kevin wedi gorfod rhoi ambell achos, gan gynnwys damwain Ieuan Daniels, naill ochr.

'Sawl set o'dd 'na?' gofynnodd yr arolygydd yn ddiamynedd. Ofnai Kevin, os na allai ateb cwestiynau Ken Roberts, na ddôi i'r wyneb byth eto.

'Ym … rhyw ym … chwech neu sa … naw!' meddai'n fuddugoliaethus wrth iddo ddod o hyd i'w nodiadau.

'Unrhyw gyfatebiad?'

'Gyda?'

'Gyda'r cyfrifiadur, wrth gwrs.'

'Dim byd eto.' Roedd yn benderfynol nad oedd yn mynd i gyfaddef nad oedd eto wedi dechrau'r broses gyfatebu.

'Ma'n edrych yn debyg bod un o'r bechgyn o'dd yn Ffordd yr Eglwys ar fin cyfadde'i ran e yn y busnes. Dyw e ddim wedi sôn am y Sierra eto, ond pan ddown ni at hynny dwi ise bod mewn sefyllfa i allu dweud yn bendant 'i fod e yn y car. Felly dwi ise'r olion bysedd gymerest ti'n barod er mwyn 'u cymharu â'i olion ef. Ac ar ôl i ti neud 'ny, dwi ise i ti 'u cymharu nhw ar y cyfrifiadur ag olion unrhyw un o'r enw Michael Jackson.'

'Michael Jackson?'

'Yn ôl y cwmni hurio ceir, dyn o'r enw Michael Jackson o'dd wedi llogi'r Sierra. A dwi ise gwbod pwy yw Michael Jackson. Iawn, Kevin?'

'Iawn, Mr Roberts.' A theimlai'r dŵr yn cosi ei wddf.

'Helo, Sarjant Truman?'

'Hyhy.'

'Sarjant Gareth Lloyd, Heddlu Dyfed-Powys. Dwi'n gwneud ymholiade am ddyn o'r enw Stephen Michael Llewelyn …'

'Cly beth?'

'Llewelyn. L … l … e … w … e … l … y … n.'

'Stephen Michael?'

'Ie. Mae e hefyd yn ei alw'i hun yn Michael Stephens a Stephen Lyons.'

Clywodd Gareth sŵn allweddell y cyfrifiadur yn cael ei tharo cyn clywed llais y rhingyll unwaith eto.

'Odi, mae e ar y cyfrifiadur.'

'Ac mi'r ydych chi'n dal â diddordeb ynddo fe?'

'Odyn, mae e'n rhan o ymchwiliad sy'n ca'l ei gynnal ar hyn o bryd.'

'Allech chi ddweud wrtha i beth yw'r ymchwiliad hwnnw?'

Ochneidiodd Truman. 'Bydde'n well i chi siarad â'r swyddog sy'n gyfrifol amdano.'

'A pwy yw hwnnw?'

'DS Graham Ashley.'

'A ble alla i ga'l hyd iddo fe?'

'Yr adran gyffurie.'

'Cyffurie?'

'Dyna yw diddordeb Stephen Michael Lyons.'

'Iawn. Ry'n ni'n ceisio dyfalu beth yw 'i gysylltiad e â'r rhan hon o'r byd. O's 'da chi gyfeiriad ar 'i gyfer e lawr ffordd hyn?'

'Ddim ar 'i gyfer e, ond ma' 'na gyfeiriad ar gyfer 'i deulu.'

Gwrandawodd Gareth ar Sarjant Truman yn malu'r Gymraeg am rai eiliadau, ond o nodi'r darnau ar ddalen o bapur, llwyddodd i'w droi'n gyfeiriad. Diolchodd Gareth i'r rhingyll am ei gymorth a mynd i chwilio am Clem Owen.

'O's 'na gytundeb?' gofynnodd Ken Roberts pan ddych-welodd at y tri yn ei ystafell.

'Yn anffodus, dyw Paul ddim yn credu y gall e ddatgelu yng nghwmni pwy roedd e nos Sadwrn,' meddai Arwel Watkins.

'Ond mae e'n cydnabod 'i fod e mewn cwmni,' meddai Roberts wrth eistedd. 'O leia ma' hynny'n gam i'r cyfeiriad iawn.'

'Inspector,' meddai Raymond Manning, a sylwodd Ken Roberts na wnaeth y cyfreithiwr ymdrech i'w atal y tro hwn. Roedd hynny'n dangos yn ddigon clir eu bod wedi cytuno ar yr hyn roedd Raymond Manning ar fin ei ddweud. 'Dwi'n gwbod bod Paul wedi torri'r gyfraith a dwi'n credu 'i fod e'n sylweddoli difrifoldeb yr hyn mae e wedi 'i neud. Dwi wedi neud 'y ngore i'w ddysgu i dderbyn cyfrifoldeb am 'i weithredoedd, a thrwy hynny 'i ga'l i ystyried y canlyniade cyn ei bod hi'n rhy hwyr. Nid dod yma i wastraffu'ch amser nac i osgoi cosb wnaethon ni. Fe fydde hi'n well gen inne pe bai Paul yn dweud y cyfan wrthoch chi, ond dwi'n ofni na alla i 'i orfodi i ddweud rhywbeth nad yw'n barod i'w ddweud, yn fwy nag y gallwch chi.'

Roedd Ken Roberts yn amau cywirdeb y gosodiad olaf ond cydymdeimlai â Raymond Manning. Gwelai Geraint yn ymddygiad Paul; y cyfuniad o styfnigrwydd gwybod-yn-well-na-phawb a'r diniweidrwydd o wybod y nesaf peth i ddim am fywyd. A oedd plant heddiw i gyd yr un fath?

'O'r gore, Mr Manning, fe ga i rywun i neud nodiade ac fe geith Paul ddweud 'i stori.'

'Ro'dd 'na barti ar Draeth Gwyn nos Sadwrn ac ro'n i yno o tua hanner awr wedi wyth tan rywbeth i ddeg, pan adewes i. Dwi ddim yn cofio'r union amser.

Eisteddai Paul Manning yn hollol gefnsyth yn y gadair gan edrych dros ysgwydd dde Ken Roberts. Bob hyn a hyn gwthiai ei law chwith drwy ei wallt du a oedd wedi ei rannu yng nghanol ei dalcen ac yn disgyn yn ddau gudyn hir bob ochr i'w wyneb. Ar ôl ei weld yn gwneud hyn hanner dwsin o weithiau, sylweddolodd Ken Roberts mai arferiad ffasiynol ac nid arwydd o nerfusrwydd oedd y weithred.

'Ar ôl gadel y traeth a cherdded 'nôl am y dre fe ethon ni i'r General Picton. Ro'dd 'na ddisgo yn y Waterloo, yn y bar cefn, ac fe arhoson ni 'na am ychydig. Ry'n ni,' a chododd ei ddwylo i ddangos mai ei dad ac Arwel Watkins ac nid ei gyfeillion dienw a olygai, 'wedi trio gweithio mas faint o'r gloch o'dd hi, ond alla i ddim bod yn siŵr; ro'n i wedi bod yn yfed, a dwi ddim yn siŵr iawn pryd ddigwyddodd popeth. Pan adawon ni'r General Picton fe gerddon ni lan i gyfeiriad y parc cyn troi mewn i Ffordd yr Eglwys.

'Ro'dd rhes o geir wedi'u parcio ar ochr chwith y stryd, ac wrth i fi gerdded heibio fe grafes i ochre rhai ohonyn nhw â darn pum deg ceiniog. Dwi ddim yn cofio sawl car grafes i. Dwi'n credu i fi blygu erial ambell un hefyd. Dwi erio'd wedi neud unrhyw beth fel hyn o'r bla'n, a'r unig reswm alla i 'i roi pam y gnes i 'ny nos Sadwrn o'dd am 'y mod i wedi yfed gormod. Ar ôl gadel Ffordd yr Eglwys fe gerddon ni draw i gyfeiriad Heol Teilo. Dringes i i ben wal gefn y capel sy ar y cornel. Dwi'n cofio cwmpo o ben y wal, ond dwi'n cofio dim byd wedyn tan i fi ddihuno a sylweddoli bod y lleill wedi mynd. Wedyn fe gerddes i adre.'

'Ar dy ben dy hun?' gofynnodd Roberts.

Symudodd Paul ei ben ryw fymryn i edrych, am y tro cyntaf, i lygaid Ken Roberts.

'Ie.'

'Beth am y difrod i'r capel? Daflest ti gerrig drwy'r ffenestri?'

'Do.'

'Beth am y bechgyn er'ill? Daflon nhw gerrig at y capel?'

'Dwi ddim yn gwbod.'

'I ble'r ethon nhw ar ôl gadel y capel?'

'Dwi ddim yn gwbod.'

'O's 'da ti siaced Dallas Cowboys, Paul?'

'Beth?' Ond fe wyddai Ken Roberts ei fod wedi clywed a deall oblygiadau'r cwestiwn.

'O's 'da ti siaced y tîm pêl-dro'd Americanaidd y Dallas Cowboys?'

'Nago's.'

'Beth am dy ffrindie?'

Trodd Paul ei ben i ffwrdd ac anwybyddu'r cwestiwn.

'Dy holl ffrindie, dwi'n 'i feddwl,' pwysodd Roberts. Ond nid atebodd Paul.

Nodiodd Ken Roberts ei ben yn araf a syllu ar Paul Manning yn syllu ar y wal. 'Wel, gyfeillion, stori ddiddorol, ond dy'ch chi ddim yn disgwl i fi 'i chredu hi, ydych chi?'

Pwysodd Arwel Watkins ymlaen yn ei gadair. 'Dwi'n meddwl, inspector, fod yr hyn mae Paul wedi 'i ddweud yn dangos nad o'dd hon yn weithred rhagfwriadol; nad oedd e wedi mynd allan y noson honno gyda'r bwriad o …'

'Chi'n gwbod yn iawn, Mr Watkins, nad fi sy'n penderfynu a o'dd trosedd wedi 'i bwriadu neu beidio. Fy ngwaith i yw dal pwy bynnag sydd wedi troseddu, ac ma'n amlwg o'r hyn ma' Paul newydd 'i ddweud 'i fod e wedi troseddu. Ond dyw'r hyn mae e wedi 'i ddweud ddim yn ddigon. Dyw e ddim wedi gweud dim yn fwy nag yr o'n ni'n 'i wbod yn barod. Alla i ddim ystyried rhywbeth fel hyn yn gydweithrediad.'

'Ond dwi ddim yn gwbod beth arall oeddech chi'n ei ddisgwl. Mae e wedi cyfadde'i ran e yn y digwyddiad.'

''I ran e yn y trosedde. Trosedde difrifol, hefyd. Dwi'n gobeithio er mwyn Paul nad y'ch chi'n mynd i drio gweud mai ychydig o hwyl ddiniwed ddiwedd tymor o'dd hyn i gyd.'

'Fel ddwedoch chi, inspector, nid eich gwaith chi yw penderfynu hynny.'

'Nage, ond nid y rhain oedd yr unig drosedde a gyflawn-wyd nos Sadwrn. Falle nad yw Paul yn cofio, neu nad yw e'n dewis cofio, popeth a ddigwyddodd, ond ry'n ni'n gwbod bod 'na gysylltiad pendant rhyngddyn nhw i gyd.'

'Allech chi ddweud wrthon ni beth arall ddigwyddodd?' gofynnodd Raymond Manning.

'Na, ddim ar hyn o bryd. Ma' Paul yn rhan o'n hym-chwiliade ni ac ro'dd yn rhan ohonyn nhw cyn i chi ddod yma heddi. Dwi am gymryd ôl 'i fysedd e nawr. Os nad yw Paul yn barod i ddweud y cyfan wrthon ni am yr hyn ddigwyddodd nos Sadwrn, falle y bydd hynny'n fwy o help i ni.'

Yn dilyn ei sgwrs gyda Sarjant Truman ceisiodd Gareth ddod o hyd i'r Sarjant Graham Ashley, ond er iddo geisio cysylltu ag ef ar sawl rhif, ofer fu ei holl ymdrechion. Dyw-edwyd wrtho ei fod allan o'r swyddfa ac nid oedd neb am fentro dweud pryd y byddai'n debygol o ddychwelyd. Gad-awodd Gareth ei enw a'i rif ffôn, a gyda dim ond hanner ei dasg wedi ei chwblhau, aeth yn ôl at Clem Owen.

'Ma' mwy na dau ddiwrnod ers i ni ddod o hyd i'r corff,' meddai'r prif arolygydd gan astudio'r cyfeiriad a gawsai'n gynharach gan Gareth. 'Ma'n bryd i ni fynd i weld 'i fam er mwyn iddi ga'l gwbod bod 'i mab wedi marw.'

''I fam?'

'Pan o't ti ar y ffôn gyda Llundain fe ges i amser i feddwl ac i gofio. Dwi'n nabod teulu Stephen Michael Llewelyn.'

'Falle bod nabod yn or-ddweud,' meddai Clem Owen wrth iddynt yrru ar draws y dref, 'ond ma' dyn yn gwbod – neu'n meddwl 'i fod e'n gwbod – cymaint am rai pobol nes 'i bod hi'n hawdd i ddyn 'i dwyllo'i hunan 'i fod yn 'u nabod. Pan ddes i 'ma gynta, y Cynghorydd Edward Walter Llewelyn o'dd un o ddynion mwya dylanwadol y dre, a'r ardal gyfan a dweud y gwir. Ac os o'dd 'i ddylanwad yn dechre gwanhau bryd 'ny, do'dd e ddim wedi diflannu'n llwyr. Ro'dd e'n ddyn busnes llwyddiannus, yn berchen ar ddwy siop ddillad a sinema yn ogystal â hanner dwsin o dai wedi 'u troi'n fflatie, ond 'i gysylltiade fel cynghorydd o'dd sylfaen 'i ddylanwad. Nid yn unig ro'dd e ar bob pwyllgor o werth, ro'dd e'n gadeirydd ar sawl un. Ro'dd e hefyd yn gadeirydd mainc yr ynadon. O'n safbwynt ni, ro'dd Edward Llewelyn yn ddyn da iawn i'w ga'l ar y fainc gan 'i fod e wastad yn derbyn gair yr heddlu o fla'n gair unrhyw un arall, ac ychydig iawn o bobol fydde'n dod o'i fla'n e ddwywaith ac yn cadw'u tra'd yn rhydd.'

Llywiodd Gareth y car i mewn i Ffordd Glaneithin.

'Arhosa fan hyn i fi ga'l cwpla'r stori,' meddai Owen. 'Ro'dd y busnes gyda'i fab wedi digwydd rai misoedd cyn i fi ddod 'ma, ac yn ail law ges i'r hanes. Ro'dd 'na siop bapure drws nesa i un o siope Edward Llewelyn, ac ro'dd y ddwy'n rhannu'r un iard gefn. Ro'dd mab Edward Llewelyn wedi defnyddio allweddi'i dad i fynd i mewn i'r iard ac wedi torri clo ffenest fach yng nghefn y siop bapure a dringo i mewn trwyddi. Ro'dd e ar ei ffordd mas pan ga'th e'i ddal gan blismon a o'dd, fel arfer, yn cymryd gofal arbennig o eiddo Edward Llewelyn, cadeirydd y fainc. Do'dd y plismon ddim yn nabod y bachgen, na neb arall yn yr orsaf chwaith, a gan fod hwnnw wedi penderfynu bod yn styfnig a chadw'i geg ar gau, ro'dd e wedi 'i gyhuddo a'i roi dan glo am y nos cyn i neb sylweddoli pwy o'dd e.'

'Lletchwith.'

'Lletchwith iawn. Ro'dd hi'n rhy hwyr wedyn i neb ddad-wneud dim. Pan dda'th yr achos i'r llys ymesgusododd Edward Llewelyn 'i hun o'r fainc ac fe gafwyd y bachgen yn euog, ond gan mai hon o'dd ei drosedd gynta a'i gefndir teuluol yn un da, blwyddyn o brofiannaeth o'dd y gosb. Ro'dd rhai yn gweud bod 'i dad yn siomedig iawn â'r ddedfryd ac fe fydde fe'n siŵr o fod wedi rhoi cosb llymach iddo fe, ond dwi ddim yn gwbod faint o sail sydd i'r stori honno.'

Agorodd Owen y ffenest er mwyn gadael awyr iach i mewn i'r car a oedd wedi troi'n ffwrnais yn llygaid yr haul.

'Ro'dd hyn i gyd yn weddol ffres pan ddes i 'ma ac ro'dd e'n destun sgwrs am gryn amser wedyn. Ro'dd y mwyafrif o bobol yn cydymdeimlo ag Edward Llewelyn ac yn credu 'i fod wedi ymddwyn yn iawn, ond ro'dd er'ill, am resyme gwleidyddol yn fwy na dim, yn barotach i weld bai arno fe. Ond do's dim dwywaith nad o'dd yr helynt wedi gadel 'i ôl ar Edward Llewelyn o ran 'i ddylanwad yn ogystal â'i iechyd.'

'Beth ddigwyddodd iddo fe? Dyw'r enw ddim yn gyfarwydd i fi.'

'Fuodd e farw ryw bum neu chwe blynedd 'nôl. Trawiad ar y galon. Ro'dd e'n gyrru adre o gyfarfod y Cyngor Sir yng Nghaerfyrddin ar y pryd, ac a'th y car drwy'r clawdd a tharo coeden; ffrwydrodd y tanc petrol.'

'A Stephen? Ble'r o'dd e erbyn hynny?'

'Yn Llundain, ma'n rhaid. Ddes i ddim ar 'i draws e, beth bynnag.'

'O's 'na blant er'ill?'

'Nago's; dim ond y fam, Eirlys Llewelyn, sy ar ôl.'

Trodd Gareth i edrych i'r un cyfeiriad â'r prif arolygydd. Drwy'r adwy yn y wal gerrig uchel gwelai dŷ y byddai cwmni Alun Mathews yn ei ddisgrifio fel 'preswylfod gŵr bonheddig, yn llawn cymeriad ac yn gartref delfrydol i deulu'. Byddai eraill wedi ei ddisgrifio fel plasty bychan. Roedd naw tŷ arall tebyg i Maes-yr-haf yn Ffordd Glan-eithin, ac ar wahân i un, a oedd yn gartref preifat ar gyfer yr henoed, roedd yna dai eraill, rhai mwy diweddar, wedi eu hadeiladu ar y lawntiau a'u hamgylchynai. Maes-yr-haf oedd yr unig un oedd wedi llwyddo i gadw ei annibyniaeth, am fod ei berchennog eisoes yn ddigon cyfoethog.

Cerddodd y ddau blismon i fyny'r llwybr llydan at y tŷ, a'r gro yn crensian o dan eu traed. Ar ôl rhyw bymtheg llath, rhannai'r llwybr yn ddau; y naill yn mynd yn syth heibio i ochr y tŷ ac i'r adeiladau allan yn y cefn, a'r llall i flaen y drysau dwbl. Tra oedd Gareth yn dal i edrych o'i gwmpas, dringodd Clem Owen y grisiau cerrig a chanu'r gloch. Clywodd y drws yn cael ei agor a throdd i weld gwraig fechan, gartrefol yr olwg, yn ei phumdegau hwyr yn sefyll ar y trothwy.

'Bore da,' meddai Owen. 'Chief Inspector Owen a Sarjant Lloyd, Heddlu Dyfed-Powys.' A daliodd ei gerdyn gwarant o'i blaen.

Crychodd y wraig ei thalcen ac edrych ar y cerdyn. Nid dyma sut roedd Gareth wedi dychmygu gwraig i un o'r dynion mwyaf dylanwadol a welodd y dref, ond sylweddolodd ei gamgymeriad pan ofynnodd Owen iddi, 'Allen i ga'l gair 'da Mrs Llewelyn?'

'Dewch mewn,' meddai'r wraig, gan symud o'r neilltu. 'O's gyda chi ryw newyddion 'te?' gofynnodd wedyn.

Edrychodd y ddau ar ei gilydd.

'Newyddion am beth?'

'Am y sawl driodd dorri i mewn 'ma.'

'I'r tŷ yma?'

'Ie.'

'Pryd o'dd hyn?'

'Toc wedi hanner nos nos Sadwrn.'

'Ffonioch chi'r heddlu?'

'Do. Ffoniodd y gŵr ac fe dda'th rhywun mas mewn rhyw awr. Ac fe dda'th un arall 'ma fore dydd Sul.' Edrych-odd Owen ar Gareth a nodiodd yntau ei ben i ddweud ei fod yn cofio am yr achos roedd Eifion Rowlands yn ym-chwilio iddo fore dydd Sul pan gyrhaeddodd Gareth yr orsaf.

'Gymeron nhw rywbeth, Mrs …?'

'Evans. Naddo, ond ry'n ni wedi gweud hyn i gyd wrth y ddau blismon. Fe wedodd yr un dda'th ddydd Sul y bydde fe'n hala rhywun mas i weld a o'dd olion bysedd o gwmpas y ffenest ond dda'th neb … nid dyna pam y'ch chi 'ma, ife?'

'Nage.'

'Diolch byth! Adawes i'r ffenest fel o'dd hi tan heddi rhag ofn y bydde rhywun yn dod, ond fe olchodd Idris y ffenestri lawr i gyd peth cynta'r bore 'ma.'

Caeodd Clem Owen ei lygaid am eiliad. 'Chi a'ch gŵr sy'n gofalu am y tŷ i Mrs Llewelyn?'

'Ie. Ond y'n ni'n dal heb ddweud wrth Mrs Llewelyn.'

'Pam?'

'Do'n ni ddim ise'i thrwblu hi. Ddethon nhw ddim mewn i'r tŷ, a cha'th dim byd 'i ddwyn na'i dorri. Fe wedwn ni wrthi os newch chi ddal rhywun.'

'Wel, yn anffodus, dwi ddim yn credu bod 'da ni lawer o obaith o hynny nawr. Wedi dod i weld Mrs Llewelyn ar fater arall y'n ni.'

'O, wel, dewch drwodd, ma' hi yn y cefn.'

'Eifion,' meddai Gareth wrth ei bennaeth.

'Ie. Arhosa di nes i fi ga'l 'y nwylo arno fe …'

Llifai'r haul cynnes drwy ffenest lydan yr ystafell ac o'i blaen eisteddai gwraig oedd yn debycach i ddarlun Gareth Lloyd o weddw cynghorydd dylanwadol.

Eisteddai Eirlys Llewelyn mewn cadair uchel, gefnsyth yn ymyl y ffenest, yn union fel pe bai'n barod i gyf-weld y ddau blismon am swydd. Roedd ei gwallt llwyd wedi ei dynnu'n dynn a'i glymu y tu ôl i'w phen, ond er bod hynny'n amlygu'r wyneb hirgul â'i drwyn syth a'i wefusau tenau, roedd y llygaid tywyll, cynnes yn ei arbed rhag ymddangos yn llym ac oeraidd. Roedd y ffrog las olau a wisgai, a'r mwclis aur am ei gwddf, yn cwblhau'r darlun o wraig ben-derfynol, broffesiynol. Roedd y dwylo a ddaliai'r papur yn gam ac esgyrnog gan gryd cymalau, ond er gwaethaf hynny roedd hi'n amlwg bod Eirlys Llewelyn yn wraig i'w pharchu.

'Mr Owen,' meddai gan wenu'n groesawgar. Plygodd y papur newydd y bu'n ei ddarllen yn ofalus, bwriadus, a'i roi i lawr ar y bwrdd yn ei hymyl.

'Bore da, Mrs Llewelyn. Dyma Sarjant Lloyd.'

'Bore da,' meddai Gareth heb fod yn siŵr a ddylai foes-ymgrymu neu gusanu ei llaw. Ond gan nad oedd Clem Owen wedi gwneud yr un o'r ddau, credai ei fod ar dir cadarn yn aros ble'r ydoedd.

'Eisteddwch,' meddai Eirlys Llewelyn gan gyfeirio at soffa gyferbyn â hi. 'Beth alla i 'i neud i chi, Mr Owen?'

Cymerodd y ddau blismon eu hamser i eistedd ac i wneud eu hunain yn gyfforddus ar y soffa lydan, ond ni allent ohirio'r awr anodd am byth.

'Dwi'n ofni mai newyddion drwg sy gyda fi,' meddai Clem Owen.

'O?'

'Fe ddethon ni o hyd i gorff Stephen, eich mab, ar waelod Craig y Bwlch.'

Cymylodd wyneb Eirlys Llewelyn a phylodd y llygaid bywiog. 'Ry'ch chi'n siŵr mai Stephen yw e?'

'Ydyn.'

Plygodd ei phen yn ddistaw ond yna fe'i cododd yn sydyn gan edrych ar Clem Owen. 'Craig y Bwlch, wedoch chi? Ai rywbryd brynhawn dydd Sul y daethon nhw o hyd iddo fe? Dwy ferch?' gofynnodd yn anghrediniol wrth iddi sylweddoli ei bod hi eisoes yn gwybod am farwolaeth ei mab yn ddiarwybod iddi, ond mai dim ond nawr roedd hi'n dod i wybod hynny mewn gwirionedd.

'Ie, dyna chi,' meddai Clem Owen a oedd hefyd yn ymwybodol o'r amgylchiadau anodd. 'Do'dd dim byd ar y corff fydde'n 'yn helpu ni i' adnabod e, a dim ond heddi y cethon ni gadarnhad mai Stephen o'dd e.'

'Wel,' a siglodd Eirlys Llewelyn ei phen yn ôl ac ymlaen gan osgoi llygaid y ddau blismon.

'A fydde hi'n well 'da chi petaen ni'n dod 'nôl rywbryd eto?' gofynnodd Owen.

'Na, mae'n iawn,' meddai, yn dal i osgoi edrych ar yr un o'r ddau. 'Ai boddi wnaeth e?'

'Ie, ond ma'n debyg bod rhywun wedi 'i daro ar 'i ben gynta cyn 'i … 'i daflu i'r Sawddan, a bod y môr wedi 'i olchi e i'r lan.'

'Roedd rhywun wedi 'i ladd e? Yn fwriadol?'

'O'dd.'

'Beth, oedd e wedi bod yn ymladd â rhywun?'

'Ma'n bosib iawn mai fel'na digwyddodd hi, ond ar hyn o bryd, am nad o's 'da ni dystion, ma'n rhaid i ni drin 'i farwolaeth fel achos o lofruddiaeth ac nid o ddynladdiad.'

'Oes, mae'n siŵr.'

'A dyna pam ry'n ni am ofyn rhai cwestiyne i chi, Mrs Llewelyn.'

'Am Stephen?'

'Ie.'

'Ond dwi ddim wedi ei weld e ers blynyddoedd.'

'Felly do'dd e ddim wedi bod yn aros 'ma'n ddiweddar?'

'Nag oedd.'

'Ry'n ni'n gwbod 'i fod e wedi bod yn aros yn rhywle yn yr ardal ers dydd Iau diwetha, o leia,' meddai Owen, gan droedio'r un tir, ond o gyfeiriad gwahanol. 'Ond hyd yn hyn dy'n ni ddim yn gwbod ble.'

'Mae'n ddrwg gen i, Mr Owen, ond alla i mo'ch helpu chi. Doedd Stephen ddim wedi bod 'ma.'

Roedden nhw wedi dieithrio, meddyliodd Gareth, ac roedd clywed ei fod yn yr ardal a heb ddod i'w gweld hi yn rhwbio mwy fyth o halen yn y briw. Yna, fel petai'n darllen ei feddyliau, fe ddechreuodd Eirlys Llewelyn esbonio pam nad oedd wedi gweld ei mab, ei hunig fab, ers dros ddeng mlynedd.

'Gadawodd Stephen ddeng mlynedd yn ôl. Ar y pryd roedden ni'n meddwl y byddai'n dod adre mewn ychydig wythnosau, ychydig fisoedd ar y mwya. Ond ddaeth e ddim.'

'Gysylltoch chi â'r heddlu?' gofynnodd Clem Owen.

'Naddo.'

'Pam? Bachgen ifanc yn diflannu; alle fe fod wedi ca'l 'i gipio.'

Gwenodd Eirlys Llewelyn. 'Na, roedden ni'n gwybod ar y pryd mai mynd o'i wirfodd wnaeth Stephen, gan gymryd cymaint o'i bethau ag y gallai eu rhoi yng nghar ei dad.'

'Allech chi ddweud wrthon ni yn union beth ddigwyddodd? Ma'n bosib iawn mai anffawd Stephen o'dd bod yn y lle anghywir ar yr amser anghywir, ac nad o's 'na fwy o reswm na hynny dros 'i farwolaeth. Ond ma' hi hefyd yn bosib bod 'da rhywun reswm da dros ei ladd. Hyd y gwyddon ni, dyw Stephen ddim wedi bod 'nôl yn y dre ers iddo adel, ac ma' hynny'n 'i gneud hi'n fwy tebygol mai rhywbeth yn gysylltiedig â'i fywyd yn lle bynnag o'dd e'n

160

byw a'r bobol ro'dd e'n ymwneud â nhw yno, sy'n gyfrifol am ei farwolaeth. Fe alle ca'l y cefndir 'da chi fod o help i ni.'

'Go brin, Mr Owen, ar ôl i gynifer o flynyddoedd fynd heibio. Ond os y'ch chi'n dewis. Adeg y Pasg oedd hi. Roedd Edward a finne wedi mynd am wylie i Awstria ac roedd Stephen wedi aros yma i weithio ar gyfer ei arholiadau Lefel A. Roedd Mam yn fyw bryd hynny ac roedd hi wedi dod yma i aros ac i ofalu am Stephen tra oedden ni i ffwrdd. Pan gyrhaeddon ni adre ar ddiwedd yr wythnos roedd Mam mewn cyflwr difrifol. Roedd Stephen wedi diflannu. Roedd e wedi mynd allan yn Volvo Edward, yn groes i'r hyn roedden ni wedi 'i ddweud wrtho, a heb ddod adre. Roedd gormod o ofn ar Mam ffonio'r heddlu, ond roedd hi'n siŵr bod Stephen wedi cael damwain a'i fod yn gorwedd yn rhywle wedi ei anafu.'

Tawodd am eiliad a chofiodd Gareth sut y bu farw ei gŵr.

'Pam na fyddech chi wedi ffonio'r heddlu ar ôl cyrra'dd adre?'

'Gymerodd hi dipyn o amser i ni gael yr hanes yn glir gan Mam ac ar y pryd roedden ni'n bwriadu ffonio'r heddlu. Ond wrth fynd o gwmpas y tŷ fe sylwes i fod tipyn o ddillad Stephen, a rhai o'i recordiau, wedi diflannu, ynghyd â'i lyfr cyfrif gyda'r gymdeithas adeiladu. Hefyd roedd 'na bentwr o bost wedi cyrraedd i ni yn ystod yr wythnos roedden ni wedi bod i ffwrdd ac yn eu plith, wedi ei wthio'n fwriadol i ganol y pentwr, roedd nodyn oddi wrth Stephen yn dweud ei fod wedi cael digon o fyw gyda ni a'i fod yn gadael cartref. A dyna'r hanes i gyd.'

'Nethoch chi drio dod o hyd i Stephen?'

'Naddo. Ar y pryd roedden ni'n meddwl y byddai'n dod adre, ond wrth i'r wythnosau fynd heibio, a hithau'n dod yn fwy amlwg na fyddai Stephen yn dychwelyd, collodd Edward bob diddordeb ynddo fe. Roedd e'n gwrthod siarad amdano hyd yn oed. I bob pwrpas, doedd Stephen ddim yn bod mwyach.'

'Glywsoch chi oddi wrth Stephen o gwbwl?'

'Naddo.'

'Nethoch chi ymgais i ddod o hyd i Stephen ar ôl i Mr Llewelyn farw?'

'Do.' Edrychodd o Clem i Gareth. 'Ar ôl i Edward farw doedd gen i neb; roedd Mam wedi marw flwyddyn cyn damwain Edward, ac fe ofynnes i i fy nghyfreithwyr drio dod o hyd i Stephen.'

'Fuon nhw'n llwyddiannus?'

'Do. Fe ddaeth y ditectif roedden nhw wedi ei gyflogi o hyd iddo fe yn Llundain.'

'Ond nethoch chi ddim cwrdd?'

'Naddo. Doedd Stephen ddim ise 'ngweld i. Roeddwn i wedi dweud wrth fy nghyfreithiwr nad oeddwn i am gael gwybod dim o hanes Stephen os nad oedd e am i fi wybod. Ac fel digwyddodd hi, doedd e ddim am gael dim i'w wneud â fi. Felly fe wnes i'r cyfan o hynny 'mlaen drwy fy nghyf-reithiwr.'

'Neud beth drwyddyn nhw?'

'Agor cyfri banc i Stephen.'

'Yn Llundain?'

'Ie.'

'Roesoch chi arian yn y cyfri?'

'Do.'

'O'dd Stephen yn defnyddio'r arian?'

'Dwi ddim yn gwybod.'

'A fydde 'da chi wrthwynebiad i ni siarad â'ch cyfreith-iwr am y ditectif?'

'Na, dim o gwbwl. Jarvis a Jones yw'r cwmni, a Richard Jones wnaeth y trefniadau.'

Cododd Clem Owen. 'Diolch yn fawr i chi am fod mor

barod i siarad â ni. Dwi'n gobeithio nad y'n ni wedi ymyrryd yn ormodol mewn materion personol.'

Cilwenodd Eirlys Llewelyn. 'Mae cymaint o flynyddoedd ers hynny, Mr Owen, fe allai fod wedi digwydd i rywun arall.'

Ond nid oedd un o'r tri yn yr ystafell yn ei chredu.

Edrychodd Kevin Harry drwy'r meicrosgop ar olion bysedd Paul Manning ac yna dechrau eu cymharu â'r olion roedd wedi eu darganfod yn y Sierra y bu Ieuan Daniels yn ei ddilyn nos Sadwrn. Y tu ôl iddo safai'r arolygydd Ken Roberts yn disgwyl am y canlyniad – a doedd dim byd yn waeth gan Kevin na chael rhywun yn edrych dros ei ysgwydd. Roedd wedi hen gyfarwyddo â'r CID yn disgwyl cael canlyniadau i'w brofion bron cyn i'r gwaed sychu hyd yn oed, ond roedd cael Ken Roberts yn cyfarth wrth ei sodlau yn brofiad y gallai fyw hebddo.

Rhan o apêl y swydd i Kevin oedd ei fod, i raddau helaeth, yn feistr arno'i hun, ond yn ystod y tridiau diwethaf roedd wedi 'i gael ei hun yn was bach i bawb. Pan glywodd Ken Roberts yn codi'r ffôn ac yn deialu, anadlodd Kevin yn rhwydd am y tro cyntaf ers amser.

Canodd y ffôn chwe gwaith cyn i Angela ei ateb.

'Hel ...'

'Wyt ti wedi siarad â Geraint?' gofynnodd ei gŵr ar ei thraws.

'Naddo. Ddim eto.'

'Iawn, paid.'

'Dwyt ti ddim am i fi ga'l gair 'da fe?'

'Na, ddim am y busnes nos Sadwrn. Paul Manning, mab Raymond Manning y pensaer, ma' fe'r un oedran â Geraint, on'd yw e?'

'Odi.'

'Nei di ofyn i Geraint pwy yw 'i ffrindie? Ffonia fi os cei di ryw synnwyr 'da fe.' A rhoddodd y derbynnydd i lawr.

'Wel, Kevin, be sy gyda ti i fi?'

'Dim, dwi'n ofni.'

'Dim o gwbwl?'

'Na. Yn ôl tystiolaeth yr olion bysedd, do'dd Paul Manning ddim yn y Sierra.'

'Damo! Beth am yr olion bysedd er'ill? Wyt ti wedi ca'l rhyw ymateb eto?'

'Ym … na.'

'Rwyt ti wedi 'u hanfon nhw drwy'r cyfrifiadur am gymhariaeth, on'd wyt ti?'

'Nagw. Os mai bechgyn lleol o'n nhw, do'n i ddim yn meddwl bod fawr o obaith ca'l cyfatebiad ar y cyfrifiadur.'

'Odi pob bachgen lleol mor ddiniwed â hynny? A phwy wedodd mai bechgyn lleol o'n nhw, beth bynnag?'

'Chi wedodd bod mab Raymond Manning yn un ohonyn nhw.'

'Do'n i ddim yn gwbod 'ny tan heddi, a'r ffordd ma' pobol ifanc yn hel trwbwl y dyddie 'ma, ma' 'na siawns go lew y bydd o leia un ohonyn nhw, bechgyn lleol neu beidio, ar y cyfrifiadur. Rwyt ti wedi colli dau ddiwrnod yn barod, ond dwi ise gwbod naill ffordd neu'r llall cyn diwedd y prynhawn. Iawn?'

'Iawn.' Roedd y dŵr yn uwch na'i ên erbyn hyn.

'Eifion! Dwi ise gair 'da ti,' galwodd y prif arolygydd ar draws cyntedd yr orsaf. Roedd wedi bod yn chwilio am y ditectif ifanc ers iddo ddychwelyd o dŷ Eirlys Llewelyn ac nid oedd yr hanner awr a aethai heibio ers hynny wedi tymheru dim ar ei hwyliau drwg.

'Est ti draw i Maes-yr-haf, Ffordd Glaneithin, ddydd Sul i holi ynglŷn â rhywun yn trio torri mewn 'na nos Sadwrn?'

'Do.'

'Beth ddigwyddodd ynglŷn ag ymchwiliad man-y-drosedd?'

'Dwi ddim yn gwbod. Y'ch chi am i fi ofyn i Kevin?'

'Dyw Kevin ddim wedi bod 'na.'

'Wel,' a chododd Eifion ei ysgwyddau i ddangos nad ei fai ef oedd hynny. 'Wedes i wrtho fe.'

'Wedest ti wrtho fe?'

'Do.'

'O, do fe?'

'Do.'

'Do fe wir?'

Erbyn hyn roedd gan y ddau gynulleidfa chwilfrydig iawn o blismyn ac aelodau o'r cyhoedd. Roedd John Williams, rhingyll y ddesg, yn ymfalchïo yn y drefn a gadwai ar yr orsaf yn ystod ei shifft, ac nid oedd clywed dau blismon yn dadlau'n gyhoeddus yn ei blesio.

'Allech chi'ch dau fynd i rywle arall?' gofynnodd yn gwrtais, gan fod un o'r ddau oedd yn dadlau yn brif arolygydd.

'Pan ddes i'n ôl o Ffordd Glaneithin fe es i i weld Kevin ond ro'dd e wedi mynd draw i Graig y Bwlch,' meddai Eifion, gan anwybyddu cais John Williams.

'Felly welest ti mohono fe?'

'Naddo, ond fe adawes i nodyn iddo fe.'

'Nodyn!' Roedd Clem Owen yn gweiddi nawr.

'Do, yn 'i stafell. Ddim arna i ma'r bai os na welodd e fe.'

'A,' meddai Owen, a wyddai am yr annibendod yn ystafell Kevin Harry. 'Nest ti ymdrech i'w weld e wedyn? I neud yn siŵr 'i fod e wedi ca'l y nodyn?'

'Naddo, ro'dd 'da fi bethe er'ill i'w gneud, syr.'

'Ma'n dda 'da fi glywed 'ny!'

'Hei! Chi'ch dau!' gwaeddodd John Williams.

'Iawn, John,' meddai Clem gan roi ei law ar ysgwydd y rhingyll.

'Na'dyw, syr, dyw hi ddim yn iawn. Nid mas fan hyn ma' cynnal cyfarfodydd CID. A gan ein bod ni'n sôn am gyfarfodydd, pryd y'ch chi'n mynd i symud y dynion 'na mas o'r *rec room*?'

'Pa ddynion?'

'Rheina sy wedi bod 'na ers naw o'r gloch y bore 'ma yn disgwl i rywun weud wrthyn nhw beth i' neud.'

Rhoddodd Angela Roberts y ffôn i lawr, cau ei llygaid a gollwng ochenaid fechan o ryddhad. I fyny'r grisiau fe glywai Geraint yn rhedeg dŵr y bàth. Efallai fod ganddo obsesiwn am lanweithdra, meddyliodd, ond roedd ganddo reswm da y tro hwn ac yntau wedi treulio'r bore yn torri'r lawntiau heb i neb ofyn iddo.

Cafodd Angela sawl cyfle yn ystod y bore i'w holi am y parti ar Draeth Gwyn, ond nid oedd ei haddewid i Ken i wneud hynny yn golygu ei bod yn awchu am y gorchwyl. Arbed ffrwgwd oedd ei hunig ystyriaeth pan gytunodd ac fe fyddai'n barod i wneud unrhyw beth i osgoi un arall o'r rheiny. Ond o leiaf nawr, a Ken wedi newid ei feddwl ynglŷn â'r parti, doedd yna ddim perygl y byddai Geraint yn ystyried ei bod hi hefyd wedi troi yn ei erbyn.

Byddai'n haws o lawer iddi ofyn i Geraint am enwau ffrindiau Paul Manning. A oedden nhw o dan amheuaeth? Plant o deuluoedd roedd hi wedi eu hadnabod ers blynyddoedd. Nid oedd yn synnu bod Geraint yn gwrthryfela yn erbyn Ken, yn enwedig o ystyried natur ei waith, ond roedd clywed Ken yn rhestru'r difrodi direswm a wnâi plant wedi ei diflasu a'i dychryn, yn enwedig gan fod cymaint ohonynt yn dod o deuluoedd tebyg iddynt hwy ac nid o gefndiroedd difreintiedig. Croesai drygioni bob math o ffiniau ac roedd Angela Roberts yn ddigon effro i sylweddoli nad oedd dim byd arbennig amdani hi a'i theulu a'u diogelai hwy rhag dioddef fel pawb arall. Roedd bywydau bob dydd hi a Ken mor wahanol. Roedd ef yn gyfarwydd â gweld ochr waethaf pobl ac yn rhy barod i gredu bod gan bob dyn y potensial i fod yn droseddwr, beth bynnag ei gefndir a'i gymeriad. Gallai amser newid a niweidio pawb – yn enwedig y diniwed.

Canodd cloch y drws ar draws ei synfyfyrio. Ar y rhiniog safai merch ifanc bymtheg neu un ar bymtheg oed, ac er ei bod yn ddiwrnod crasboeth, roedd wedi ei gwisgo o'i chorun i'w sawdl mewn du: cot fechan ddu dros grys T du, llodrau tyn du ac esgidiau du. Ond yn gyferbyniad i'r düwch un-ffurf hwn roedd wyneb ifanc, disglair o dan drwch o wallt hir melyn.

'Helô,' meddai gan wenu. 'Odi Geraint 'ma?'

'Odi, ond mae e yn y … yn brysur ar hyn o bryd.'

'Ma' 'da fi rywbeth iddo fe,' ac fe dynnodd ei dwylo o'r tu ôl i'w chefn a dangos y cwdyn plastig gwyrdd a ddaliai.

'Wel, gwell i chi ddod mewn, ond dwi'n ofni y bydd yn rhaid i chi aros amdano fe.'

'Ma'n iawn,' meddai, gan gamu i mewn i'r cyntedd ac edrych o'i hamgylch yn chwilfrydig.

'Pwy weda i wrtho fe sy 'ma?'

'Ceri.'

'Ceri. Iawn.'

Pe bai Angela wedi amseru Geraint o'r eiliad y sibrydodd drwy ddrws yr ystafell ymolchi fod yna ferch o'r enw Ceri yno yn gofyn amdano i'r eiliad y carlamodd i lawr y gris-iau, fe fyddai'n siŵr o fod wedi creu record byd newydd am sychu a gwisgo.

'Shw'mae?' meddai Geraint, gan wthio cynffon ei grys i mewn i'w jîns.

'Haia,' meddai Ceri, gan wenu.

'Iawn, fe'ch gadawa i chi, 'te,' meddai Angela wrthi ei hun yn bennaf, a chilio i'r gegin gan adael y drws yn gilagored.

'Dwi wedi dod â hon 'nôl i ti,' clywodd Angela Ceri'n dweud cyn iddi ei chlywed yn tynnu rhywbeth o'r cwdyn plastig. 'Rhag ofn dy fod ti'n poeni na welet ti hi byth 'to.'

'Dim amdani hi ro'n i'n poeni.'

Aeth y cyntedd yn dawel ac ymladdodd Angela yn erbyn y demtasiwn i edrych yn ogystal â gwrando.

'Ger, ma'n ddrwg 'da fi am nos Sadwrn.'

'Na, arna i o'dd y bai.'

'Nage.'

'Ie.'

Aeth popeth yn dawel unwaith eto a lledodd y distawrwydd drwy'r holl dŷ am rai eiliadau. Dan bwysau euogrwydd daliodd Angela ei hanadl.

'Dwi'n mynd mas!' ffrwydrodd llais Geraint ar draws y tawelwch wrth iddo alw ar ei fam.

Caewyd y drws â chlep ac erbyn i Angela ddod allan o'r gegin roedd y cyntedd yn wag – ar wahân i'r cwdyn plastig gwyrdd, a siaced y Dallas Cowboys yn ei ymyl.

Am yn agos i dair awr bu Carol Bennett yn crwydro lan a lawr afon Sawddan yn chwilio am y llecyn lle'r oedd yna lond rhwyd o gliwiau i'w harwain at y llofrudd, ond, fel rhyw bysgotwr gwael, doedd ganddi ddim i'w ddangos am ei hamynedd a'i hymdrech. Ond os nad oedd hi wedi cael unrhyw wybodaeth ychwanegol am amgylchiadau'r llofruddiaeth, roedd hi wedi clywed digon am droseddau eraill a gyflawnwyd yn ystod y penwythnos: gyrwyr dienaid, fandaliaid direswm, cŵn diberchennog a chariadon digywilydd. A hyd yn oed pan drawodd hi i mewn i gaffi'r Wylan am damaid amser cinio manteisiodd y perchennog ar ei hymweliad i gwyno am ŵr a gwraig canol oed fu yno'r diwrnod cynt am ginio ac a gerddodd allan heb dalu amdano. Yn gwrtais, yn amyneddgar ac yn llawn cydymdeimlad gwrandawodd Carol ar gŵyn pob un cyn eu cynghori i fynd â'u cwynion i'r orsaf lle câi pob un ohonynt y sylw dyledus. Ond fe wyddai mai nifer fechan ohonynt a wnâi gŵyn swyddogol. Hanner dwsin o droseddau eraill na fyddai byth yn ystadegau.

Gadawodd Carol yr afon a cherdded yn ôl am ei char. Digon yw digon; roedd hi'n ymddangos nad oedd neb, ar wahân i'r llofrudd, yn gwybod beth ddigwyddodd.

'Hei!'

Trodd Carol a gweld dyn bychan, blêr mewn hen drowsus llydan, llwyd a chot werdd olau, yn hercio ar ei hôl. Disgynnodd ei hysgwyddau. Doedd hi'n bendant ddim mewn hwyliau i siarad â Jackie Pool. Jackie Pool, neu Pooler, fel y gelwid ef gan y rhai a gadwai gwmni iddo mewn tafarn a gwter. I rai, roedd Jackie'n gymeriad ac yn aderyn prin annibynnol, un o'r hen deip oedd yn byw ar ymylon cymdeithas. Ond nid oedd rhaid iddyn nhw glirio'r llanast a adawai Jackie ar ei ôl ym mha dafarn bynnag y dewisai dreulio'i noson. Trempyn drewllyd, diog a diwerth oedd Jackie i eraill, ond ni wyddent hwy am y pymtheng mlynedd y bu'n gwasanaethu ym myddin ei Mawrhydi nac am y tri mis ger ynysoedd y Malvinas nac am y chwe awr a dreuliodd yn ceisio achub ei ffrindiau o grombil y *Sir Galahad*. Fe wyddai Carol Bennett am amlochredd ei gymeriad, ac er iddi gydymdeimlo â'i ffawd ar y dechrau, roedd deng mis o brofi mai poendod parod ei gŵyn, tenau ei groen a byr ei dymer oedd Jackie, wedi caledu ei hymateb iddo.

'Hei! Chi!' gwaeddodd Jackie arni'n wyllt, gan ofni nad oedd hi wedi ei glywed.

Arhosodd Carol amdano. Beth oedd pum munud arall o'u cymharu â'r oriau roedd wedi eu gwastraffu'n barod?

Cyrhaeddodd Jackie a'i wynt yn llifo fel dŵr rhwng ei fys-edd. Edrychodd Carol yn ddiamynedd arno tra ymladdai am ei anadl. Roedd Jackie wedi dweud wrthi droeon ei fod wedi bod yn dipyn o ymladdwr yn y fyddin a'i fod wedi ennill sawl pencampwriaeth yn y sgwâr, ond wrth edrych arno yn ei ddau ddwbl yn pwyso ar wal y cei yn llowcio'r awyr hallt fel pysgodyn newydd ei dynnu o'r dŵr, ni allai Carol ddychmygu'r corff tenau, crwm yn cyflawni'r un orchest. Roedd cadw'i berchennog yn fyw bron yn ormod o ymdrech iddo. Rhwbiodd Jackie ei goes gloff – canlyniad i frwydr nos Galan gyda thacsi – a throi ei lygaid melyn, pŵl i edrych ar Carol. Yn wyth a deugain mlwydd oed roedd wedi byw ddwywaith hynny'n barod.

'Helô, Jackie.'

'Galwes i chi,' cwynodd Jackie, gydag angerdd un oedd wedi hen arfer â chael ei anwybyddu, ond heb gyfarwyddo â'r sarhad.

'Ac fe glywes i ti. Be sy'n dy boeni di?'

Closiodd ati fel un a chanddo gyfrinach fawr. 'Chi fod gofalu am bobol, on'd y'ch chi?' Roedd yr ychydig anadl oedd ganddo'n gorlifo o ddrewdod cwrw.

'Y da a'r drwg, Jackie.'

'Ro'dd car bron â 'mwrw i lawr.' A rhwbiodd ei goes eto.

'Driest ti neidio ar ben hwnnw hefyd?'

Cymerodd Jackie gam yn ôl a sgwario'i ysgwyddau'n fygythiol. 'Pwy sy'n gweud bo' fi'n neidio ar ben ceir?'

'Beth ddigwyddodd, Jackie?' gofynnodd Carol yn flin-edig.

'Ro'dd y car 'ma bron â 'mwrw i lawr!' atebodd Jackie, yn synnu nad oedd Carol wedi ei glywed y tro cyntaf.

'Ble'r o'dd hyn?'

'Draw fan'co,' a phwyntiodd yn ôl i gyfeiriad yr harbwr.

'Pryd? Nawr?'

'Nage. Dau ddiwrnod 'nôl.'

Ochneidiodd Carol. 'Dydd Sul?'

'Nage, yn y nos.'

'Nos Sul?'

Oedodd Jackie am rai eiliadau cyn ateb. 'Falle.'

Ystadegyn arall i'w daflu i'r gwynt, meddyliodd Carol. 'Beth ddigwyddodd?'

'Ro'n i'n croesi'r hewl a da'th y car 'ma rownd y cornel a bron â 'mwrw i lawr.'

Gwyddai Carol mai ofer fyddai gofyn iddo sut fath o gar oedd e na hyd yn oed ei liw, ac am ei rif … os nad oedd Jackie'n cofio'r diwrnod, pa obaith oedd cael manylion di-bwys felly?

'Reit, Jackie, fe ga i weld a allwn ni ddal y gyrrwr,' meddai Carol, ac fe ddechreuodd gerdded i ffwrdd, yn awyddus i ddianc cyn iddo ddechrau ar un o'i storïau.

'Ar 'yn ffordd i weld Sim Metcalf o'n i …' dechreuodd Jackie, gan ddechrau adrodd un o'i storïau. Roedd Jackie a Sim yn adar o'r unlliw a doedd gan Carol ddim diddordeb mewn clywed eu hanes.

'Da iawn, Jackie. Cofia fi at Sim y tro nesa weli di fe. Rwyt ti'n edrych yn dda, yn ffasiynol iawn yn dy got new-ydd.'

Newidiodd agwedd Jackie. ''I cha'l hi 'nes i!' gwaeddodd. Edrychodd Carol yn gyhuddgar arno. Fe ddylsai fod wedi sylwi ar ei got yn gynharach, ond roedd ei blinder wedi ei gwneud yn esgeulus. Er gwaetha'r staen cwrw a dyn-a-ŵyr beth arall ar ei blaen ac ar ei llawes chwith, roedd y got yn un newydd. Roedd y defnydd ysgafn o ansawdd da a'i gwnïad yn gymen. Hanner uchaf siwt haf ddrud, meddyliodd Carol. Credai iddi glywed am ei hanner isaf yn ddiweddar.

'Chest ti mo hon gan neb, Jackie.'

'Do, 'te!'

'Naddo.'

'Pwy sy'n gweud?'

'Fi. Ble gest ti hi?'

''I cha'l hi!'

'Jackie, wyt ti ise dod gyda fi i weld Inspector Roberts?'

''Nes i ddim 'i dwgyd hi!'

'Ble gest ti hi, Jackie?'

''I ffeindio hi.'

'Jackie!'

'Do. Fydden i ddim yn 'i dwgyd hi.'

'Ble ffeindiest ti hi, 'te?'

Rhythodd Jackie arni. Gallai Carol ei weld yn meddwl ac yn chwilio am y nerth i'w gwrthsefyll, ond roedd y blyn-yddoedd a'r cwrw wedi hen ysigo penderfyniad yr ymladdwr.

'Lawr fan'co,' meddai'n dawel gan bwyntio unwaith eto i gyfeiriad yr harbwr.

'Ar bwys ble'r o'dd y car bron â dy fwrw di?'

'Ie,' a goleuodd y llygaid pŵl ryw fymryn. 'Ar ôl iddo fe bron â 'mwrw i.'

'Yr un noson?'

'Ie.'

'Nos Sul?'

'Ie.'

'Neu nos Sadwrn?'

Unwaith eto roedd Jackie Pool yn ceisio pwyso a mesur pa ateb fyddai'n plesio Carol, a pha ateb fyddai'n fanteisiol iddo ef, ond dewisodd, fel arfer, y llwybr canol. 'Falle.'

Cydiodd Carol yn ei fraich a theimlo ansawdd ddrud y got rhwng ei bysedd. 'Dere i ddangos i fi ble'n gwmws y ffeindiest ti'r got 'na, Jackie.'

Eisteddai Ken Roberts yn ei ystafell yn aros i'r ffôn ganu. Roedd yn disgwyl dwy alwad ac ni phoenai pa un a dderbyniai gyntaf: galwad Angela neu alwad Arwel Watkins.

Wedi i Paul Manning wrthod ymhelaethu ar ei ddatganiad, ni welai Ken Roberts unrhyw bwrpas mewn parhau â'r cyfweliad, ac fe drosglwyddodd y bachgen i ofal swyddog y ddalfa er mwyn i hwnnw ddelio â'r troseddau roedd Paul wedi cyfaddef iddo eu cyflawni. Ond o wneud hynny fe wyddai Ken Roberts y byddai Arwel Watkins yn cysylltu ag ef cyn diwedd y dydd. Fe wnâi Raymond Manning yn siŵr o hynny.

Rhoddodd ei bibell i lawr ar y ddesg a chydio yn natganiad Paul. Roedd yn barod i dderbyn bod y rhan fwyaf o'r hyn roedd wedi ei ddweud yn wir. Ond nid y gwir i gyd, chwaith. Bu mwy o ddigwyddiadau, a'r rheiny'n rhai mwy difrifol, ar ôl iddynt adael Capel Bethania, ac o ystyried hynny roedd cwymp Paul Manning wedi bod yn un ffodus iawn iddo.

Cyfaddefodd Paul mai ef a'i ffrindiau oedd y pum bachgen roedd David Ellis wedi eu gweld yn difrodi'r ceir yn Ffordd yr Eglwys. Ac roedd hefyd wedi cyfaddef mai ef a'i ffrindiau a daflodd gerrig at Gapel Bethania, ond nid oedd wedi dweud gair am y Sierra. Drwy ofn neu drwy anwybodaeth? Gwelodd Ieuan Daniels bedwar bachgen ger y capel ac fe gredai mai'r pumed oedd yn gyrru'r car. Gwelodd Ieuan un o'r bechgyn yn cwympo i mewn i'r fynwent, ac os mai Paul Manning oedd hwnnw – ac roedd y ffaith nad oedd Kevin wedi dod o hyd i'w olion bysedd yn y Sierra yn cadarnhau hynny – yna pwy oedd y pumed bachgen a welodd Megan Johnson yn rhedeg i ffwrdd oddi wrth y car?

Un ochr fratiog iawn o'r digwyddiadau oedd gan Ken Roberts ar hyn o bryd ac fe edrychai ymlaen at gael gair â'r bechgyn eraill er mwyn llenwi rhai o'r bylchau.

Canodd y ffôn ac ni allai Ken Roberts beidio â gwenu pan glywodd lais Arwel Watkins yn ei gyfarch.

'Allen ni ddod i'ch gweld chi'r prynhawn 'ma, inspector?'

'Wela i ddim diben i hynny, Mr Watkins, os nad o's 'da chi fwy i'w gynnig nag o'dd 'da chi'r bore 'ma.'

'Dwi'n credu bod Paul wedi dangos yn ddigon clir y bore 'ma ei barodrwydd i'ch cynorthwyo chi.'

'Ise achub 'i gro'n ma' Paul Manning, neu o leia dyna ma'i dad am 'i neud, er gwaetha'r hyn wedodd e. Do's 'da Paul ddim syniad pa fis o'r flwyddyn yw hi.'

Ochneidiodd Arwel Watkins cyn bwrw ymlaen â'i lith. 'Ers i ni'ch gadael chi'r bore 'ma, mae'r tri ohonon ni wedi bod yn ystyried sefyllfa Paul yn ofalus iawn, ac mae'n bosib ein bod ni wedi taro ar gynnig a fydd yn cwrdd â'ch dymuniadau chi a ninnau. Os allen ni gwrdd i drafod …'

'Ond do's 'na ddim byd i'w drafod, Mr Watkins. Odych chi'n meddwl 'i bod hi'r tu hwnt i'n gallu ni i ddod o hyd i ffrindie Paul? Ma' bechgyn yr oedran 'na'n tueddu i gadw'r un cwmni, a mater o amser, byr amser, fydd hi cyn y down i wbod pwy yw ffrindie Paul. Ond …' ac fe oedodd i wneud yn siŵr bod y cyfreithiwr yn gwrando'n astud. 'Ond os gewn ni'r enwe gyda Paul gynta, ma'n bosib y gallen ni ystyried hynny'n arwydd o'i awydd i'n cynorthwyo ac nid i wastraffu …'

'Ken!' Gwthiwyd drws yr ystafell ar agor a brasgamodd Clem Owen i mewn yn chwyrnu fel tarw. 'Dwi newydd …'

Cododd Ken Roberts ei law arno a sibrwd, 'Hanner munud, Clem.'

'Paid â …' dechreuodd y prif arolygydd ond anwybyddodd Ken Roberts ef a chario ymlaen â'i sgwrs ar y ffôn.

'Dyna'r sefyllfa, Mr Watkins.'

'Dwi ddim yn deall eich agwedd, inspector,' meddai Arwel Watkins ar y ffôn. 'Dyw Paul Manning ddim yn droseddwr difrifol. Dyw e'n ddim byd ond bachgen ifanc sydd wedi gwneud un camgymeriad.'

'Do's 'da fi ddim amser i'w wastraffu ar y gêmau ro'ch chi a'r Mannings yn 'u chware'r bore 'ma. Fe ddylsech chi fod wedi 'i gynghori'n well cyn dod i 'ngweld i. Ond os y'ch chi mor hoff â hynny o gêmau fe allwch chi ystyried eich bod chi mewn ras, ac mai 'nesg i yw'r diwedd. Pwy bynnag sy'n cyrra'dd 'ma gynta gydag enwe'r bechgyn er'ill sy'n ennill.'

Ac fe roddodd y ffôn i lawr a gwên fodlon iawn ar ei wyneb.

'Ti'n edrych yn bles iawn,' meddai Owen oedd wedi bod yn cerdded yn ôl ac ymlaen yn ddiamynedd tra oedd Ken Roberts yn gorffen ei sgwrs ar y ffôn.

'Odw i? Wel, ma' pethe'n gwella, ma'n rhaid i fi weud.'

'Ma'n dda 'da fi glywed. Nawr, alli di weud wrtha i beth ma'r ugen dyn 'na'n neud lan yn y *rec room*?'

'Beth?'

'Dwi newydd fod lan 'na ac ma' 'na ugen o ddynion wedi bod 'na ers chwarter i naw yn disgwl i ti weud wrthyn nhw beth i' neud.'

'Ffylied!' meddai Ken. 'Ma'n ddrwg 'da fi, Clem. Lloyd o'dd yn trefnu'r rhestr ddyletswydde am heddi.'

'Ie, tan i fi roi gwaith arall iddo fe. Dy waith di o'dd cario mla'n i drefnu'r dynion.'

'Iawn, o'r gore, Clem, ond fe gododd rhywbeth arall, pwysicach ...'

'Pwysicach? Ken, ry'n ni ar ganol ymchwiliad i lofruddiaeth sy'n llyncu amser ac adnodde fel cynghorwyr mewn gwledd. O's 'da ti unrhyw syniad faint ma'r bore 'ma wedi'i gostio i ni heb ddim i' ddangos amdano fe? Fe eith David Peters yn benwan pan glywith e am hyn. Uffach wyllt, Ken! Ugen o ddynion yn segur am fore cyfan.'

'A dim un o'r rheiny â digon o synnwyr cyffredin i ddod i chwilio amdana i.'

'Paid trio symud y bai, Ken. Fe ethon nhw i'r stafell reoli i weld beth o'dd yn digwydd ond doeddet ti ddim 'na. Ble'r o't ti?'

'Bron yn syth ar ôl i ti a Lloyd adel fe ges i alwad ffôn o'r ddesg i ddweud bod Arwel Watkins, y cyfreithiwr, a Raymond Manning – ti'n gwbod, y pensaer – ise 'ngweld i ynglŷn â'r busnes 'na yn Ffordd yr Eglwys.'

'Ken, ddim hwnna 'to.'

'Dwi bron â chau pen y mwdwl ar yr holl beth, Clem. Mab Raymond Manning o'dd un o'r bechgyn o'dd yn gyfrifol am y difrod fan'ny ac yn y capel. A nhw hefyd o'dd yn y car ro'dd Daniels yn 'i gwrso.'

'Hm. Ac ma' fe wedi cyfadde i hyn i gyd?'

'Ma' Paul Manning wedi cyfadde i'r difrodi ond ddim gair eto am y car. Ma' fe'n trio'i ore i ddod mas ohoni ac i beidio enwi 'i ffrindie, ond fydd hi'n ddim problem ffeindio mas pwy y'n nhw.'

'Wyt ti'n siŵr?'

''I gyfreithiwr o'dd ar y ffôn 'na nawr. Ma' fe am ga'l cyfarfod arall ac mae e'n gwbod yn iawn mai gwastraffu 'i amser a gneud pethe'n wa'th i Paul Manning fydd e os na cha i'r enwe gyda fe'r tro 'ma.'

'Wel, ma' hynny'n rhywbeth, ond dyw e ddim yn dileu cawlach y bore 'ma.'

'Dwi'n gwbod, ond ceith y gost 'i llyncu gan yr ymchwiliad i gyd. Pan ddaw David Peters 'nôl o'i wylie fe ddyle'r ymchwiliad i'r llofruddiaeth fod wedi symud mla'n dipyn ac fe fydd y pump fandal o'dd yn gyfrifol am ddamwain Ieuan wedi 'u dal hefyd.'

'Ti'n swnio'n hyderus iawn.'

'Diwrnod arall ac fe fydda i wedi cwpla gyda Paul Manning a'i ffrindie a galla i roi'n holl amser i'r llofruddiaeth wedyn. Bydd popeth yn iawn, gei di weld.'

Canodd y ffôn unwaith eto ac estynnodd Ken Roberts amdano.

'Angela!' meddai, ac fe winciodd ar Clem Owen.

Rhan o etifeddiaeth amaethyddol a morwrol yr ardal oedd y nifer helaeth o gwmnïau cyfreithwyr oedd yn y dref, a gyda dirywiad y diwydiannau hynny fe fyddai dyn wedi disgwyl lleihad cyfatebol yn nifer y cyfreithwyr. Ddim o gwbwl. Bydd cyfreithwyr, fel y tlodion, gyda ni o hyd – ac yn ôl rhai, nifer y naill sy'n gyfrifol am nifer y llall. Ffoniodd Gareth Lloyd gwmni Jarvis a Jones i drefnu cyfarfod yn syth ar ôl iddo ef a Clem Owen ddychwelyd o weld Eirlys Llewelyn. Roedd wedi disgwyl rhywfaint o amharodrwydd ar eu rhan i drafod materion preifat eu cwsmeriaid, ac fe'i synnwyd pan gytunodd Richard Jones i gyfarfod ag ef y prynhawn hwnnw.

Curodd yr ysgrifenyddes, a oedd wedi ei arwain o'r cyntedd, unwaith ar y drws pren solet cyn ei agor. Roedd desg lydan o flaen y ffenest a ffàn drydan yn sibrwd yn dawel arni.

'Sarjant Lloyd,' meddai llais o'r gornel.

Trodd Gareth i gyfeiriad y llais a gweld dyn tenau yn eistedd yn goes-groes ar gadair isel yn darllen. Cododd y dyn ac erbyn iddo ddad-blygu ei goesau, roedd o leiaf chwe modfedd yn dalach na Gareth.

'Diolch am gytuno i 'ngweld i, Mr Jones,' meddai Gareth, gan gydio yn llaw estynedig y dyn.

'Steddwch,' meddai Richard Jones, gan dynnu ei sbectol

a'i gadael i hongian ar linyn o amgylch ei wddf. 'Roedd Mrs Llewelyn wedi ffonio yn gofyn i mi eich cynorthwyo.'

'Ac fe ddwedodd Mrs Llewelyn wrthoch chi mai corff Stephen o'dd yr un y cafwyd hyd iddo ar waelod Craig y Bwlch.'

'Do.' Eisteddodd y tu ôl i'r ddesg gan wthio'i gorff hir yn isel yn y gadair ledr a chodi ei goesau dros ymyl y ddesg. 'Dwi ddim yn synnu. Wel, ydw, dwi *yn* synnu mai ar waelod Craig y Bwlch y buodd e farw, ond dwi ddim yn synnu ei fod wedi marw mewn amgylchiadau amheus.'

'O?'

'Creadur hunanol ac annymunol heb unrhyw fath o egwyddor oedd Stephen Llewelyn. A dyna pam na welwch chi fi'n galaru ar ei ôl. Er, mae fy nghydymdeimlad llwyraf â'i fam, wrth gwrs. Fe dderbyniodd hi ei chyfrifoldeb tan y diwedd, pan nad oedd neb, gan gynnwys Stephen, mae'n siŵr, yn disgwyl iddi wneud hynny.'

'Ro'ch chi'n 'i nabod yn dda?'

'Yn dda iawn ar un adeg. Cafodd Stephen bob cyfle, llawer mwy o gyfle na'r mwyafrif o blant, ond doedd e ddim yn ei werthfawrogi. Roedd Edward Llewelyn, ei dad, yn weithiwr caled ac yn ŵr busnes craff iawn ac mae Eirlys Llewelyn yn dal i elwa hyd heddiw. Pe bai Stephen wedi defnyddio ychydig o'i ben, a galla i ddim gwadu nad oedd ganddo ddigon yn ei ben, fe fydde fe wedi etifeddu sylfaen gadarn iawn i adeiladu arni.'

'Ond do'dd e ddim yn dod mla'n â'i dad.'

'Doedd Stephen ddim yn dod ymlaen â neb. Doedd e ddim yn dod ymlaen â'i hunan hyd yn oed. Fe oedd ei elyn pennaf. Roedd pobl yn barod i roi rhywfaint o raff iddo am ei fod e'n fab i Edward Llewelyn, ond byddai Stephen yn taflu eu caredigrwydd a'u hamynedd yn ôl i'w hwynebau.'

'Fe ddwedoch chi fod Mrs Llewelyn wedi derbyn 'i

chyfrifoldeb tan y diwedd; beth yn hollol y'ch chi'n 'i olygu?'

Tynnodd Richard Jones ei hun i fyny yn y gadair a phlethu ei ddwylo ar y ddesg. 'Oni bai i Eirlys Llewelyn ddweud wrtha i i roi pob cymorth i chi, fydden i ddim yn cyfeirio at hyn, ond, wel … Ar ôl i ni ddod o hyd i Stephen yn Llundain ac iddo ef wrthod cyfarfod â'i fam, fe ofynnodd Eirlys Llewelyn i ni agor cyfrif banc iddo fe yn Llundain fel y gallai hi drosglwyddo arian iddo yn fisol o'i chyfrif.'

'Pam?'

'Am ei bod hi'n fam iddo. Dyna roeddwn yn ei olygu wrth ddweud iddi dderbyn ei chyfrifoldeb.'

'Ac ro'dd Stephen yn codi'r arian hyn?'

'Oedd. Hyd y gwn i. Nid fi yn bersonol wnaeth y trefniadau. Doeddwn i ddim am gael dim i'w wneud â Stephen. Roedd e wedi mynd, a gwynt teg ar ei ôl, ond gan mai ni yw cyfreithwyr Eirlys Llewelyn fe weithredon ni ar ei rhan.'

'Fydde hi'n bosib gweld adroddiad y ditectif dda'th o hyd i Stephen yn Llundain?'

'Bydde, ond mae'r adroddiad hwnnw'n hen iawn erbyn hyn.'

'Ma' 'da ni rywfaint o wybodaeth am fywyd Stephen yn Llundain ond ma'n bosib fod yna rywbeth yn yr adroddiad a alle'n helpu gyda'i lofruddiaeth.'

'Iawn. Fe wna i'n siŵr eich bod yn cael llungopi ohono.'

'A'r manylion am y cyfri banc.'

Agorodd y cyfreithiwr y ffeil oedd yn ei ymyl a thynnu dalen o bapur ohoni. 'Dyma enw'r banc a rhif y cyfrif roedd Eirlys Llewelyn yn talu dwy fil o bunnoedd y mis iddo ers i'w gŵr farw.'

'Chynigiwyd dim iddo tra o'dd 'i dad yn fyw?'

'Naddo, dim ceiniog.'

'Ro'dd e'n dal dig.'

'Peidiwch â chollfarnu Edward Llewelyn. Ddwedodd Eirlys wrthoch chi fod Stephen wedi cymryd Volvo newydd ei dad pan adawodd e gartre?'

'Do.'

'A'i fod e hefyd wedi cymryd y llyfr cofrestru ac wedi gwerthu'r car yn Llundain wythnos yn ddiweddarach?'

'Naddo.'

'Na, fydden i ddim yn disgwyl iddi wneud. Dyna'r math o berson yw Eirlys Llewelyn. Ac rwy'n gobeithio'ch bod chi'n gweld nawr sut fath o berson oedd Stephen Llewelyn hefyd.'

Safai Ken Roberts ar bwys drws yr ystafell gyf-weld yn edrych ar ei oriawr. Fe arhosai am ychydig eto cyn mynd i mewn i weld beth oedd gan y tri i'w gynnig. Tynnodd ei bibell o'i boced a dechrau ei llenwi.

Edrychai ymlaen at y cyfweliad. Byddai Arwel Watkins yn siŵr o geisio cadw'r cyfan ar dir niwlog 'beth-pe-bai', 'hyd-yn-oed-os' ac 'mae'n-rhaid-i-chi-gydnabod', tra byddai Raymond Manning, er gwaethaf cyngor ei gyfreithiwr, am wneud popeth i gynorthwyo'r heddlu. A Paul? Fe fyddai Paul yn ceisio troedio rhyw ffin nad oedd neb ond ef yn ei gweld rhwng ei achub ei hun ac amddiffyn ei ffrindiau. Roedd y cyfan yn argoeli am gyfarfod diddorol iawn, yn enwedig gan nad oedd unrhyw amheuaeth beth fyddai'r canlyniad. Fe gâi Ken Roberts enwau'r bechgyn eraill doed a ddelo.

Roedd galwad Angela wedi codi ei galon hefyd. Er nad oedd hi wedi cael cyfle i holi Geraint am ffrindiau Paul Manning, roedd clywed am y ferch yn dychwelyd ei got yn profi nad oedd ganddo ddim i'w wneud â'r fandaliaeth. Rhoddai hynny ryw awch ychwanegol iddo at yr ornest oedd i ddod. Taniodd ei bibell a gwenu wrth feddwl mai dim ond rhyw helynt carwriaethol fu'n poeni Geraint.

Edrychodd ar ei oriawr. Barod neu beidio, meddai wrtho'i hun, dwi'n dod.

Ddeugain munud yn ddiweddarach roedd Ken Roberts yn edrych drwy'r ffenest ar y tri yn cerdded ar draws y maes parcio. Dringodd Paul i mewn i Granada ei dad gan adael y ddau arall i drafod ei ddyfodol. Edrychodd Ken Roberts unwaith eto ar y pedwar enw ar y darn papur – enwau a gafodd heb fawr o drafferth yn y diwedd. Roedd Raymond Manning wedi bod yn agored iawn ac yn awyddus i blesio fel roedd yr arolygydd wedi tybio y byddai, ac roedd Paul hefyd, er yn dal i fynnu fod y bechgyn eraill wedi ei adael ym mynwent Capel Bethania, wedi dewis, drwy gyngor neu ei benderfyniad ei hun, bod yn gall a chynorthwyo'r heddlu. Ond ymddygiad Arwel Watkins oedd wedi synnu Ken Roberts fwyaf.

Clywodd sŵn car yn cychwyn a chododd ei ben i weld Raymond Manning yn gyrru allan o'r maes parcio. Roedd Arwel Watkins yn dal yno yn rhoi ei ges ar sedd gefn ei gar cyn dringo i mewn i sedd y gyrrwr. Edrychodd Ken Roberts arno'n bacio allan o'i le parcio a sylwi, wrth iddo droi am y fynedfa, ar grafiad hir a dwfn ar flaen chwith yr Honda Prelude. Tybed ai hynny oedd i gyfrif am ei dawedog-rwydd, dyfalodd Ken Roberts. Yn sicr roedd rhywbeth ar feddwl y cyfreithiwr ac roedd ei holl ymarweddiad wedi bod yn gwbl wahanol i'r hyn fu yng nghyfarfod y bore. Ai rhwng y ddau gyfarfod neu ai rhwng galwad ffôn Arwel yn gofyn am y cyfarfod a'r cyfarfod ei hun roedd rhywbeth wedi digwydd? Efallai bod Raymond Manning wedi blino ar ochrgamu a chwarae â geiriau ei gyfreithiwr ac wedi mynnu cymryd yr awenau. Roedd perthynas y ddau wedi newid ac efallai mai dyna pam roedd Arwel Watkins a'i ben yn ei blu. Ond fel dyn busnes oedd wedi arfer ymddiried y cyfan i'w gyfreithiwr, a fyddai Raymond Manning yn debygol o wneud hynny?

Yn sicr, Raymond Manning oedd wedi gwneud y siarad i gyd, ac ar sawl achlysur roedd wedi dweud mwy nag yr oedd, ym marn yr arolygydd, yn ddoeth, ond nid oedd Arwel Watkins wedi ei atal unwaith fel y gwnaethai yn y cyfarfod cyntaf. Nid oedd y cyfreithiwr chwaith wedi ceisio dadlau diniweidrwydd Paul, na mynnu, fel roedd Ken Roberts wedi disgwyl iddo'i wneud, mai rhan fach ar gyrion yr helynt roedd ef wedi ei chwarae. Nawr, cyn i'r bechgyn eraill a'u cyfreithwyr hwy gael cyfle i ddweud eu storïau, oedd yr amser i roi achos Paul mewn golau ffafriol, ond roedd Arwel Watkins wedi hepgor y cyfle.

Trodd i ffwrdd o'r ffenest. Beth bynnag oedd yn gyfrifol am y newid yn Arwel Watkins, roedd Ken Roberts gam yn nes at gael diweddglo boddhaol i'r achos a dyna'r unig beth oedd yn bwysig iddo'n awr; ac fe fyddai mynd â'r enwau i Clem Owen yn rhoi boddhad iddo hefyd. Eto, er gwaethaf hyn, roedd rhywbeth ynglŷn â digwyddiadau'r awr ddiwethaf nad oedd Ken Roberts yn hollol fodlon arno.

Gadawodd yr ystafell a mynd i chwilio am Clem Owen i ddweud y newyddion da wrtho. Wrth iddo gerdded ar hyd y coridor fe welodd Kevin Harry yn dod i'w gyfarfod.

'Canlyniad olion bysedd y Sierra,' galwodd Kevin gan ddal amlen lwyd i fyny.

'O'r diwedd,' meddai Ken Roberts, gan gymryd yr amlen oddi wrth Kevin a'i ddilyn i mewn i ystafell y prif arolygydd. Roedd ei ddiwrnod yn gwella bob gafael.

'Sawl cyfatebiad?' Gofynnodd Clem Owen i Ken Roberts ddweud wrtho beth oedd cynnwys yr amlen.

'Un.'

'Gest ti enwe'r bechgyn er'ill gan Paul Manning, Ken?'

'Do. Ro'dd Paul yn dal i gadw at 'i stori nad o'dd e gyda'r lleill ar ôl Capel Bethania.'

'Ma'n rhaid mai olion bysedd un o'r lleill yw hwnna,' meddai Clem Owen.

'Nage,' atebodd Ken Roberts gan edrych ar y ddalen. 'Rhyw Stephen Michael Llewelyn yw hwn.'

'Beth?' a chymerodd Clem Owen y papur oddi wrtho. 'Kevin, rwyt ti wedi anfon yr un set o olion bysedd ddwy-waith!' taranodd Clem Owen.

'Nagw,' protestiodd Kevin.

'Wel wrth gwrs dy fod ti. Edrychest ti'n fanwl ar hwn?'

'Ro'dd Inspector Roberts am weld beth bynnag y bydden i'n 'i ga'l o'r Sierra ar unwaith, a dwi wedi bod yn brysur gyda'r gwaith ar y lladrad o'r Spar ...'

'Wel, rwyt ti wedi neud cawlach o hyn.'

'Byth. Ma' popeth yn ca'l 'i nodi'n ofalus. Ma' 'na drefn ...'

'Trefn? Wyt ti wedi gweld cyflwr dy stafell di'n ddiw-eddar?'

'Ddim arna i ma'r bai am hynny. Dwi wedi bod yn neud gwaith dau ranbarth ers pythefnos.'

'Dyw hynny ddim yn esgus dros gymysgu tystiolaeth achosion a methu mynd i archwilio manne trosedde. Est ti ddim draw i Faes-yr-haf yn Ffordd Glaneithin, do fe?'

'Ofynnodd neb i fi!'

'Gadawodd Eifion nodyn i ti.'

'Weles i ddim nodyn.'

'Wel dwi'n synnu dim; ma' fe'n siŵr o fod wedi 'i gladdu o dan domen o bapure'n rhywle.'

'Dwi ddim wedi cymysgu'r dystiolaeth 'ma.'

'Na? Stephen Michael Llewelyn. Odi'r enw 'na'n canu cloch?' ac estynnodd Owen y papur iddo. 'Ges i hwnna 'da ti bore 'ma,' aeth Clem Owen yn ei flaen tra astudiai Kevin y ddalen. 'Fe ddylen i fod wedi 'i ga'l e neithiwr ond ro't ti'n methu dod o hyd i fi. Wyt ti'n cofio?'

'Ond nid yr un canlyniad yw hwn,' mynnodd Kevin, gan ddal y ddalen i fyny. 'Dyddiad heddi sy arno fe.'

'Uffach wyllt, Kevin!' gwaeddodd Clem Owen ar y swyddog man-y-drosedd. 'Nei di wrando ar beth dwi'n trio'i ddweud wrthot ti? Rwyt ti wedi anfon yr un set o olion bysedd ddwywaith i ga'l 'u cymharu. A dyna pam ma' 'da ti ddau ganlyniad. Un ddoe ac un heddi. Wyt ti'n deall nawr?'

'Ond …'

'Dim ond o gwbwl, cer i chwilio yn annibendod dy stafell am y set iawn ac anfona nhw am gymhariaeth.'

'Ond …'

'Cer i drio 'to, Kevin!'

Cnodd Kevin ei dafod, a heb edrych ar un o'r lleill bwrodd am y grisiau.

'Dwi ddim yn gwbod be sy'n mynd mla'n fan hyn, Ken, nagw wir. Wthnos yn ôl fe fydden i wedi gweud bod gyda ni un o'r time gore yng Nghymru, ac ro'dd ein llwydd- ianne'n cadarnhau 'ny. Ond nawr … Os clywith ffôrs arall am hyn i gyd fe fyddwn ni'n fwy o jôc nag oedd tîm tai haf David Owen.'

Gwenodd Ken Roberts. 'Dy'n ni ddim cynddrwg â 'ny.'

'Wel, falle nag y'n ni, ond dy'n ni ddim llawer gwell chwaith. Beth am yr enwe 'ma, 'te? Wyt ti'n siŵr mai nhw yw'r rhai sy'n gyfrifol?'

'Yn ddigon siŵr i fynd i ga'l gwarant i'w harestio. Bydd yr olion bysedd gafodd Kevin yn y Sierra yn profi naill ffordd neu'r llall wedyn.'

'Os nad yw e wedi 'u colli nhw. Iawn, canlyniad da, Ken.'

'Diolch. Dwi'n edrych mla'n at 'u ca'l nhw mewn.'

'Bydde'n well 'da fi petait ti'n gallu cymryd drosodd trefnu'r ymchwiliad i'r llofruddiaeth yn lle Gareth.'

'Iawn, unwaith y bydda i wedi cwpla gyda'r bechgyn.'

'Na, Ken, nawr.'

'Beth?'

'Os wyt ti'n siŵr mai'r rhain yw'r bechgyn ddygodd y Sierra, fe alli di 'u gadel nhw i rywun arall; ma' dy waith di ar ben …'

'Na, Clem. Fy achos i yw hwn. Ro't ti am adel llonydd iddo fe ond fe fynnes i 'i gadw fe'n fyw a dod o hyd i'r rhai o'dd yn gyfrifol am ddamwain Daniels. Dwi wedi rhoi gormod o amser ac ymdrech i hwn i adel i rywun arall ga'l y boddhad o'i orffen.'

'Dwi'n ofni falle bod ca'l y canlyniad hwn yn rhoi gormod o foddhad i ti.'

'Nagyw! Dyw e'n golygu dim mwy nag unrhyw achos arall. Falle bod dod ag e i ben heb help neb arall yn rhoi rhywfaint o foddhad i fi, ond dyna i gyd.'

Nodiodd Clem Owen ei ben. 'Odi'r bechgyn hyn yn ffrindie i Geraint?'

'Na. Do's 'da nhw ddim byd i' neud â Geraint.'

'Ond ro'dd e yn y parti …'

'Fe wedes i 'ny wrthot ti.'

'Do, dwi'n gwbod, a dwi'n gwbod hefyd dy fod ti'n poeni am hynny ar y pryd.'

'Rwyt ti wedi gweld yr enwe. Odi enw Geraint 'na?'

'Nagyw, ond Ken …'

'Ac os wyt ti'n meddwl 'mod i'n para â'r ymchwiliad er mwyn cadw Geraint mas o drwbwl …'

'Ken!'

'Beth!'

'Gwranda ar dy hunan. Petait ti'n holi rhywun o'dd yn protestio'i ddiniweidrwydd fel'na, a fyddet ti'n 'i gredu fe?'

'Alli di ddim cymryd yr achos hwn oddi wrtha i, Clem.'

'Rwyt ti'n llawer rhy agos iddo fe ac os na alli di weld 'ny rwyt ti'n peryglu'r achos a dy sefyllfa dithe. Gyda'r holl sylw ma' trosedde gan bobol ifanc yn 'i ga'l ar hyn o bryd, allwn ni ddim fforddio gwneud dim o'i le, na mentro unrhyw bosibilrwydd o gawlio'r achos pan ddaw e i'r llys. Rwyt ti wedi neud gwaith da iawn ar hwn, Ken, nawr paid â'i sbwylo fe. Dwi am i ti gamu naill ochr a gadel i rywun arall ddod â'r bechgyn 'na mewn.'

'Pwy?'

'Fe ffeindia i rywun.'

'Pwy? Ma' pawb arall yn brysur gyda'r llofruddiaeth.'

'Paid poeni am 'ny, fe ffeindia i rywun.'

'Pwy, Clem?'

'Fe wna i fe fy hunan os bydd rhaid!'

Heb ddweud gair trodd Ken Roberts ar ei sawdl a cherdded allan o'r ystafel.

'Uffach wyllt!' meddai'r Prif Arolygydd Clem Owen wrtho'i hun. 'Sôn am whare plant.'

Cerddodd Clem Owen allan o'i ystafell ac i lawr y grisiau. Pe na bai'n cael ychydig o awyr iach ac amser i ffwrdd oddi wrth bawb a phopeth, byddai'n siŵr o ...

'Beth uffach sy 'da ti fan'na?'

Daliai Carol Bennett got newydd Jackie Pool, yr oedd wedi llwyddo i'w chael drwy gyfuniad o weniaith a bygwth, hyd braich o'i blaen.

'Dwi'n meddwl mai partner y trowsus sy 'da Kevin Harry yw'r got 'ma – y trowsus ro'dd Stephen Llewelyn yn 'u gwisgo.'

'Ife, wir? Ble gest ti hyd iddi?'

'Jackie Pool ffeindiodd hi ar ochor y ffordd – draw ar wal y cei ar bwys Crug yr Angor.'

'Da iawn, ond os yw Kevin yn mynd i ga'l 'i ddwylo ar

honna dwi ise bod yn bresennol i neud yn siŵr nad yw e'n 'i defnyddio hi i sychu 'i sgidie.'

Roedd Kevin Harry'n pwyso dros y bwrdd mawr ar ganol yr ystafell pan gerddodd Clem Owen a Carol Bennett i mewn. Cododd ei ben a suddodd ei galon.

'Kevin, ble ma'r trowsus ro'dd Stephen Llewelyn yn 'u gwisgo?'

'Yn y cwpwrdd 'co,' ac fe bwyntiodd at gwpwrdd dur ym mhen pella'r ystafell.

'Cer i nôl e, ma' Carol wedi dod o hyd i'r got.'

Edrychodd Kevin ar y dilledyn a ddaliai Carol allan o'i blaen fel anifail newydd drigo, ond ni symudodd tua'r cwpwrdd.

'Chi'n gwbod yr olion bysedd 'na yn y Sierra?'

'Ie?' meddai Owen gan gerdded at y cwpwrdd ei hun.

'Dwi wedi cymharu'r ddau ganlyniad ac ma'n nhw'n wahanol.'

'Dwi'n gwbod 'ny,' meddai Owen, gan drio agor y drws a'i gael ynghlo. 'Ond yr un olion y'n nhw.'

'Reit! Ma'n nhw'r un peth am mai'r un olion y'n nhw,' meddai Kevin yn frwdfrydig. 'Ond nid o'r un lle y cymeres i nhw.'

'Paid â siarad dwli ac agora'r cwpwrdd 'ma i fi.'

Ond trodd Kevin yn ôl at y bwrdd a symudodd Carol i sefyll yn ei ymyl.

'Dyma'r olion bysedd gymeres i o gorff Stephen Llewelyn,' ac fe gododd ddau gerdyn gwyn a phum ôl du i'w gweld ar y ddau.

'Rhain yw'r olion gymeres i o'r Sierra,' ac fe wasgarodd wyth cerdyn gwyn anghyflawn ar wyneb y bwrdd. Yn gyndyn, fel rhywun a gâi ei ddenu yn groes i'w ewyllys i wylio tric consuriwr, daeth Clem Owen yn ôl at y bwrdd.

'Dyma'r ddau ganlyniad ges i drwy'r cyfrifiadur,' ac fe'u rhoddodd i lawr ochr yn ochr ar y bwrdd.

Edrychodd y tri ar y cardiau ac ar y canlyniadau. Roedd y canlyniad a gyfatebai i'r deg ôl bys a gymerwyd o'r corff yn gyflawn ac yn cyfateb ar bob pwynt. Ond gan mai anghyflawn oedd yr olion a gymerwyd o'r Sierra, anghyflawn oedd y canlyniad.

'Ma'r ddau'n wahanol,' meddai Carol.

'Odyn,' meddai Kevin. 'Ond ma'r ddau hefyd yr un peth. Sy'n profi nad ydw i wedi neud camgymeriad.'

'Ond ma'n rhaid dy fod ti os wyt ti wedi ca'l dau ganlyniad i'r un set o olion ...' a sylweddolodd Clem Owen mai ef oedd wedi gwneud y camgymeriad.

'Ma' enw Stephen Michael Llewelyn ar y canlyniad hwn,' meddai Kevin, gan gydio yn y canlyniad cyflawn, 'am mai Stephen Michael Llewelyn o'dd y corff ar waelod Craig y Bwlch, ac ma' enw Stephen Michael Llewelyn ar y canlyniad hwn ...' ac fe gydiodd Kevin Harry yn y canlyniad anghyflawn,

'... am fod Stephen Michael Llewelyn wedi bod yn y Sierra,' meddai Carol Bennett a Clem Owen yn unsain.

Gwenodd Kevin Harry fel giât.

Trodd Clem Owen ben y ffàn drydan er mwyn iddi chwythu ei gwynt i'r ystafell gyfan.

'Wedest ti wrth Inspector Roberts ein bod ni'n cwrdd fan hyn?' gofynnodd i Carol, gan agor ail a thrydydd botwm ei grys.

'Naddo. Weles i mohono fe. Ma'n debyg 'i fod e wedi gadel yr adeilad ryw hanner awr 'nôl.'

Yn syth ar ôl ein sgwrs, meddyliodd Clem Owen.

'Ma'n drueni nag yw e 'ma gan mai 'i ymdrechion e sy'n gyfrifol am y ffaith ein bod ni wedi ca'l y cysylltiad rhwng y bechgyn, y Sierra a Stephen Llewelyn.'

Edrychodd Gareth o Clem i Carol ac yn ôl at ei bennaeth. Newydd ddychwelyd o swyddfeydd Jarvis a Jones oedd ef a dyma'r cyntaf iddo glywed am hyn. Roedd yn dechrau teimlo mai dod i mewn ar ganol pethau roedd e'n ei wneud drwy'r amser.

'Ma' 'na ryw gysylltiad naill ai rhwng y Sierra ro'dd Ieuan Daniels yn 'i gwrso, neu'r bechgyn o'dd wedi 'i ddwyn, a Stephen Llewelyn,' meddai Clem Owen pan sylwodd ar yr olwg ddryslyd ar wyneb Gareth. 'Ma' Inspector Roberts wedi ca'l enwe'r bechgyn ac mae e am 'u harestio nhw cyn gynted â phosib. Ond gan nad o's 'da fi'r syniad lleia beth yw'r cysylltiad rhyngddyn nhw, dwi am i ni ddod â'r hyn sy gyda ni o'r ddau achos at ei gilydd gynta cyn holi'r bechgyn. Be sy 'da ti i'w gynnig, Gareth?'

Edrychodd Gareth ar y nodiadau a wnaethai'n frysiog ar ôl iddo gael gwŷs i ystafell y prif arolygydd.

'Wel, dim byd am y bechgyn 'ma. Newydd ddod 'nôl o siarad â chyfreithiwr Eirlys Llewelyn am ddiflaniad Stephen ydw i.'

'Gest ti rywbeth?'

'Copi o adroddiad y ditectif dda'th o hyd i Stephen yn Llundain. Dwi wedi bod drwyddo fe ond do's 'na ddim byd o werth 'na erbyn hyn.'

'Trueni,' meddai Clem Owen. 'O's 'da ti rywbeth arall amdano fe ers iddo gyrra'dd y dre?'

'Dim byd mwy na'r ddau dro yn y gwesty a'r garej.'

'Dim byd ers hynny?'

Siglodd Gareth ei ben. 'Na.'

Trodd y prif arolygydd at Carol Bennett a dweud, 'Dy'n ni'n dal ddim tamed callach ble'r o'dd Stephen wedi bod yn aros ers iddo gyrra'dd 'ma. Do'dd 'i fam ddim wedi 'i weld e … beth am 'i ffrindie? Falle y dylen ni ystyried hynny. Rhywbeth arall, Gareth?'

'Ma' hi'n bosib bod 'na gysylltiad rhwng hyn i gyd a'r ymgais i dorri mewn i dŷ Eirlys Llewelyn nos Sadwrn. Mae e'n ormod o gyd-ddigwyddiad i ni 'i anwybyddu. Ma' Eifion yn gweithio ar hynny ar hyn o bryd, yn mynd o ddrws i ddrws yn Ffordd Glaneithin, ond dwi ddim yn obeithiol iawn.'

'Hm. Wel, ma'n rhy hwyr i neud dim amdano fe nawr, ond os o'dd 'na olion ar y ffenest 'na, fe allen nhw fod wedi'n helpu i ddarganfod pwy lofruddiodd Stephen Llewelyn. Carol, gwed wrth Gareth am y got.'

'Da'th Jackie Pool o hyd i'r got sy'n bartner i'r trowsus ro'dd Stephen Llewelyn yn 'i wisgo pan ga'th e'i ladd. Ro'dd hi wedi ca'l 'i thaflu ar y llawr ar bwys Crug yr Angor. Ro'dd 'da Jackie hefyd ryw stori am gar o'dd bron â'i fwrw i lawr cyn iddo ddod o hyd i'r got, ac ma'n bosib iawn ma'r Sierra o'dd y car hwnnw.'

'A dyw hi ddim yn bell iawn o Gapel Bethania i Grug yr Angor,' meddai Clem Owen. 'Fe alle un o'r bechgyn fod wedi cerdded lawr at yr afon tra o'dd y lleill yn taflu cerrig at y capel.'

'Welodd Jackie rywun ar bwys y got?' gofynnodd Gareth.

'Naddo,' atebodd Carol. 'Felly fe allwn ni gasglu fod rhywun wedi ymosod ar Stephen erbyn hynny.'

'Digon posib, ond dyw Jackie ddim yn cofio'n iawn pryd y da'th e o hyd i'r got. Nos Sadwrn yw'r cynnig agosa hyd yn hyn.'

'Ond fe alle hynny newid 'to.'

'Chi'n nabod Jackie cystal â fi.'

'Ydw. Dyw Jackie Pool ddim yn dyst dibynadwy iawn, ac am mai ef yw'r unig beth sy gyda ni ar hyn o bryd, ma'n rhaid i ni lenwi'r bylche yn 'i stori â chofnodion symudiade Ieuan. Gareth, pryd ddechreuodd e fynd ar ôl y bechgyn?'

Edrychodd Gareth ar ei nodiadau. 'Anfonwyd y neges

gynta iddo am bum munud ar hugain i un ar ddeg. Difrodi'r ceir yn Ffordd yr Eglwys o'n nhw bryd 'ny.'

'Dyna pryd adawodd e Draeth Gwyn?' gofynnodd Owen.

'Ym … nage,' atebodd Gareth, gan chwilio'n frysiog drwy ei nodiadau. 'Ro'dd e wedi gadel fan'ny am dair munud i ddeg pan a'th e i *domestic* ym Maes Heledd.'

'Felly o fan'ny a'th e i Ffordd yr Eglwys.'

'Ie, ma'n debyg,' meddai Gareth gan fodio'n frysiog drwy'r papurau cyfrifiadur. 'Gyrrodd Ieuan o gwmpas yn chwilio amdanyn nhw wedyn ac fe gafodd y neges am dorri ffenestri Capel Bethania. Ro'dd hynny am ugain munud wedi un ar ddeg.'

'Ond dim ond pedwar o fechgyn o'dd fan'ny pan gyrhaeddodd e?' gofynnodd Clem Owen yn betrusgar gan dawel ddamnio absenoldeb Ken Roberts ac edliw iddo'i hun am godi gwrychyn ei ddirprwy gymaint.

'Ie,' atebodd Gareth, a oedd hefyd yn gweld eisiau'r arolygydd ac yn ceisio cofio'n ôl i'r dydd Sul a'i ymweliad â Chapel Bethania. 'Ond o fewn ychydig funude cyrhaeddodd y pumed yn gyrru'r Sierra, a dihangodd y pump … nage … pedwar – ma' 'na amheuaeth am un o'dd wedi cwmpo o ben y wal, os dwi'n cofio'n iawn.'

'Ie, pedwar o'dd 'na,' meddai Clem Owen yn bendant. 'Dyma'r enwe gafodd Ken Roberts 'da Paul Manning. Fe o'dd yr un o'dd wedi 'i adel ar ôl.' Ac fe edrychodd ar y ddalen a gawsai gan yr arolygydd cyn iddo ddiflannu.

'Odych chi'n siŵr, syr?' gofynnodd Carol. 'Dwi'n rhyw gofio bod rhywun wedi gweld pump yn rhedeg i ffwrdd o'r Sierra.'

'Ti'n iawn,' meddai Gareth. 'Rhywle draw ar bwys y Gelli?'

Caeodd Clem Owen ei lygaid a chrafu ei dalcen yn ffyrnig. 'Arhoswch funud. Fe wedodd Ken Roberts wrtha i gynne fod 'dag e enwe'r pum bachgen, ond mai dim ond pedwar ohonyn nhw o'dd yn y Sierra. Nawr, ai pedwar bachgen neu bump o'dd yn y car?'

Ni chynigiodd Gareth na Carol ateb, ond o dan bwysau edrychiad ei bennaeth fe fwmianodd Gareth, 'Dwi ddim yn gwbod,' cyn ychwanegu'n amddiffynnol, 'Dwi ddim wedi ca'l dim i' neud â'r achos hwn ers dydd Sul.'

'Dwi ddim wedi ca'l dim i' neud ag e o gwbwl,' meddai Carol yn awyddus i achub ei cham ei hun.

'Ie, wel, dyw dy lwc di ddim yn mynd i bara,' meddai Clem Owen gyda phendantrwydd un a gredai mewn rhannu'r boen yn gyfartal.

'Ond beth yw'r cysylltiad rhwng y car a Stephen Llewelyn?' gofynnodd Gareth.

'Ro'dd ôl 'i fysedd ynddo fe.'

'O'n nhw? Ei gar e yw'r Sierra 'te?'

'Ro'dd y car wedi'i hurio yn Llundain, ac ro'dd Stephen yn byw yn Llundain, felly ma'n fwy na thebyg mai Stephen o'dd yn ei yrru. Fe ddyle manylion yr hurio fod yn help fan'ny. Odyn nhw 'da ti fan'na?'

'Na, dwi ddim wedi 'u gweld nhw.'

'Pwy o'dd fod cysylltu â'r cwmni?'

'Inspector Roberts,' atebodd Gareth.

'Wyt ti'n gwbod os na'th e?'

'Nagw.'

Caeodd y prif arolygydd ei lygaid a siglo'i ben yn flinedig unwaith eto.

'Odych chi'n meddwl mai un o'r bechgyn laddodd e?' gofynnodd Carol.

'Ma'n bosib. Falle bod Stephen wedi dod ar draws y bechgyn pan o'dd e wrthi'n dwyn y car, a'i bod hi wedi mynd yn ymladd rhyngddyn nhw. Cofia mai wedi 'i daro'n anymwybodol o'dd Stephen cyn iddo ddisgyn i'r dŵr.'

'A'i daflu wedyn dros y wal i'r afon cyn gyrru i ffwrdd yn y car,' awgrymodd Carol.

'Ie.'

'Ond do'dd dim ôl ymladd arno fe yn ôl adroddiad Dr Anderson,' atgoffodd Gareth y ddau.

'Ma'n anodd credu y bydde un o'r bechgyn wedi ymladd â pherchennog y car ro'dd e'n 'i ddwyn, 'i ladd ac wedyn mynd â'i gorff i ffwrdd,' meddai Carol.

'Ie, bydde hynny'n rhywbeth anarferol iawn,' cytunodd Clem Owen. 'Cnd ma' 'na rywbeth arall y dylen ni 'i ystyried.'

'Y cyffurie?' gofynnodd Gareth.

'Ie. Ry'n ni'n gwbod bod Stephen Llewelyn yn gysylltiedig â'r byd cyffurie yn Llundain. Nawr, beth petai e wedi dod lawr 'ma i sefydlu marchnad newydd? Bydde'r parti ar Draeth Gwyn yr union fath o ddigwyddiad y bydde fe'n chwilio amdano.'

'O's 'na sôn fod cyffurie yn y parti?' gofynnodd Carol.

'Ddim hyd y gwn i, ond ro'n i wedi gobeithio y galle Ken Roberts ein helpu ni 'da hynny hefyd. Ro'dd Geraint, 'i fab, yn y parti, ac fe alle fe weud hynny wrthon ni.'

'Ond os mai dyna pam dda'th Stephen Llewelyn adre, ble ma'r cyffurie nawr?' gofynnodd Carol.

'Falle mai dim ond sampl i'w rhoi am ddim o'dd 'da fe'r tro hwn,' awgrymodd Gareth.

'Bosib,' meddai Owen. 'Neu fod pwy bynnag a'i lladdodd e wedi mynd â nhw. Do'dd dim byd yn perthyn i Stephen Llewelyn yn y car, felly falle'u bod nhw wedi dwyn pethe er'ill o'r car hefyd. Dyna pam dwi am ga'l gwarant i chwilio cartrefi'r bechgyn. A gan nad y'n ni'n gwbod ble'r o'dd e wedi bod yn aros, ma'n bosib bod 'na allwedd i fflat, tŷ haf neu garafán 'da nhw. Ond beth bynnag sy 'da nhw, dwi am 'i ga'l e.'

'Beth am y got?' gofynnodd Gareth. 'O'dd 'na rywbeth yn y pocedi?'

'Nago'dd, yn ôl Jackie,' atebodd Carol cyn gofyn cwestiwn ei hun. 'Odych chi'n mynd i'w harestio nhw heno?'

Cododd Clem Owen ei ysgwyddau mewn anobaith. Roedd yna gymaint o gwestiynau yr hoffai wybod yr atebion iddynt cyn arestio'r bechgyn. Roedd yn siŵr y gallai Ken Roberts fod wedi ateb sawl un, ond os oedd hi'n well ganddo bwdu na thynnu ei bwysau byddai'n rhaid iddynt gael atebion o rywle arall.

'Do's 'da ni ddim tystiolaeth bendant fod 'da'r bechgyn unrhyw beth i'w neud â'r llofruddiaeth,' meddai Owen.

'Ar wahân i'r ffaith mai nhw gymerodd y car,' atgoffodd Carol ef.

'Ie, ond dy'n nhw ddim yn mynd i unman, a dwi ddim yn meddwl 'u bod nhw'n ame ein bod ni'n gwbod amdanyn nhw eto. Dwi'n mynd ati nawr i drefnu gwarante i'w harestio nhw, ond 'i adel e tan fory fydd y peth gore, dwi'n meddwl, pan fyddwn ni i gyd, gobeithio, yn fwy effro ac yn barotach am waith.'

Roedd Berwyn Jenkins yn hen gyfarwydd ag ymweld ag ysbytai. Dros y blynyddoedd roedd wedi treulio nosweithiau di-ri yn yr adran ddamweiniau yn aros i'r meddygon orffen eu gwaith hwy cyn y gallai ef ddechrau ar ei waith yntau. Ymladd rhwng dau neu ddegau, tanau, trais teuluol neu ddamweiniau ar y ffordd, ar ffarm neu mewn ffatri; roedd Berwyn Jenkins wedi gweld canlyniadau'r cyfan. Ond er ei holl brofiad, bob tro y cerddai i mewn i ysbyty a chlywed ei arogl unigryw fe ddechreuai ei stumog gorddi.

Dringodd y grisiau i'r ail lawr a throi i'r chwith am Ward Teilo, lle'r oedd Ieuan Daniels wedi bod ers iddo gael ei symud o'r uned gofal dwys y bore hwnnw.

'Shwd wyt ti, boi?' gofynnodd Berwyn iddo wrth eistedd yn y gadair yn ymyl y gwely.

Trodd Ieuan ei ben yn araf tuag ato. 'Sarj, shwd y'ch chi?'

'Dwi'n iawn. Er nad wy'n ca'l hanner cymaint o sylw â ti. Ma'n nhw'n gweud bod mwy o blismyn wedi bod 'ma heddi na phan agorodd Charles y lle.'

Gwenodd Ieuan. 'Ma' pawb wedi bod yn dda iawn. Ro'dd Jane yn gweud 'ych bod chi wedi bod 'ma dydd Sul a ddoe. Diolch.'

'Beth arall sy 'da dyn i' neud pan ma' fe ar shifft nos? Ti'n lwcus bod cymaint wedi gallu dod, ma' bron pawb yn brysur 'da'r achos llofruddiaeth.'

'Glywes i am hwnnw ar y radio gynne. Odi'r CID yn gwbod pwy yw'r llofrudd?'

Cododd Berwyn Jenkins ei ddwylo i ddangos ei anobaith. 'Dwi ddim yn gwbod beth sy'n mynd mla'n 'na. Ma' Clem Owen yn rhedeg rownd yn gweiddi ar bawb. Fe ddylet ti fod wedi clywed stori John Williams am Clem ac Eifion Rowlands brynhawn 'ma. Ro'dd yn rhaid iddo fe'u taflu nhw mas o'r cyntedd.'

Chwarddodd Ieuan gymaint ag y caniatâi ei rwymau iddo'i wneud.

'Ac fe ga'th Clem ddadl 'da Kevin Harry peth cynta'r bore 'ma,' aeth Berwyn yn ei flaen. 'Os wyt ti'n gofyn i fi, yr unig un sy'n gwbod beth mae e'n 'i neud yw Ken Roberts. Er bod y llofruddiaeth yn cymryd amser pawb, fe fyddi di'n falch o glywed 'i fod e'n dal i gwrso ar ôl y bechgyn o'dd yn gyrru'r Sierra. Dwi'n meddwl 'i fod e wedi dod o hyd i un ohonyn nhw. Ga'th mab Raymond Manning, y pensaer, 'i fwco'r bore 'ma am ddifrodi'r ceir a'r capel.'

'Ac am gymryd y car?'

'Dwi ddim yn gwbod am 'ny. Falle glywa i rywbeth pan a' i i mewn nawr. Ond os mai'r un bechgyn y'n nhw fe alli di fentro bydd Ken Roberts yn dod o hyd iddyn nhw.'

'Ond arna i, ddim arnyn nhw, o'dd y bai am y ddamwain.'

'Paid â dechre gweud 'ny nawr. Arnyn nhw o'dd y bai dy fod ti 'na o gwbwl,' mynnodd Berwyn Jenkins cyn ychwanegu, 'er, ry'n ni i gyd yn gwbod mai gyrrwr digon diened fuest ti erio'd.'

Gwenodd Ieuan. 'Chi'n un da i siarad. Glywes i sawl stori 'da 'nhad amdanoch chi pan o'ch chi yng Nghaerfyrddin.'

'Ac fe allen i weud digon am dy dad dithe 'fyd.'

Ceisiodd Ieuan ei wthio'i hun i fyny fymryn yn y gwely a thynnodd Berwyn y gobennydd yn uwch o dan ei gefn.

'O'n i bron â cha'l damwain cyn hynny,' meddai Ieuan ar ôl iddo'i wneud ei hun yn gyffforddus, 'pan o'n i ar y ffordd i Gapel Bethania. Ro'n i newydd droi'r cornel mewn i Gerddi Picton ac ro'dd 'na gar reit o 'mla'n i ar draws yr hewl.'

'Beth, ro'dd rhywun wedi 'i adel e 'na?'

'Na, ro'dd y gyrrwr ynddo fe ac ro'dd 'i ole fe mla'n. Falle'i fod e'n trio troi'r car a bod yr enjin wedi tagu, dwi ddim yn gwbod. Ond dwi *yn* gwbod i fi feddwl ar y pryd ma'r peth dwetha o'n i moyn o'dd damwain. Bydde hyd yn o'd pythefnos yn Butlins yn well na gorwedd fan hyn.'

Disgynnodd Gareth i'r gadair y tu ôl i'w ddesg gan adael i'w ben bwyso'n ôl dros y cefn. Arhosodd yno heb symud am funudau lawer yn y gobaith y disgynnai ei feddyliau i'w lle ohonynt eu hunain heb fod yn rhaid iddo ef wneud yr ymdrech. Ond gwyddai mai byw mewn gobaith ydoedd. Roedd y datblygiadau diweddaraf hyn yn ychwanegu sawl pelen at yr hanner dwsin yr oedd ef, fel cytgordiwr yr ymchwiliad, yn chwysu i'w cadw yn yr awyr ar yr un pryd: Craig y Bwlch, Llundain, afon Sawddan, y parti ar y traeth, hen hanes un o deuluoedd dylanwadol y dref, cyffuriau, tridiau coll Stephen Llewelyn, fandaliaeth … Roeddynt yn cymhlethu achos a oedd eisoes yn ddigon cymhleth.

Roedd hyd yn oed wedi dechrau hiraethu am bresenoldeb Ken Roberts. Ychydig o Gymraeg fu rhwng y ddau o'r dechrau, ond yn ystod y dyddiau diwethaf roedd Gareth wedi dod i barchu'r modd y gallai'r arolygydd sefyll yn ôl o'r ymchwiliadau roedd yn eu llywio gan bwyso a mesur pob darn o wybodaeth a gweld i ble'r oedd yn asio wrth y darlun cyflawn – rhywbeth yr oedd Gareth yn cael cryn anhawster i'w wneud. Am y rheswm hwnnw roedd wedi gobeithio clywed Clem Owen yn dweud y byddai Ken Roberts yn cydio yn awenau'r ymchwiliad, yn enwedig nawr bod ymchwiliad yr arolygydd wedi dod yn un â'r llof-ruddiaeth. Ond nid felly y bu. Am ryw reswm, a oedd yn amlwg yn peri cryn anghyfleustra i Clem Owen, roedd Ken Roberts wedi diflannu ac roedd yn debygol y byddai'n rhaid iddo, unwaith eto, lywio'r cyfan ar ei ben ei hun.

Canodd y ffôn ac estynnodd Gareth ei fraich yn reddfol i'w ateb.

'Ie?' atebodd yn ddifywyd.

'Sarjant Lloyd? DS Graham Ashley, Adran Gyffurie Scotland Yard.'

'Helô,' a llithrodd ei flinder i ffwrdd. Roedd Gareth wedi ceisio cysylltu ag Ashley droeon yn ystod y prynhawn ac wedi gadael negeseuon di-ri. Roedd wedi anobeithio clywed ganddo bellach.

'Diolch yn fawr am ffonio.'

'Stephen Michael Llewelyn,' meddai Ashley, a'i ynganiad ychydig yn well nag un ei gyd-weithiwr.

'Ie. Fe ddaethon ni o hyd i'w gorff ddydd Sul.'

'Dyna glywes i. Y'ch chi'n siŵr mai fe yw e?'

'Odyn.'

'Beth alla i 'i neud i chi 'te?'

'Ma'n edrych yn debyg bod 'i farwolaeth naill ai'n ddynladdiad neu'n llofruddiaeth, a gan eich bod chi'n gyfarwydd â'i weithgaredde fe dros y blynydde dwetha, ma'n bosib bod 'na rywbeth yno a allai fod yn gysylltiedig â'i farwolaeth.'

'Reit. Faint y'ch chi'n 'i wbod amdano fe?'

'Dim mwy na'r hyn mae'i record yn ei ddangos.'

'O, dyw hynny'n ddim byd. Hen ludw oer yw hynny. Ro'dd Stephen wedi llwyddo i gadw mas o drwbwl yn ddiweddar, ond dyw hynny ddim yn golygu nad o'dd e'n ymhél â thrwbwl. Cyffurie o'dd ei ddiddordeb penna, a than ryw ddeufis 'nôl ro'dd e a phedwar arall, tri dyn ac un fenyw, yn gyfrifol am rywbeth rhwng pump a deg y cant o'r fasnach gyffurie yn Llundain. Ro'n nhw'n cadw'n ddigon pell yn y cefndir, ac er ein bod ni'n gwbod am 'u bodolaeth nhw ac yn ame'u rhan yn y busnes, do'dd gyda ni ddim tystiolaeth yn 'u herbyn.'

'Ro'dd hyn tan ryw ddeufis 'nôl, wedoch chi. Beth ddigwyddodd bryd hynny?'

'Ro'dd 'na anghydweld rhwng y pump ohonyn nhw.

Gneud arian mawr mewn ychydig o amser sy'n bwysig i'r bobol hyn i ddechre, ond wedyn ar ôl ca'l yr arian ma' ca'l grym yn dod yn bwysicach. Dyna yw 'u cyffur nhw.'

'A'th hi'n frwydr am rym rhyngddyn nhw?'

'Do, gydag ychydig bach o help rhai o'r tu allan o'dd yn barod i fanteisio ar y sefyllfa. Ma' hwn yn fyd sy'n ffynnu ar wendide pobol.'

'Ac ro'dd Stephen Llewelyn yn dda am neud 'ny?'

'O o'dd, dyna pam ro'dd e mor llwyddiannus. Dwywaith gwrddes i ag e erio'd. Y tro cynta ro'dd e'n ŵr bonheddig, yn siarad fel sidan – ro'dd e'n siaradwr heb 'i ail – ac yn barod i wneud unrhyw beth i'n helpu. Oni bai 'mod i'n gwbod cymaint amdano fe, fe fydde fe wedi fy mherswadio i 'i fod e'n ddiniwed. Yr eildro gwrddes i ag e, ryw flwyddyn a hanner wedyn, ro'dd e'n fy nghofio i'n iawn ac yn fy nghyfarch fel hen ffrind.'

'Beth ddigwyddodd iddo fe a'i bartneriaid?'

'Wel, fe rannodd y pump yn ddau grŵp. Tri ar y naill ochr a dau ar yr ochr arall, ac ro'dd Stephen yn y lleiafrif. Ddethon ni o hyd i un o'r tri dair wythnos 'nôl wedi 'i losgi'n ulw ar dir diffaith ac ro'dd y pedwar arall wedi diflannu.'

'Ro'ch chi'n meddwl bod 'da Stephen a'i gyfaill ran yn y llofruddiaeth?'

'Bosib. Neu fe alle'r tri arall fod wedi cwmpo mas. Neu fe alle rhywrai er'ill fod wedi dod i wbod am yr anghyd-weld rhyngddyn nhw a manteisio ar hynny.'

'Ond os mai Stephen o'dd yn gyfrifol am lofruddio hwnnw, odi hi'n bosib bod Stephen wedi ca'l 'i lofruddio yn 'i dro?'

'Ma' unrhyw beth yn bosib. Ma' 'na ddigon a fydde'n barod i neud 'ny, yn enwedig gan fod Stephen a'r lleill wedi diflannu gyda dros chwe miliwn o bunne. A bydde ca'l rhan Stephen o hwnnw yn bendant yn fwy o gymhelliad dros 'i ladd na dial am y llofruddiaeth.'

'Ac ry'ch chithe'r un mor awyddus i ga'l hyd i'r arian.'

'Wrth gwrs.'

'Ond a fydden nhw'n gwbod bod 'dag e gysylltiade ffordd hyn?'

'Os y'n *ni'n* gwbod 'ny, alli di gymryd yn ganiataol 'u bod hwythe'n gwbod 'fyd.'

'Ydych chi'n dal i ymchwilio i'r achos ar hyn o bryd?'

'Ma' achosion newydd yn hawlio'n sylw ni bob dydd, ond ma' gyda ni ddiddordeb byw yn Stephen o hyd. Pam?'

'Ro'dd y car ry'n ni'n credu ro'dd Stephen Llewelyn yn 'i yrru, wedi 'i hurio yn Llundain oddi wrth gwmni o'r enw Karston Kars, ac ro'n i'n meddwl tybed a allech chi gadarnhau 'ny droston ni?'

'Wel, fel gwedes i, ma' sawl peth arall ar y gweill gyda ni …'

'Dwi'n sylweddoli 'ny, ond ma'n bosib y bydd hyn yn 'ych helpu chi 'fyd.'

'Falle.'

'Ddwedoch chi gynne fod tipyn o arian wedi diflannu. Odych chi'n cadw llygad ar y bancie ro'dd y dynion yn 'u defnyddio?'

'Wrth gwrs. Ro'n nhw'n newid bancie fel ro'n nhw'n newid 'u sane. Do'n nhw byth yn aros gyda'r un un am fwy nag ychydig wythnose, ond gan mai cyffurie o'dd dan sylw, yr eiliad ro'n ni'n dod i wbod am fanc newydd ro'n ni'n gallu ca'l gwbod manylion y cyfri.'

'Ond ry'n ni'n deall bod gyda Stephen Llewelyn gyfri yng nghangen Westminster o fanc Hatchwell Ross ers rhyw chwe blynedd.'

'O'dd e wir? Nawr do'n ni ddim yn gwbod 'ny. Ac ma'r cyfri'n dal ar agor?'

'Odi.'

Aeth pen arall y ffôn yn dawel am rai eiliadau a gallai Gareth dyngu iddo glywed Ashley'n llyncu'r abwyd.

'Karston Kars, wedoch chi?'

'Ie.'

Rhoddodd Gareth y ffôn i lawr ond cyn iddo gael cyfle i'w longyfarch ei hun ar y ffordd ddeheuig roedd wedi delio ag un o fois y Met, fe ganodd y ffôn eto.

'O'r diwedd,' meddai Carys heb aros iddo'i chyfarch.

'Shwd wyt ti?'

'Iawn, ond ro'n i wedi gobeithio dy weld di heno.'

'O, dwi ddim yn gwbod,' meddai Gareth, gan edrych ar y môr o bapur o'i flaen.

'Dy'n ni ddim wedi ca'l cyfle i siarad ers dydd Sul, a do'dd hwnnw ddim fel ro'n i wedi gobeithio.'

'Wel ...' ac edrychodd Gareth ar ei oriawr. Roedd hi bron yn naw o'r gloch yn barod. Fe allai pethau fod yn llawer mwy prysur fory, meddyliodd, yn enwedig a'r bechgyn yn cael eu harestio.

'Iawn,' meddai.

'Hanner awr fach, 'na i gyd.'

'Na. Dwi wedi neud cymaint ag y galla i am heno, beth bynnag. Bydda i heibio mewn deng munud.'

'Fe ffonia i am bryd Tseinïaidd.'

'Ac fe gasgla i fe ar y ffordd.'

Dechreuodd dacluso'r papurau ar y ddesg ond newidiodd ei feddwl. Byddai'n haws iddo ddechrau drannoeth o'u gadael fel yr oeddynt. Dianc cyn i rywbeth arall ei rwystro fyddai orau. Cododd o'i gadair a chanodd y ffôn.

'Ie,' meddai'n ddiamynedd.

'Neges oddi wrth y Frigâd Dân. Ro'dd 'na dân yng nghlwb criced y dre heno. Ma'n nhw wedi llwyddo i'w ddiffodd e ond ma'r Frigâd yn meddwl 'i fod e'n dân amheus. Ma 'na debygrwydd rhyngddo a'r lleill.'

'Iawn. Diolch.'

Gwasgodd fotwm y ffôn a deialu rhif fflat Carys. Clywodd

swn prysur ar y pen arall a meddwl, am y canfed tro yn ystod yr wythnosau diwethaf, gymaint roedd ei fywyd yn cael ei reoli gan y teclyn hwnnw. Teclyn oedd yn gymaint o fodd i gadw pobl o hyd braich ag ydoedd i'w cadw mewn cysylltiad. Roedd yn rhaid bod Carys yn archebu eu swper. Câi gyfle i'w ffonio ar y ffordd.

Wrth iddo droi i mewn i'r casgliad o gaeau oedd yn gartref i holl dimau chwaraeon y dref, gwelai Gareth weddillion yr adeilad pren yn dal i fygu yn y pellter. Sylwodd ar y cwysi dwfn roedd un injan dân wedi eu torri ar draws y cae criced yn ei brys i gyrraedd y tân. Cadwodd Gareth at y llwybr cul a redai gyfochrog â'r meysydd chwarae, gan wau ei ffordd rhwng y clwstwr anniben o geir swyddogol ac answyddogol oedd wedi eu parcio ar ei hyd.

Gadawodd ei gar ar ffin gwsg y cae rygbi a cherdded at yr unig injan dân oedd yn dal yno. Yn ystod yr wythnosau diwethaf daethai i adnabod nifer o'r dynion tân ac fe welodd sawl wyneb cyfarwydd ymhlith y criw oedd yn dal ar wyliadwriaeth, rhag ofn mai mudlosgi oedd y gwreichion. Cododd ei law arnynt a chael cyfarchiad blinedig neu ddau yn ôl. Daeth Tony Lewis i'r golwg o'r tu ôl i weddillion yr adeilad ac aeth Gareth i'w gyfarfod gan gamu'n ofalus rhwng y pibellau a'r pyllau dŵr.

'Dyma ni unwaith 'to,' meddai Gareth wrtho.

Nodiodd Tony Lewis ac estyn am y botel blastig o ddŵr oedd ar ochr yr injan dân. Gwagiodd hi ar un llowciad a'i thaflu i mewn drwy ffenest agored y cab.

'Y nawfed,' meddai.

Gosodiad syml oedd e, ond i gydwybod euog Gareth, fe swniai'n debyg i gyhuddiad. Yn y gorffennol roedd llawer gormod o danau wedi eu nodi fel achosion anhysbys, ac er mwyn lleihau'r nifer hwnnw, a nifer tanau yn gyffredinol, sefydlwyd Uned Ymchwilio i Danau ym mhob gwasanaeth tân. Tony Lewis oedd y Swyddog Ymchwilio lleol, ac roedd ef a'i gydweithwyr yn gwneud eu gwaith hwy drwy ddiffodd y tanau a throsglwyddo'r dystiolaeth i'r heddlu. Gareth oedd ar ei hôl hi yn dal pwy bynnag oedd yn gyfrifol am eu cynnau.

'Yr un nodweddion?'

'Ie, cannwyll yn agos at ddeunydd taniol. Ma'ch dyn chi a'n dyn ninne rownd y cefn ond ma'n llawer rhy boeth iddyn nhw fynd i mewn 'to. Ry'n ni'n gwbod nawr beth ma' nhw'n debygol o'i ddarganfod, ond bydd hi'n rhai orie 'to cyn y gallan nhw neud yn siŵr. Beth ar y ddaear ma'r rhain yn moyn?' gofynnodd Tony wedyn, gan edrych i gyfeiriad y fynedfa.

Trodd Gareth a gweld hanner dwsin o ddynion wedi eu gwisgo mewn crysau T a jîns yn cerdded ar draws y maes parcio.

'Gwaith da, bois!' galwodd un o'r dynion ar griw'r injan dân, ac fe eiliwyd ei ganmoliaeth gan ddau neu dri o'r lleill. Cariai pob un ohonynt naill ai raw neu frws ac roedd gan un fag dros ei ysgwydd yn llawn o offer saer. Gwisgai tri ohonynt hetiau plastig caled am eu pennau.

'Uffach o beth,' oedd cyfarchiad y blaenaf pan gyrhaeddodd y criw Gareth Lloyd a Tony Lewis, ond er gwaethaf tristwch y sefyllfa fe wenai'n braf. 'A ninne'n whare yn erbyn y Tymbl ddydd Sadwrn.'

'Os mai dod i lanhau y'ch chi, dwi'n ofni na allwch chi fynd i mewn i'r adeilad,' meddai'r swyddog tân.

'Ma'r tân wedi 'i ddiffodd?' gofynnodd un o'r dynion.

'Odi, ond ma' 'da ni dipyn o waith i' neud 'to cyn y bydd hi'n iawn i chi fynd mewn.'

'Peidiwch chi â phoeni am hynny,' meddai un o'r dynion, gan chwifio'i frws yn hwyliog. 'Gofalwn ni am y clirio lan.'

'Fyddwn ni ddim yn hir,' meddai un o'r lleill. 'Ma' 'na sgip ar y ffordd.'

Chwarddodd Gareth. 'Allwch chi anghofio am y clirio lan, bois. Do's 'na neb yn mynd yn agos at yr adeilad 'na heno.'

'A phwy wyt ti i weud beth allwn ni 'i neud yn 'yn clwb ni?' gofynnodd y saer.

'Sarjant Lloyd, Heddlu Dyfed-Powys,' atebodd Gareth. 'Ma'n edrych yn debyg bod y tân wedi 'i ddechre'n fwriadol ac ry'n ni ise amser i fynd drwy'r gweddillion er mwyn darganfod sut ddechreuodd e.'

'Beth? Rhywun wedi llosgi'r clwb yn fwriadol?' gofynnodd un ohonynt yn anghrediniol.

'Fwy na thebyg. Felly y peth gore allwch chi 'i neud yw mynd gartre. Bydd y llanast yn dal 'ma fory.'

'Ie, reit,' meddai'r saer a throdd y criw a cherdded yn ôl am y maes parcio, ond cyn iddynt fynd yn rhy bell clywodd Gareth un ohonynt yn gofyn, 'Dy'ch chi ddim yn meddwl mai bois y Tymbl na'th e, y'ch chi?'

O na fyddai bywyd mor syml, meddyliodd Gareth, a gan adael i Tony Lewis fynd at ei ddynion aeth ef i daro golwg ar waith diweddaraf y taniwr.

Fe fyddai'n rhaid gadael heddwas neu ddau i gadw llygad ar y lle dros nos, meddyliodd Gareth, i wneud yn siŵr na fyddai neb yn ymhél â'r gweddillion cyn iddyn nhw orffen eu harchwilio. Ac fe olygai hynny y byddai Kevin Harry yn gweithio oriau ychwanegol unwaith eto yn archwilio'r ffenestri cefn am unrhyw olion roedd y taniwr, fel y rhan fwyaf o bobl, yn credu y byddai'r tân wedi eu dinistrio.

'Yr un peth â'r lleill?' gofynnodd Gareth i Kevin Harry.

'Fan hyn ddethon nhw i mewn,' meddai Kevin, gan bwyntio at glicied y ffenest a oedd yn amlwg wedi ei gwthio'n ôl â chryn nerth. Roedd yna hefyd grafiadau dwfn yn y metel o gwmpas y glicied.

'Ble gychwynnodd y tân?'

'Tu ôl i'r bar fwy na thebyg. Fan'ny o'dd e waetha, beth bynnag. Da'th un o'r dynion tân o hyd i botel wisgi wag mas ar y cae. Falle gewn ni ôl bys neu ddau arni.'

Edrychodd Gareth yn amheus arno, ond meddai Kevin yn bendant, 'Os o's 'na olion bysedd gwerth 'u ca'l ar y botel, fe ga i nhw. Fi o'dd yn iawn am yr olion bysedd yn y Sierra,' ychwanegodd yn amddiffynnol.

'Dwi ddim yn ame dy waith di, Kevin. Ame y byddwn ni mor lwcus â 'ny ydw i.'

Gadawodd Gareth iddo fynd yn ôl at ei waith. Fe fydd-ai'n rhaid i Gareth aros am ei adroddiad ef ac adroddiad y Frigâd Dân cyn y gallai ailgydio yn yr ymchwiliad. Fel pe na bai ganddo ddigon ar ei ddwylo eisoes.

Aeth yn ôl i'w gar yn teimlo mor ddigalon ag aelodau'r tîm criced. Roedd wedi llwyddo i droi ei gar heb wneud llawer o ddifrod i'r maes pan welodd y sgip yn troi i mewn o'r ffordd fawr ac yn anelu'n syth at adfeilion y clwb criced – llwybr tarw a fyddai'n ei arwain ar ei union drwy'r llain.

Hanner ffordd i fflat Carys cofiodd Gareth nad oedd wedi ei ffonio i ddweud y byddai'n hwyr. Edrychodd ar ei oriawr; roedd dros awr wedi pasio ers iddo ddweud y byddai yno ymhen ychydig funudau, ac roedd hi'n rhy hwyr nawr iddo wneud dim byd ond ymddiheuro. Pan oedd yn parcio'i gar ar bwys ei fflat, cofiodd am ei addewid i gasglu eu swper.

'Ro'n i'n meddwl bod rhywbeth wedi digwydd,' meddai Carys cyn iddo gael cyfle i ymddiheuro, esbonio na cheisio ei seboni.

'Wel, ti'n gwbod fel ma' pethe.'

'Odw, neu fe ddylen i erbyn hyn. Ddest ti â'r bwyd?'

'A! Anghofies i 'i gasglu, ond … ond os ddei di 'da fi i'w nôl e, fe alli di neud yn siŵr na fydda i'n diflannu eto.'

'Wyt ti'n credu y cei di groeso 'da Eddie nawr?'

'Ma' Eddie wastad yn falch o weld plismyn.'

'Chi'n lwcus bod 'na rywun.'

'Dwi'n rhyw led gofio Stephen Llewelyn yn yr ysgol,' meddai Carys pan oeddynt yn y car ar y ffordd i'r Jade Dragon.

'Ro'dd e'n hŷn na ti.'

'O'dd. Ro'dd e yn y chweched dosbarth pan o'n i yn nos-barth pedwar.'

'Pymtheng mlwydd o'd. Oedran peryglus.'

'Peryglus iawn. Ti'n lwcus nad o't ti o gwmpas bryd 'ny.'

'Beth wyt ti'n 'i gofio amdano fe?'

'Fawr ddim. Ma'n siŵr y bydde Rhian yn 'i gofio fe'n well; ro'dd ei rhieni hi a rhieni Stephen yn neud tipyn â'i gilydd.'

'Wyt ti'n gwbod beth o'dd Rhian yn 'i feddwl ohono fe?'

'Ro'dd hi'n 'i gasáu e.'

'Pam?'

'Dwi ddim yn gwbod. Na'th hi erio'd fanylu.'

'Ond dwyt ti ddim yn cofio dim amdano fe dy hunan?'

'Dim byd arbennig. Trwy Rhian ro'n i'n 'i nabod e ac ro'dd ei hatgasedd hi yn siŵr o fod yn lliwio beth o'n i'n feddwl ohono fe.'

'Atgasedd?'

'Ie, ond paid gofyn pam. Fe fydde Stephen yn ddigon cyfeillgar gyda hi ond ro'dd Rhian wastad yn oeraidd tuag ato fe. Ro'dd hi hefyd yn meddwl 'i fod e'n rhyfedd.'

'Ym mha ffordd?'

'Dwi ddim yn gwbod.'

'Diddorol iawn. A beth o't ti'n feddwl ohono fe?'

'Ro'dd e'n ddigon golygus …'

'Pymtheng mlwydd o'd, wedest ti?'

' … ac yn gallu bod yn fachgen ffein pan o'dd e'n moyn. Ond ro'dd rhywbeth amdano fe o'dd yn wahanol i bawb arall.'

'Ym mha ffordd?'

'Ma'n anodd gweud. Ti'n gwbod, fel ma' rhywun yn sefyll mas weithie, nid am unrhyw beth arbennig mae e'n 'i neud, ond am nad yw e'n toddi i mewn i'r dorf o'i gwmpas.'

'Un fel'ny o'dd Stephen Llewelyn?'

'Ie. Fel wedes i, fe alle fe fod yn gyfeillgar, ond ro'dd e hefyd fel'se fe'n cadw pawb hyd braich. Fel pe bai e uwch-law pawb arall, neu o leia fel'na dwi'n 'i gofio fe.'

'Tipyn o *loner* o'dd e?'

'O, na. Ro'dd e'n gallu gneud ffrindie'n hawdd, ac ro'dd gyda fe 'i griw ffyddlon.'

'Bechgyn neu ferched fydde'n 'i ddilyn e?'

'Y ddau.'

'Rhai o'r un oedran ag e?'

'Ie, neu flwyddyn yn iau nag e, ond paid meddwl bod hanner yr ysgol yn 'i eilunaddoli. Do'n nhw'n ddim mwy na hanner dwsin i gyd, fel dwi'n cofio.'

'Wyt ti'n cofio pwy o'n nhw?'

'O, na, na, do's dim un yn dod i gof.'

'Wyt ti'n gwbod pam redodd e bant?'

'Nadw, ond ro'dd hi'n stori fawr am wythnose.'

'Beth am Rhian? Os o'dd 'i rhieni hi a rhieni Stephen yn ffrindie, falle y bydde hi'n gwbod.'

'Ma'n bosib, ond dwi ddim yn cofio hi'n sôn ar y pryd.'

'Na, y ffaith 'i fod e wedi mynd fydde'n bwysig ac nid y rheswm pam.'

'Ie, ma'n siŵr. Wyt ti am i fi ofyn i Rhian? Ry'n ni wedi hanner trefnu i gwrdd fory.'

'Fe fydden i'n ddiolchgar, a gofyn hefyd pwy o'dd 'i ffrindie penna fe.'

Dim ond prydau i'w bwyta allan roedd y Jade Dragon yn eu gwerthu, ac er bod yna werthiant cyson o hanner awr wedi pump ymlaen, pan agorai'r drysau, rhwng deg o'r gloch a hanner nos oedd ei gyfnod prysuraf. Gwraig a merched Eddie So fyddai y tu ôl i'r cownter tan hanner awr wedi naw, ond wedi hynny byddai Eddie ei hun neu Charles, ei fab hynaf, yn cymryd drosodd. Amser cau'r tafarndai a'r clybiau oedd i gyfrif am y prysurdeb a'r newid staff gan fod Eddie, fel dyn busnes da, yn croesawu cwstwm adar y nos, ond fel gŵr a thad cyfrifol nid oedd yn croesawu'r helynt a ddeuai mor aml yn ei sgil.

Roedd y sefyllfa hon wedi arwain yn ddigon naturiol at hoffter Eddie o weld heddwas o gwmpas y lle unwaith neu ddwy yn ystod yr adegau prysur. Ac os digwyddai'r heddwas hwnnw alw'n ôl ychydig ar ôl hanner nos yna fe gâi brofi'n helaeth o werthfawrogiad perchennog y Jade Dragon. Roedd sawl heddwas wedi cael ei gynnal drwy oriau oer ac unig ei shifftiau boreol gan gyw iâr chwerw a melys, *satay* cig eidion neu *chop suey* Eddie So, ac wedi cyfiawnhau hynny drwy ddweud mai mynd yn ofer fyddai'r bwyd pe na baent hwy wedi ei gael.

Roedd hyd yn oed yr heddweision hynny a gredai eu bod yn cael eu talu'n ddigonol am eu gwaith heb dderbyn rhoddion wedi darganfod ar sawl achlysur eu bod wedi cael pryd i chwech, er mai pryd i bedwar roeddent wedi ei archebu a thalu amdano. Gwyddai Gareth hyn o brofiad, a'r unig ffordd y gallai ef ymateb i haelioni di-alw-amdano Eddie So, heb ei sarhau, oedd archebu ei brydau dros y ffôn. Y cyfan a wyddai Carys oedd mai cyw iâr mewn saws lemwn y Jade Dragon oedd y pryd Tseinïaidd gorau iddi ei flasu yn unman.

Parciodd Gareth y car a cherddodd y ddau ohonynt i'r bwyty lle'r oedd yn agos i ddwsin o gwsmeriaid eraill naill ai'n pwyso ar y cownter neu'n eistedd ar y meinciau a redai ar hyd dwy ochr i'r ystafell yn gwylio'r teledu a grogai yn y cornel. Cymerodd Gareth ei le ger y cownter.

Galwodd Charles So rif tocyn y cwsmer nesaf allan am yr eildro a meddyliodd Gareth tybed a oedd rhywun wedi talu am ei bryd a cherdded allan heb ei gael – tro annisgwyl mewn hen dric. Ond pan glywodd Charles yn galw'r rhif am y trydydd tro, edrychodd o gwmpas yr ystafell i weld pwy oedd yn gyndyn i hawlio'i swper. Roedd y cwsmeriaid eraill hefyd yn edrych o'u cwmpas, ar wahân i ferch dew a eisteddai ar un o'r meinciau.

Pwysai ei gên ar ei bron a disgynnai ei gwallt hir, tywyll dros ei hwyneb. Trodd y dyn a eisteddai yn ei hymyl tuag ati a rhoi pwniad bach i'w braich. Chwyrnodd y ferch a symudodd ei braich yn herciog, ond dyna'r unig ymateb a gafodd.

Trodd y dyn i edrych at Charles So. 'Ie, hi,' meddai yntau.

Cydiodd cymydog y ferch yn ei hysgwydd a'i siglo gan ddweud 'Esgusodwch fi' yr un pryd. Cododd y ferch ei phen yn araf ond ni allai ei gadw rhag rhowlio'n ôl ac ymlaen yn ddireolaeth. Meddw, meddai Gareth wrtho'i hun, gan edrych ar wyneb y ferch. Roedd rhywbeth yn gyfarwydd ynddi, ond ni allai Gareth ddweud ymhle'r oedd wedi ei gweld o'r blaen.

Edrychodd y ferch ar y dyn drws nesaf iddi ond cyn iddo gael cyfle i ddweud wrthi pam roedd wedi ei dihuno, fe'i trawodd yn dwt ar ei drwyn. Bwrodd hwnnw ei ben yn erbyn y wal a llithro oddi ar y fainc i'r llawr.

'Cadwa dy ddwylo i ti dy hunan,' meddai'r ferch.

Bustachodd y dyn i godi, a chiliodd i ben pellaf yr ystafell. Edrychodd y ferch yn heriol o'i chwmpas.

'Wel?' poerodd.

Daliai Charles So gwdyn plastig ei bwyd i fyny o'i flaen ond nid oedd y ferch wedi ei weld, ac nid oedd neb arall yn ymddangos yn rhy awyddus i dynnu sylw ato'i hun. Estynnodd Gareth amdano a'i gario at y ferch.

'Dyma ti.'

Cydiodd hi yn y cwdyn a cheisio'i dynnu allan o'i law. Rhwygodd y cwdyn a disgynnodd ei gynnwys gan ffrwydro'n gymysgedd seimllyd, coch ar y llawr o gwmpas eu traed.

'Mas â hi,' galwodd Charles o'r tu ôl i'r cownter.

'Gwell i ti fynd,' meddai Gareth wrthi.

'Fe a' i pan dwi'n barod. Ac ma' arnot ti *sweet and sour* arall i fi.'

'Dere mla'n,' meddai Gareth gan gydio yn ei phenelin i'w harwain at y drws.

Er gwaethaf ei maint a'i chyflwr, trodd y ferch yn ystwyth ar ei thraed ac anelu ergyd at ben Gareth. Daliodd ef ei braich a'i throi y tu ôl i'w chefn.

'Bastard!' sgrechiodd y ferch, gan geisio cicio coesau Gareth â sawdl yr esgidiau trymion coch a wisgai. Gwthiodd Gareth ei braich fymryn yn uwch.

'Hei! Gad iddi!'

Trodd Gareth i gyfeiriad y drws a gweld Now a Ned, Heddlu Glannau Merswy, yn sefyll yno. A'r eiliad honno sylweddolodd mai Mari Fawr Trelech oedd y ferch a ddaliai yn ei freichiau.

'Hei, drycha pwy yw e,' meddai Now.

'Ie. Ma'n rhaid 'i fod e wedi cymryd ffansi at Yvonne pwy ddiwrnod,' meddai Ned.

'Ffaelu cadw'i ddwylo oddi arni.'

'Mewn lle cyhoeddus 'fyd.'

'Odi hon gyda chi?' gofynnodd Gareth ar draws y ddeuawd.

'Nadi,' atebodd Now, gan bwnio Ned yn ei asennau. 'Fe weden i 'i bod hi gyda ti.'

Chwarddodd Ned yn afreolus ac roedd hi'n amlwg bod y ddau ohonyn nhw hefyd wedi bod yn yfed yn drwm. Gwych, meddyliodd Gareth, sefyllfa oedd wrth fodd calon pob plismon: meddwen gwerylgar, dau blismon hapus, llond ystafell o gynulleidfa – a'i gariad yn eu plith. Edrychodd Gareth ar Carys. Roedd ei hwyneb yn gymysgedd o syndod a phryder, ond roedd hi'n ddigon call i sylweddoli y byddai unrhyw help y ceisiai hi ei roi yn fwy o rwystr nag o gymorth iddo.

Gwthiodd Gareth y ferch yn araf i gyfeiriad y drws.

'Odych chi'ch mynd i adel yn dawel?' gofynnodd i'r ddau blismon.

'Beth, dim cân fach gynta?' gofynnodd Ned, a chwarddodd Now.

'Edrych,' meddai Gareth ar ei draws. 'Ma' 'na bobol fan hyn sy 'ma i brynu bwyd, a do's 'da nhw ddim byd i'w wneud â'r helynt bach 'ma. Os newch chi'ch tri adel heb ragor o stŵr, newn ni adel y cyfan fan 'ny. Ond ...'

'Wel, dwi ddim yn gwbod ...' dechreuodd Ned.

'Gwranda! Ca' dy geg a gwranda. Ma' 'da ti gyfle nawr i gerdded mas o fan hyn a mas o drwbwl, ond os gewn ni ragor o ddwli ...'

'O ble wyt ti'n ca'l y "ni" 'ma?' gofynnodd Now. 'Dim ond ti dwi'n 'i weld.'

A gydag amseriad perffaith agorodd PC Colin Richards – a oedd â'i feddwl ar y pryd o gyw iâr a madarch roedd am ei gael yn hwyrach – ddrws y Jade Dragon. Rhythodd yn gegrwth ar yr olygfa o'i flaen, ond adfeddiannodd ei urddas pan welodd Gareth.

'Sarj?' meddai.

'Dere 'ma,' meddai Gareth. 'Ma'r tri 'ma wedi ca'l gormod i'w yfed ac yn dechre mynd yn afreolus. Dwi'n ame 'u bod nhw'n bwriadu gyrru'n ôl i Bontberian, ond go brin bod un ohonyn nhw'n ddigon cyfrifol i yrru heno. I neud yn siŵr na newn nhw ddim, dwi am i ti 'u harchwilio nhw a chymryd eu hallweddi oddi arnyn nhw. Wedyn, dwi am i ti alw am gar ...'

'I roi lifft adre i ni!' meddai Now, cyn ychwanegu, 'Diolch byth am y frawdoliaeth!' a thynnu ystumiau y credai Gareth a berthynai i ddefodau'r Seiri Rhyddion.

'O, na,' meddai Gareth. 'Ry'ch chi'ch tri'n mynd i gerdded adre heno. Ma' dros hanner cant o bobol ifainc yn y gwersyll, a'r rheiny i fod yn eich gofal chi, a dwi ise gwbod pwy sy'n gofalu amdanyn nhw ar hyn o bryd a chithe fan hyn yn feddw dwll. Os na fydd y plismyn fydd yn mynd i'r gwersyll yn fodlon fod 'na oruchwyliaeth gyfrifol arnyn nhw, bydd llythyron ar 'u fford i gyfarwyddwyr *Gerawe!* a'ch prif gwnstabl chi erbyn amser cinio fory. Wyt ti'n deall beth dwi ise?' gofynnodd Gareth i Richards.

'Odw, sarj.'

'Iawn. Cer â nhw mas.'

'Hei, nid dyna'r croeso gethe ...' ond collwyd ei eiriau wrth i'r Cwnstabl Richards ei symud o'r adeilad.

'Ma'n ddrwg 'da fi am hwnna,' meddai Gareth wrth Charles So.

'Popeth yn iawn. Ma'ch bwyd chi bron yn barod.'

Cydiodd Carys ym mraich Gareth. 'Dere, gad i ni fynd.'

'Ond dwyt ti ddim wedi ca'l dy fwyd.'

'Sdim ots.'

'Wyt ti'n siŵr?'

'Odw, dere.' A gyda llygaid pawb arnynt, cerddodd y ddau o'r bwyty.

Gwthiodd Gareth ei hun yn is yn y gadair esmwyth. Bydd-ai'n braf gallu ymlacio am ychydig ac anghofio am ei ddyletswyddau, ond roedd y digwyddiad yn y Jade Dragon yn dod â llawer mwy na'i helyntion presennol i gof. Siglodd ei ben er mwyn ceisio gwasgaru'r atgofion. Cododd a cherdded o gwmpas yr ystafell gan syllu ar y lluniau a'r addurniadau roedd Carys wedi eu casglu dros y tair blynedd y bu hi'n byw yno.

Roedd hi wedi dweud wrtho nad oedd addurn o unrhyw fath yn y fflat pan ddaeth hi yno ond ei bod yn benderfynol o beidio â phrynu er mwyn prynu fel y gwnâi ei mam. Nid oedd hi am gael casgliad o bethau amhersonol; roedd hi am i bob addurn olygu rhywbeth iddi ac roedd wedi esbonio arwyddocâd ambell ddarn i Gareth. Ond ni allai ef gredu bod rhywun yn mwynhau edrych yn ôl heb sôn am gael pethau gweladwy o'i gwmpas i'w atgoffa o'r gorffennol.

'Beth am frechdan gaws?' galwodd Carys o'r gegin.

'A thomato?'

'Dim tomato.'

'Sos brown?'

'Dim caws.'

'Beth?'

'Dwi newydd agor y pecyn. Pum munud arall ac fe fydde'r caws wedi 'i agor e drosta i.'

'Beth bynnag sy 'da ti, 'te, ar yr amod nad wyt ti'n gweud wrtha i beth yw e.'

'Wyt ti wedi bwyta fan hyn o'r bla'n?'

'Ddim yn ddiweddar.'

'Na, dwi'n cofio nawr.'

Daeth Carys o'r gegin ac estyn y plât iddo. Rhoddodd Gareth ei gwpan ar fraich y gadair a chydio yn hanner y frechdan.

'Pys?'

'Paid anghofio'r pupur.'

'Trueni na fyddet ti wedi gwneud.'

'Ha, ha,' ac fe gydiodd yn hanner arall y frechdan.

'Hwnna o'dd yr hanner gore, fwy na thebyg,' meddai Gareth, gan dorri darn a'i gnoi'n betrusgar.

Eisteddodd Carys yn y gadair gyferbyn ag ef ac edrych arno'n dawel am rai munudau.

'Dyna'r eildro i fi dy weld di wrth dy waith,' meddai o'r diwedd.

'Ychydig mwy o gyffro'r tro hwn,' meddai Gareth, a oedd yn bwyta'i frechdan gydag awch erbyn hyn.

'Shwd o't ti'n teimlo pan ddechreuodd y trwbwl a tithe'n gwbod, fwy na thebyg, y bydde'n rhaid i ti ymyrryd?'

Cododd Gareth ei ysgwyddau. 'Trio cadw'n dawel a gobeithio y bydde hi'n cymryd y bwyd a gadel.'

'Ond pan o'dd hi'n amlwg nad o'dd hi'n mynd i adel?'

'Ro'dd hi'n rhy hwyr i feddwl am ddim erbyn 'ny. Ond pan dda'th y ddau ddyn i mewn ro'n i'n dechre difaru nad o'n i wedi meddwl am rywbeth cyn 'ny.'

'Gollest ti dy dymer gyda nhw, on'd do fe?'

Cododd Gareth yr olaf o'r pys strae o'r plât. 'Do.'

'Pam?'

Edrychodd arni.

'Be na'th i ti golli dy dymer?'

'Do'n i ddim yn meddwl bod 'da ti gymaint â 'ny o ddiddordeb yn 'y ngwaith i.'

'Ond ma' 'da fi ddiddordeb ynot ti.'

Cododd Gareth ei gwpan ac yfed ychydig o'r coffi'n llwnc-destun iddi.

''U hymddygiad nhw,' meddai o'r diwedd. 'Y ffordd ro'n nhw'n cymryd yn ganiataol y gallen nhw neud beth bynnag ro'n nhw ise.'

'Ond am 'u bod nhw'n feddw ro'n nhw'n meddwl 'ny.'

'Nage. 'U neud nhw'n wa'th o'dd hynny. Ro'dd y gred 'u bod nhw'n arbennig, 'u bod nhw'n gallu ymddwyn yn wahanol i bawb arall yno, y gred y gallen nhw neud beth bynnag o'n nhw'n moyn am 'u bod nhw'n blismyn, ro'dd honno yna i ddechre.'

Nodiodd Carys. 'A beth am y ffaith 'u bod nhw'n blismyn meddw?'

Syllodd Gareth arni am eiliad ac yna ysgydwodd ei ben. 'O, Carys.'

'Beth ddigwyddodd?'

'Heno?'

Daliodd Carys ei edrychiad a gwyddai Gareth y gallai'r noson hon fod cyn bwysiced, os nad yn bwysicach, iddo â'r noson honno bum mlynedd ynghynt yr oedd Carys yn ei holi amdani nawr. Ond ofnai Gareth na allai ddelio'n well â'r sefyllfa y tro hwn chwaith.

'Plismon yn Llanelli o'n i ar y pryd. Do'n i ddim wedi ymuno â'r CID bryd 'ny, ac er gwaetha'r cyfan ro'n i'n 'i weld bob dydd, ro'n i'n cymryd bywyd yn ysgafn iawn. Do'dd yr hyn ro'n i wedi 'i glywed yn y coleg hyfforddi, nad swydd naw tan bump yw swydd plismon a'i fod e ar ddyletswydd bedair awr ar hugain y dydd, yn golygu dim. Ro'n i'n meddwl am y gwaith yn nherme shifftie yn unig. Unwaith ro'n i wedi gorffen y shifft a rhoi'r iwnifform yn y cwpwrdd, dyna 'nghyfrifoldeb i drosodd tan y shifft nesa. Ac fel y ddau 'na heno ro'n i'n meddwl y gallen i ymddwyn fel o'n i'n dewis. Awdurdod plismon heb y cyfrifoldeb.

'Wel, un diwrnod ro'dd criw ohonon ni wedi mynd draw i Abertawe i gefnogi Llanelli mewn gêm gwpan yn erbyn y Jacks. Fi o'dd yr unig blismon 'na. Bydde dau arall wedi bod 'da ni fel arfer ond do'n nhw ddim wedi llwyddo i newid 'u shifftie. Enillodd Llanelli ac fe arhoson ni yn Abertawe i ddathlu. Ro'n ni mewn tafarn rywle yng nghanol y ddinas. Ro'dd y cwrw'n llifo a'r hwylie'n codi, ond ro'dd popeth yn iawn – amser da heb drwbwl o gwbwl. Ond wedyn da'th criw o fechgyn ifanc mewn i'r dafarn a dechre cadw stŵr ym mhen pella'r bar. Do'n nhw ddim yn wir yn tarfu arnon ni ond ro'n ni'n ymwybodol 'u bod nhw 'na.

'Ro'dd 'u lleisie'n codi a'r chwerthin yn mynd yn uwch. Yna fe ddechreuon nhw roi amser caled i'r dynion y tu ôl i'r bar; cwyno am 'u newid neu 'u bod nhw wedi talu am fwy nag o'n nhw wedi 'i ga'l. Hwyl o'dd e ar 'u rhan nhw, ond gan 'i bod hi'n brysur yn y dafarn ro'dd delio â nhw yn waith heb ise i'r dynion y tu ôl i'r bar. Ma'n rhaid 'u bod nhw wedi ca'l digon ac wedi ffonio'r heddlu, neu wedi dod o hyd i ddau y tu fas i'r dafarn. Beth bynnag, fe dda'th dau blismon i mewn a mynd draw at y bechgyn.

'Ro'dd popeth yn edrych fel petai'n mynd i dawelu'n iawn tan i'r hynaf o'r ddau blismon ga'l galwad ar 'i radio ac fe a'th e mas o sŵn y dafarn i'w ateb gan adel ei bartner, a edrychai fel bachgen ysgol, ar 'i ben 'i hun. Fe ddyle fe fod wedi mynd hefyd, ond dyna fe, ddim fel'na fuodd hi. Ma'n rhaid bod y bechgyn yn meddwl 'i fod e'n ifanc hefyd gan iddyn nhw ddechre'i boeni fe unwaith ro'dd y llall mas drwy'r drws. Ro'dd gweld plismon yn ca'l amser caled yn crafu arna i ac fe benderfynes i 'i bod hi'n amser rhoi taw ar hwyl y bechgyn.

'Do'n i ddim yn sylweddoli tan i fi godi a dechre neud fy ffordd ar draws y stafell pa mor feddw o'n i. Ond beth o'dd yr ots, ro'n i'n blismon o'dd yn mynd i roi help llaw i blismon arall. Yn anffodus do'dd gan y plismon arall ddim syniad pwy o'n i a do'dd gan y bechgyn mo'r diddordeb lleia. Yn sicr, do'n nhw ddim yn mynd i gymryd y sylw lleia o'r hyn ro'n i'n 'i weud. Wel, fe a'th hi'n ymladd rhyngddyn nhw a finne, gyda'r plismon – Peter Thomas o'dd 'i enw – wedi 'i ddal yn y canol. Pan welodd fy ffrindie 'mod i mewn trwbwl fe ddethon nhw draw i 'nghynorthwyo i. Fe gymerodd hi hanner awr a naw plismon arall i ddod â'r ffrwgwd i ben.

'Fe ges i gerydd gan y *Super*, er i'r rhai o'dd gyda fi

ddweud mai mynd i helpu'r plismon 'nes i. Ond ro'n i'n gwbod 'mod i'n rhy feddw i helpu neb. Wedi hynny, dim ond cyfnod hir o waith caled iawn roddodd y cyfle i fi newid i'r CID. Y cam cynta tuag at neud 'ny o'dd rhoi'r gore i'r yfed. Ond do'dd Peter Thomas ddim mor ffodus. Collodd e 'i olwg yn ei lygad dde pan wthiodd un o'r bechgyn wydr i'w wyneb.'

Tawelodd Gareth a symudodd Carys i eistedd yn ei ymyl.

'Ma'n ddrwg 'da fi.'

'Wel, ti o'dd ise gwbod.'

'Na, difaru ydw i nag o'n i wedi gofyn i ti'n gynt.'

Arhosodd y ddau gar o flaen Cilmeri, Coedlan Angharad, a dringodd pedwar heddwas allan. Roedd yr un olygfa yn cael ei llwyfannu mewn tair stryd arall mewn gwahanol rannau o'r dref yn union yr un pryd. Roedd yn rhaid i'r heddlu bwyso a mesur y gwahaniaeth rhwng grym digonol a mynd dros ben llestri. Wedi'r cyfan, bechgyn yn eu harddegau oedd y pedwar ac nid aelodau o ryw gang rhyngwladol oedd yn bygwth tanseilio cyfraith a threfn ar draws pum cyfandir. Ond wedi dweud hynny, roedd hwn yn achos o lofruddiaeth, ac fe allai unrhyw un oedd o dan amheuaeth o lofruddiaeth fod yn beryglus.

Arweiniodd Gareth y ffordd i fyny'r llwybr. Doedd yna byth amser da i blismon alw ond, o safbwynt y plismon, roedd rhwng tri ac wyth o'r gloch y bore yn gyfnod pryd y gallai fod yn weddol siŵr o gael pobl gartref.

'Mr Morgan?' gofynnodd i'r dyn a atebodd y drws.

'Bore da, sarjant, beth alla i wneud i chi?' gofynnodd hwnnw cyn i Gareth gael cyfle i ddangos ei gerdyn gwarant iddo. Gwenodd y dyn yn garedig heb ddangos unrhyw arwydd ei fod yn pryderu bod yr heddlu'n curo ar ei ddrws am chwarter wedi saith y bore. Neu a oedd y dyn yn ei adnabod? Syllodd Gareth arno, ac er bod ei wyneb yn lled gyfarwydd, ni allai ddyfalu ymhle'r oedd wedi ei weld o'r blaen.

'Dydd Sul, yng Nghapel Bethania,' meddai'r Parchedig Emrys Morgan, pan sylweddolodd nad oedd Gareth yn cofio ymhle'r oeddynt wedi cyfarfod. 'Chi ddaeth ynglŷn â'r fandaliaeth i'r capel.'

'Wrth gwrs,' meddai Gareth, yn ceisio derbyn a rhoi trefn ar y tro annisgwyl hwn a roddai wedd go wahanol ar ddigwyddiadau nos Sadwrn, yn enwedig yr ymosodiad ar Gapel Bethania. 'Ma'n ddrwg 'da fi, Mr Morgan, ond do'n i ddim yn eich nabod chi am eiliad.'

'Ydi'r ymweliad plygeiniol hwn yn golygu bod 'na ddatblygiad?'

'Odi, ond ... ai eich mab chi yw Daniel Morgan?'

'Ie.'

'Allen i 'i weld e?'

'Pam fyddech chi am weld Daniel?'

'Allen i ddod i mewn, Mr Morgan?' gofynnodd Gareth, gan deimlo ei fod yn dechrau colli gafael ar y sefyllfa.

'Ar bob cyfri.'

'Be sy, Emrys?' gofynnodd gwraig a ddaeth o'r gegin a gwel ei gŵr a phedwar dyn arall yn sefyll yn y cyntedd, a thri ohonynt mewn gwisg plismyn.

'Maen nhw ise gweld Daniel.'

'O.' Nid syndod, ond rhyw dderbyn yr anochel a glywodd Gareth yn ei llais.

'Ma'n ddrwg 'da fi,' meddai Gareth gan estyn y warant i Emrys Morgan; gwarant i arestio'i fab ac archwilio'i dŷ.

Cymerodd y gweinidog y ddalen a'i darllen yn dawel. 'Mae'n rhaid eich bod wedi gwneud camgymeriad,' meddai ar ôl gorffen. 'Pam fyddai Daniel am ddifrodi Bethania? Cafodd ei fagu yno.'

'Ma'n wa'th na 'ny, Mr Morgan. Ma' 'da ni le cryf i gredu bod eich mab nid yn unig yn un o'r bechgyn fu wrthi'n difrodi Bethania, ond mai ef hefyd ddygodd y car ...'

'Beth?'

'... achosodd y ddamwain ar Bont yr Esgob nos Sadwrn.'

'Alla i ddim credu hyn o gwbwl,' protestiodd Emrys Morgan. 'Rydych chi'n rhoi'r bai am bopeth sydd wedi digwydd yn y dre 'ma ar Daniel?'

'Odi Daniel 'ma?' gofynnodd Gareth i Mrs Morgan.

'Mae e'n dal yn ei wely,' atebodd hithau. Trodd Gareth am y grisiau.

'Allwch chi ddim mynd i'w stafell,' meddai Emrys Morgan.

'Ma'r warant yn rhoi'r hawl i ni archwilio'r tŷ i gyd.'

'Ond dyw Daniel ddim yn fodlon i neb fynd i'w stafell.'

Edrychodd Gareth o'r naill i'r llall. 'Pa un yw stafell Daniel, Mrs Morgan?'

'Yr un ar y chwith ar ben y grisie.'

Amneidiodd Gareth ar ddau o'r plismyn i'w ddilyn i fyny i'r llofft.

Agorodd Gareth y drws a cherdded i mewn i'r ystafell a oedd yn hollol dywyll. Nid y tywyllwch pŵl ben bore hwnnw a chwelir yn syth pan agorir y llenni oedd hwn. Roedd yr ystafell ei hun yn dywyll ac nid oedd y rhimyn cul o oleuni o gwmpas y llenni trwchus yn ddigon i darfu arno. Cyneuodd Gareth y golau a llanwyd yr ystafell ar unwaith gan olau coch a oedd ond prin ddigon cryf iddynt weld y gwely yn y cornel ac amlinelliad rhywun yn gorwedd arno.

'Y llenni,' meddai wrth yr heddwas agosaf. Pan lifodd yr haul cryf i'r ystafell cerddodd Gareth at y gwely lle gorweddai Daniel Morgan yn wynebu'r wal. Y cyfan a welai ohono oedd ochr ei ben a'i wallt hir, brown yn gorwedd ar ei ysgwydd noeth. Cydiodd Gareth yn yr ysgwydd a'i siglo.

'Daniel? Daniel! Dihuna!'

Fe gymerodd hi rai eiliadau i'r geiriau daro ac i'r llygaid agor ac ni chafwyd mwy na hynny o ymateb i ddechrau, ond yna, fel llif yn taro muriau'r argae, fe ffrwydrodd.

'Mas! Chi'n gwbod sdim hawl 'da chi i ddod mewn i'n stafell i. Mas!'

Mor annisgwyl oedd ffyrnigrwydd yr ymateb, a chymaint oedd y grym a'r casineb yn y geiriau fel y rhewodd Gareth am eiliad. Edrychodd ar yr heddwas oedd wedi tynnu'r llenni'n ôl a gweld ei fod yntau hefyd wedi ei synnu. Cydiodd Gareth yn y dillad gwely a'u taflu o'r neilltu.

'Mas!'

Trodd Daniel ac edrych yn hurt arno fel pe bai'n sylweddoli am y tro cyntaf mai dieithryn oedd yn ei ystafell wely. Yna gwelodd y ddau blismon yn sefyll wrth y drws.

'Beth …?' a thynnodd ei hun i fyny yn y gwely.

'Mas â ti,' meddai Gareth wrtho.

'I beth?' heriodd Daniel, ond yn dawelach nawr, ychydig yn fwy parchus. Roedd cwsg yn cilio a'i synhwyrau'n dihuno.

'Ry'n ni am i ti ddod gyda ni.'

'Fi? I ble? Pam?' a gwenodd wên ddiniwed, agored. 'Dwi ddim wedi neud dim.'

'Ble ma' dy ddillad?'

Pwyntiodd at bentwr ar gadair yn y cornel.

'Dere mla'n,' meddai Gareth gan symud naill ochr iddo gael codi. Roedd yn fachgen tal, ac yn llydan yn ei ysgwyddau, ac er efallai bod ei wyneb hir, cul a'i gorff tenau yn gwneud iddo ymddangos yn dalach nag yr oedd, credai Gareth ei fod yn agos i chwe throedfedd. Gwisgai ddim ond trowsus pyjamas du, sgleiniog ac roedd ei wallt hir wedi ei glymu'n ôl gan ruban o'r un defnydd.

Tra newidiai Daniel Morgan dechreuodd Gareth Lloyd edrych o gwmpas yr ystafell. Roedd y pedair wal, a chefn y drws, wedi eu lliwio'n goch tywyll, ac roedd llenni'r ffenest a'r llen a orchuddiai'r alcof ar un ochr i'r hen le tân hefyd o'r un lliw. Nid oedd yr un poster, darlun nac addurn i dorri ar yr undonedd. Ychydig iawn o ddodrefn oedd yno. Ar wahân i'r gwely roedd un gadair freichiau, cadair uchel a desg. Ond os oedd yr ystafell yn foel roedd y ddesg yn gyforiog o beiriannau a meddalwedd: cyfrifiadur, stereo, teledu a pheiriant fideo, ynghyd â thomen o gasetiau sain a fideo, cryno-ddisgiau a gêmau cyfrifiadur a nifer helaeth ohonynt yn dal yn eu gorchuddion seloffên. Roedd yno hefyd gasgliad o gasetiau fideo, bron i gyd yn ffilmiau. Gwthiodd bentwr o'r cryno-ddisgiau naill ochr a datgelu pecyn o sigaréts a thaniwr. Cydiodd yn y taniwr euraidd a gwasgu'r botwm ar ei ochr. Os nad oedd y taniwr wedi ei wneud ag aur, yr oedd yn bendant wedi ei oreuro. Ceisiodd Gareth ddyfalu beth oedd cyflog gweinidog.

Wrth iddo gerdded o gwmpas yr ystafell roedd Gareth yn ymwybodol bod y bachgen yn cadw llygad arno. Agorodd Gareth un o ddrariau'r ddesg.

'Hei!' galwodd Daniel. 'Allwch chi ddim neud 'ny heb warant.'

'Ma' 'da ni un,' meddai Gareth gan agor drâr arall ac edrych drwy'r pentwr o gylchgronau oedd ynddo. Daliodd un i fyny i'w ddangos i Daniel. 'Odi dy dad yn gwbod?'

'Dyw e'n gwbod dim,' atebodd Daniel yn ddirmygus.

Rhoddodd Gareth y cylchgrawn yn ôl a chau'r drâr. Ar y llawr ar bwys y ddesg roedd rhyw ddwsin neu ddau o lyfrau – yr unig arwydd mai ystafell bachgen ysgol oedd hon. Croesodd at yr alcof a thynnu'r llen naill ochr i ddadorchuddio casgliad helaeth o ddillad ffasiynol newydd.

'Pryd wyt ti'n ca'l dy ben blwydd, Daniel?'

'Mis Tachwedd, pam?'

'Shwt gest ti'r holl bethe 'ma 'te?' A throdd Gareth i gynnwys yn ei gwestiwn yr eitemau ar y ddesg yn ogystal â'r dillad.

Siglodd Daniel Morgan ei ben. 'Ry'ch chi wedi neud camgymeriad.'

'Ynglŷn â beth?' gofynnodd Gareth, gan ddechrau chwilio ym mhocedi'r siacedi a'r trowsusau.

'Ynglŷn â beth bynnag ry'ch chi ise'n holi i amdano.'

'Ac am beth wyt ti'n meddwl i ni ise dy holi di?'

'Dim syniad.'

'Shwd alli di fod mor siŵr ein bod ni wedi neud cam-gymeriad 'te?'

Chwarddodd Daniel, gan ddangos ei ddannedd gwynion a'i bantiau gwên.

'Am nad ydw i wedi neud dim.'

'Do's 'da ti ddim i boeni amdano 'te, o's e?' meddai Gareth gan gydio mewn pâr coch o esgidiau Doctor Marten newydd sbon. Roedd yna dri phâr newydd arall ar lawr yr alcof, ond y pâr coch oedd yr unig rai â photel o wisgi Glenfiddich yn un o'r esgidiau. Tynnodd Gareth y botel hanner gwag allan a'i thaflu ar y gwely. Trodd yr esgid arall wyneb i waered a disgynnodd waled ledr i'r llawr. Plygodd Gareth i'w chodi.

'Ti bia'r waled 'ma?' gofynnodd wrth iddo'i hagor ac archwilio'i chynnwys.

'Pa waled?' Eisteddai ar y gadair freichiau, ei ben i lawr yn dyfal gau ei esgidiau.

'Hon.'

Cododd ei ben yn frysiog ac edrych i gyfeiriad Gareth cyn canolbwyntio unwaith eto ar ei draed.

'Dwi erio'd wedi 'i gweld hi o'r bla'n.'

'Felly nid ti sy bia hi.'

'Nage.'

'Wyt ti'n nabod Stephen Lyons?'

'Pwy?'

'Stephen Lyons. 'I gardie credyd e sy yn y waled.'

'Dwi erio'd wedi clywed 'i enw.'

'Beth o'dd 'i waled e'n neud tu fewn i un o dy sgidie di, 'te?'

'Dim syniad.'

'Ddim ti roiodd hi 'na?'

'Nage.'

'Pwy, 'te?'

Cododd y bachgen ei ben unwaith eto. 'Chi.'

Rhoddodd Gareth y waled mewn cwdyn plastig ac ych-wanegu'r taniwr aur cyn ei roi yn ei boced.

'O's 'da ti dderbynebau am y sgidie 'ma?'

'Nago's.'

'Am y dillad?'

'Nago's.'

'Beth am y fideos a'r CDs?'

'Nago's.'

'Alli di weud wrtha i ble brynest ti nhw?'

'Dwi ddim yn cofio.'

Cydiodd Gareth mewn bag chwaraeon o waelod yr alcof a rhoi'r esgidiau, y cryno-ddisgiau a'r casetiau fideo oedd ar y ddesg ynddo hefyd. Ar hap agorodd Gareth y pecyn sigaréts a gweld chwe sigarét denau ymhlith y lleill. Tyn-nodd un allan a'i harogli.

'Dwi'n credu y dylet ti ddechre poeni nawr, Daniel. Dere mla'n.'

Cododd Daniel Morgan yn bwyllog a sgwario'i ysgwydd-au'n heriol. Gallai Gareth ddarllen ei feddwl drwy edrych ar ei osgo, ar y ffordd y cerddai allan o'r ystafell. Beth os oedd yr heddlu'n ei amau? Beth os oeddynt wedi dod o hyd i rywbeth yr oeddynt yn ei ystyried yn dystiolaeth? Doedd dim rhaid iddo ef ddweud dim. Dim ond iddo gadw'i geg ynghau allen nhw wneud dim. Roedd yn ddiniwed iawn os oedd yn meddwl hynny; yr unig beth diniwed amdano, fwy na thebyg.

'Popeth yn iawn, Daniel?' holodd Emrys Morgan o waelod y grisiau wrth i'r tri ddisgyn i'r cyntedd.

'Chi na'th hyn!' poerodd at ei dad. 'Arhoswch chi! Gewch chi dalu am hyn!' Roedd hi fel pe bai sŵn llais ei dad yn ddigon i beri i Daniel golli ei bwyll yn llwyr.

'Daniel,' meddai Emrys Morgan yn llywaeth. 'Rwyt ti'n gwybod y gwneith dy fam a finne unrhyw beth i dy helpu.'

'Helpu? Dy'ch chi'n ddim byd ond rhwystr.'

'Ise'r gore i ti ydyn ni.'

'Wel chi'n gwbod beth allwch chi'ch dau neud, 'te!' galwodd Daniel wrth i'r ddau blismon ei arwain allan at y ceir.

'Ydych chi am ddod, Mr Morgan?' gofynnodd Gareth.

'I swyddfa'r heddlu?' gofynnodd yn syn.

'Nes y gallwch chi drefnu gyda'ch cyfreithiwr.'

'Do's gyda ni ddim cyfreithiwr.'

'Bydde'n well i chi ddod, 'te.'

Edrychodd Emrys Morgan ar ei wraig, a phan nodiodd hi ei phen estynnodd y gweinidog ei got o'r tu ôl i'r drws. 'Gwenith, nei di ffonio Mrs Marshall i ddweud na fydda i'n gallu mynd â hi i'r ysbyty'r prynhawn 'ma?'

'Iawn, Emrys.' Edrychodd y ddau yn dawel ar ei gilydd. Roeddynt allan o'u dyfnder yn llwyr, y naill yn edrych yn ofer ar y llall am achubiaeth.

'Ond pam na fydde fe wedi gweud wrthon ni?'

'Rho dy hunan yn lle Geraint, Ken. Ro't ti'n 'i holi fe'n dwll am beth ro'dd e wedi bod yn 'i neud yn y parti, a dyna ble'r o'dd e a Ceri wedi cwmpo mas.'

'Ond ro'dd e'n ymddwyn fel pe bai rhywbeth ofnadw wedi digwydd.'

'Wel, ro'dd e *yn* rhywbeth ofnadw iddo fe.'

'Wyt ti'n gwbod beth o'dd achos 'u cweryl?'

'Nagw.'

'Nest ti ddim gofyn iddo fe?'

'Naddo. Gadel llonydd iddo fe fydde'r peth calla nawr.'

'Dwyt ti ddim ise gwbod?'

'Nagw. Wel, odw, os bydde gwbod yn golygu y gallen ni 'i helpu fe mewn rhyw ffordd, ond os yw gofyn yn mynd i neud iddo fe feddwl ein bod ni'n pigo arno fe 'to ac yn trio rheoli 'i fywyd, nagw. Dwi ddim ise gwbod.'

'Ond pam na alle fe fod wedi gweud wrthon ni ar y dechre?'

Nid atebodd Angela Roberts. Cododd a chasglu'r llestri brecwast. Pam na allai Ken adael i bethau fod? Yn enwedig nawr ac yntau'n gwybod pwy oedd y bechgyn oedd wedi achosi'r holl helynt nos Sadwrn. Ond na! Roedd y cyfan yn dal i'w gorddi. A neithiwr ar ôl iddo ddod adref roedd fel ci heb ei ginio, yn cerdded yn ôl a blaen o'r gegin i'r ystafell fyw yn bytheirio yn erbyn Clem Owen ac yn bygwth peidio mynd i'r gwaith drannoeth, am yn ail â gofyn i Angela ail-adrodd manylion ymweliad Ceri a'r sgwrs rhyngddi hi a Geraint. Ac ni wyddai Angela pa un ai chwilfrydedd plismon neu ofid tad oedd i gyfri am hynny, ond gobeithiai, er mwyn popeth, na fyddai Ken yn holi Geraint. Ac os oedd y ddau'n mynd i fod gartre drwy'r dydd, fe fyddai'n amhosibl eu cadw ar wahân. Roedd y ddau yn llawer rhy debyg, yn llawer rhy annibynnol i un weld safbwynt y llall. Roedd hi'n amau nad oedd Ken, hyd yn oed nawr, yn sylweddoli gymaint yr oedd wedi brifo Geraint drwy amau ei fod yn rhan o'r helynt. A hyd yn oed os cymodai'r ddau, fe fyddai'r dolur yn aros.

'Bydd y bechgyn yn ca'l 'u holi heddi,' meddai Ken Roberts.

Rhoddodd Angela'r llestri o dan y tap dŵr poeth.

'Dwi'n credu y dylen i fynd i mewn.'

Diolch byth! a gwasgodd Angela lawer mwy nag oedd ei angen o'r hylif golchi llestri i mewn i'r badell.

'Mr Watkins, ma' galwad ffôn i chi.'

Caeodd Arwel Watkins y drws a throi at yr ysgrifen-yddes.

'Ga i gyfle i gyrraedd yn iawn gynta, Margaret?'

'Ma'n ddrwg 'da fi, ond ma' fe wedi ffonio dair gwaith yn barod.'

'Pwy?'

'Mr Andrew Collins.'

'O.'

Ers i Paul Manning ddweud wrth yr heddlu fod James Collins yn un o'r bechgyn y bu ef yn eu cwmni nos Sadwrn, roedd Arwel Watkins wedi disgwyl i'w dad ei ffonio. Fe fyddai'n amhosibl iddo gynrychioli'r ddau fachgen, yn enwedig gan fod yr amddiffyniad yr oedd ef yn ei baratoi ar gyfer Paul yn mynd i wneud pethau'n anoddach i'r lleill. Mae'n bosibl y byddai ei gwmni yn colli'r gwaith a gynigiai Andrew Collins iddynt yn achlysurol, ond roedd Arwel yn hyderus y byddai dyled Raymond Manning yn gwneud iawn am hynny.

'Gwedwch wrtho fe y ffonia i fe cyn diwedd y bore.'

'Iawn, ac ma' 'na ddau lythyr i chi eu harwyddo fan hyn, Mr Watkins,' meddai'r ysgrifenyddes, gan eu rhoi o'i flaen ar y cownter.

'Prysur, Arwel?' gofynnodd Richard Jones iddo wrth ddisgyn y grisiau i'r dderbynfa.

'Ydw, fel mae'n digwydd, Richard,' atebodd Arwel, gan ganolbwyntio ar y llythyrau.

'Wyt ti wedi bod i weld Eirlys Llewelyn eto?'

'Nagw.'

'Wyt ti ddim yn meddwl y dylet ti alw i gydymdeimlo â hi ar farwolaeth 'i mab?'

'Ydw, Richard. Ac fel mae'n digwydd, dwi'n bwriadu galw i'w gweld hi y bore 'ma.'

'Da iawn. Wyt ti wedi clywed rhywbeth am ei lofrudd-iaeth?'

'Na. Pam wyt ti'n meddwl y bydden i?'

'Meddwl roeddwn i, a tithe mewn a mas o swyddfa'r heddlu ddoe gyda busnes Paul Manning, falle y byddet ti wedi clywed rhywbeth.'

'Naddo. Dim,' ac fe drodd yn ôl at y llythyrau.

'Roedd 'na Sarjant Lloyd yma brynhawn ddoe. Roedd e ise gweld ffeil Stephen Llewelyn.'

Saethodd pen Arwel i fyny. 'Roddest ti hi iddo fe?'

'Fe ga'th e 'i gweld hi, do …'

'Doedd gen ti ddim hawl i'w dangos hi i neb y tu ôl i 'nghefn i, Richard. Gymeres i gyfrifoldeb am fusnes Eirlys Llewelyn, a'i mab, ar adeg pan oeddet ti'n fwy na pharod i gael gwared ag e.'

'Arwel, fe drion ni gael gafael arnat ti, ond gan fod Eirlys Llewelyn wedi rhoi ei chaniatâd, doedd gen i ddim rheswm dros wrthod i'r heddlu weld y ffeil.'

'Fe ddylet ti fod wedi aros.'

'Gwastraffu amser yr heddlu fyddai hynny, ac mae hi'n talu ffordd, weithie, i'w cynorthwyo. Mae'n ddrwg 'da fi, Arwel, wydden i ddim y byddet ti'n cymryd y peth mor bersonol.'

'Wel, mae'n rhy hwyr nawr.'

'Popeth yn iawn, ydy e?'

'Pam wyt ti'n gofyn?'

'Dim rheswm o gwbwl, dim ond 'mod i'n poeni am les pawb yn y cwmni.'

'Ydy, mae popeth yn iawn, Richard.'

'A Judith? Sut mae hi erbyn hyn?'

'Yn iawn.'

'Bydd rhaid i chi ddod draw ryw noson. Roedd Kay yn dweud pa noswaith nad oedd hi wedi'ch gweld chi'ch dau ers amser.'

'Mae Judith yn mynd at ei mam am ychydig ddyddiau o wyliau.'

'Wel, dwed pan ddaw hi'n ôl ac fe drefnwn ni rywbeth.'

'Iawn, diolch i ti, ond os wnei di fy esgusodi?' Ac fe gerddodd at y grisiau.

Edrychodd Richard Jones arno'n dringo i'w ystafell, yn ceisio penderfynu p'un ai problem broffesiynol neu un bersonol oedd yn poeni ei bartner.

Eisteddai Gareth Lloyd a Daniel Morgan yn wynebu ei gilydd ar draws y bwrdd. Ar y silff yn ymyl Gareth roedd y peiriant recordio, wedi ei osod yn barod i wneud dau gopi o'r cyfweliad; un i'r erlyniad ac un i'r amddiffyniad. Ar hyn o bryd roedd Daniel Morgan yn dal heb gyfreithiwr a dyna pam, yn groes i'w ddymuniad, roedd ei dad yn bresennol ac yn eistedd ychydig y tu ôl iddo. Yn y cornel yn ymyl y drws, yn union o dan y camera fideo a oedd hefyd yn cofnodi'r cyfweliad, eisteddai'r heddwas Alun Harris. Roedd Gareth wedi datgan, ar gyfer y peiriannau, amser cychwyn y cyfweliad a phwy oedd yn bresennol, ac roedd wrthi nawr yn esbonio pam roedden nhw i gyd yno.

'Rwyt wedi dy arestio ar amheuaeth o ddifrodi ceir yn Ffordd yr Eglwys a Chapel Bethania yn Heol Teilo ac o gymryd a gyrru i ffwrdd gar Ford Sierra heb ganiatâd y perchennog. Wyt ti'n deall, Daniel?'

Nodiodd y bachgen ei ben yn ddiamynedd.

'Daniel, a wnei di ddweud os wyt ti'n deall, er mwyn y tâp.'

Ochneidiodd y bachgen yn ddiamynedd. 'Dwi'n deall, reit?'

'Rwyt ti hefyd wedi ca'l dy arestio am fod â thair *reefer* neu *joint* o gannabis yn dy feddiant, sydd yn groes i Ddeddf Camddefnyddio Cyffuriau 1971. Ma'n bosib y bydd ein hymchwiliade i'r achosion hyn yn arwain at gyhuddiad neu gyhuddiade er'ill, ond ar hyn o bryd fe fydda i'n dy holi di am y rhain yn unig. Os bydda i'n gofyn i ti am yr achosion er'ill fe fydda i'n dy rybuddio cyn gwneud. Iawn?'

Cododd Daniel ei ysgwyddau'n ddifater ac edrych o'i gwmpas fel pe na bai ganddo ddim i'w wneud â'r cyfweliad. Arhosodd Gareth am rai eiliadau cyn clywed yr 'Iawn' swta.

'Alli di ddweud wrtha i ble'r o't ti nos Sadwrn?'

Dim ateb.

'Daniel, dwi'n meddwl y dylet ti ateb y cwestiwn,' awgrymodd y Parchedig Emrys Morgan i'w fab.

'Mr Morgan, os allech chi adel …'

'Ie, cadwch chi mas o hyn, do's 'da neb ddiddordeb mewn beth ry'ch chi'n feddwl,' cyfarthodd Daniel ar ei dad a'i lais yn gyforiog o wenwyn.

'Daniel, os alli di …'

'Pa nos Sadwrn?' gofynnodd Daniel, gan newid ei osgo'n llwyr a gwenu'r wên oedd wedi ei gael allan o sawl twll yn y gorffennol.

'Nos Sadwrn dwetha, yr ail ar bymtheg o Orffennaf.'

'Ym … gadewch i fi feddwl am funud …'

Aeth y funud yn ddwy. Emrys Morgan oedd y cyntaf i ildio.

'Daniel, os nei di …'

'O's rhaid i ni 'i ga'l e 'ma?' gofynnodd Daniel i Gareth.

'O's. Fuest ti mas o gwbwl?' gofynnodd Gareth, yn y gobaith o dawelu ychydig ar y dyfroedd.

'Do … falle do fe, wedi meddwl.'

'Ble fuest ti?'

'O gwmpas y dre.'

'Yn rhywle arbennig?'

'Naddo.'

'Fuest ti lawr ar Draeth Gwyn?'

'Pam fydden i ise mynd i Draeth Gwyn?'

'Ro'dd 'na barti ar Draeth Gwyn nos Sadwrn. Fuest ti
'na?'

'Parti? Pa barti?'

'Gwed ti.'

Gwenodd eto. 'Ro'dd 'na barti ar y traeth, chi'n iawn.'

'Ac fe fuest ti yno.'

'Do, fel ma'n digwydd.'

'O'dd gyda ti gwmni?'

'O'dd.'

'Pwy o'n nhw?'

'Pawb o'dd yn y parti. Parti yw pan fydd lot o bobol yn
dod at 'i gilydd i fwynhau'u hunain, ac os y'ch chi yn y
parti, yna ry'ch chi yn 'u cwmni nhw i gyd. Dwi'n synnu
nad o'ch chi'n gwbod 'ny.' Ac fe wenodd unwaith eto.

Nodiodd Gareth ei ben yn araf. Roedd hi'n gas ganddo
adael i'r bachgen ymddwyn fel hyn; ei adael i ddweud beth
bynnag a ddymunai heb ei herio na rhoi pwysau arno i ateb
y cwestiynau a'u hateb yn gywir. Roedd y recordydd tâp
a'r camera fideo yno i recordio nid yn unig yr hyn roedd
Gareth yn ei ofyn a'r hyn roedd Daniel yn ei ateb, ond
hefyd i sicrhau na fyddai Gareth yn rhoi unrhyw fath o
bwysau arno mewn unrhyw ffordd yn ystod y cyfweliad.
Ac fe wyddai Gareth yn iawn y gallai ambell gyfreithiwr
ddehongli'r ffordd y byddai ef yn ymateb i ymddygiad Daniel
Morgan fel pwysau annheg. Wrth gwrs, roedd nifer o blis-
myn wedi camddefnyddio'r hen drefn i gael canlyniad, ond
roedd y drefn newydd wedi peri i'r pendil symud mor bell
i'r ochr arall nes ei bod hi bron yn amhosib cael canlyniad
o gwbl erbyn hyn.

'Pryd o't ti yn y parti?'

'Dwi ddim yn cofio.'

'Wyt ti'n cofio pryd cyrhaeddest ti?'

'Nagw.'

'Pryd adawest ti, 'te?'

'Dwi ddim yn cofio.'

'Ble'r est ti ar ôl gadel?'

'Adre.'

'Yn syth?'

'Ie.'

'Faint o'r gloch o'dd hi pan gyrhaeddest ti adre?'

'Rhywbeth wedi un ar ddeg.'

'Ti'n cofio 'ny, wyt ti?'

'Os nad y'ch chi'n 'y nghredu i gofynnwch iddo fe,' ac fe bwyntiodd ei fawd at ei dad. 'Ma' fe bron â marw ise gweud rhywbeth.'

Symudodd Emrys Morgan yn ei gadair, ond cododd Gareth ei law i'w atal rhag siarad.

'Cerdded adre nest ti?'

'Ie.'

'Pa ffordd?'

'Lan o'r traeth a lawr trwy ganol y dre.'

'Nid dyna'r ffordd gyflyma o Draeth Gwyn i Goedlan Angharad.'

'Pwy ddwedodd 'mod i am gymryd y ffordd gyflyma adre? O's 'na ddeddf sy'n gweud bod yn rhaid i fi gymryd y ffordd gyflyma adre?' atebodd yn fyr ei amynedd cyn iddo gofio'r rôl roedd yn ei chwarae, a gwenodd unwaith eto.

'O'dd rhywun 'da ti?'

'Nago'dd.'

'A welodd neb mohonot ti?'

'Naddo.'

'Trueni.'

'Pam?'

'Petai rhywun wedi bod 'da ti, fe allen nhw gadarnhau'r hyn rwyt ti newydd weud.'

'Sdim ise neb i gadarnhau 'ny. Fe es i adre'n syth a dyna fe.'

'Dyw hi ddim mor hawdd â 'ny, Daniel. Yn enwedig gan fod rhywun wedi dy weld di yn Ffordd yr Eglwys am chwarter wedi deg.'

'Ma'n nhw wedi neud camgymeriad. Fues i ddim yn agos i Ffordd yr Eglwys nos Sadwrn.'

'Ma'n mynd i fod yn anodd i ti berswadio'r llys o hynny ar dy ben dy hun.'

'Llys? Peidiwch siarad dwli. Do's neb yn mynd i fynd â fi i'r llys.' Ac fe bwysodd yn ôl yn ei gadair yn gwbl argyhoeddedig na fyddai ef byth yn cael ei ddwyn gerbron ei well, er iddo gychwyn ar y llwybr hwnnw ymhell cyn nos Sadwrn.

Roedd Gareth wedi gweld dwsinau o fechgyn, a merched, tebyg i Daniel Morgan a oedd, er gwaethaf pob cyngor, cymorth a chariad wedi mynd ar eu pennau i drybini. Ac nid oedd ganddo ddim i'w wneud â chefndir nac amgylchiadau, dim ond ag ewyllys yr unigolyn i gael ei ffordd ei hun. Ac roedd hi'n amlwg bod Daniel yn hen gyfarwydd â chael ei ffordd ei hun – gyda'i rieni a'i ffrindiau. Ac ni fyddai Gareth yn synnu dim pe bai ei athrawon yn llywaeth hefyd. Efallai, meddyliodd Gareth, mai dyma'r tro cyntaf iddo ddod wyneb yn wyneb ag awdurdod oedd yn gryfach nag ef. Byddai'n brofiad newydd ac anghysurus iddo.

'Beth am dy ffrindie?'

'Beth amdanyn nhw?'

'Allen nhw ddweud wrthon ni pryd adawest ti'r traeth?'

'Falle, ond dda'th yr un ohonyn nhw gyda fi. Fe ethon nhw i gyd bant gyda'i gilydd i gyfeiriad Pendre.'

'Sef cyfeiriad Ffordd yr Eglwys.'

'Ie, fel ma'n digwydd.'

'Ond est ti ddim gyda nhw?'

'Naddo.'

'Pam?'

Cododd ei ysgwyddau.

'Alli di weud pam? Er mwyn y tâp.'

'Do'n i ddim ise bod yn 'u cwmni nhw.'

'Dwi ddim yn credu 'ny, Daniel. Na, rwyt ti'n fy nharo i fel rhywun sy'n hoffi cwmni; fel rhywun sy yn ei elfen mewn cwmni ac yn manteisio ar bob cyfle i fod mewn cwmni. Dwi ddim yn credu dy fod ti'n un sy'n dewis bod ar 'i ben 'i hun pan ma' cynulleidfa i' ga'l.'

'A beth ma' hynny'n 'i olygu?'

'Dy fod ti'n lico dangos dy hun ac nad wyt ti'n ddim heb gynulleidfa.'

'Ha! Dy'ch chi'n gwbod dim byd amdana i.'

'Dwi'n gwbod tipyn amdanat ti. Er enghraifft, fe alla i weud wrthot ti yn union beth ro't ti'n ei wisgo nos Sadwrn.'

Pwysodd Daniel ymlaen dros y bwrdd a syllu'n heriol i lygaid Gareth. 'Ac fe fentra i y byddech chi'n anghywir.'

'Ond fydden i ddim yn gofyn i ti a o'n i'n iawn. Na, gofyn i bawb o'dd yn y parti fydden i. Ti'n gwbod, yr holl bobol dda'th at ei gilydd i fwynhau'u hunain ar Draeth Gwyn, y rhai o't ti yn 'u cwmni nhw nos Sadwrn. Ac ma'n siŵr 'da fi y bydde'r rhan fwya ohonyn nhw'n cofio beth o't ti'n 'i wisgo, a thithe'n un sy'n hoffi tynnu sylw ato'i hun. Ac mi'r wyt ti'n hoffi sylw, on'd wyt ti, Daniel?'

Rhythodd y bachgen arno, ond aeth Gareth yn ei flaen.

'Wedyn fe fydden i'n mynd 'nôl at y bobol yn Ffordd yr Eglwys a gofyn iddyn nhw ddisgrifio beth o'dd y bechgyn ddifrododd y ceir yn 'i wisgo.'

Tynnodd Daniel ei law dros ei geg a rhwbio'i drwyn. Arwyddion sicr o'i ansicrwydd. Plethodd Gareth ei freichiau, yn barod i adael iddo ferwi yn ei gawl ei hun am ychydig. Nid ei fod yn disgwyl iddo ddefnyddio'r amser hwnnw'n ddoeth a syrthio ar ei fai; roedd Daniel yn gwbl argyhoeddedig ei fod yn llawer mwy deallus na Gareth, ac unrhyw blismon arall hefyd, a'i bod hi eto'n bosib iddo ddod allan o hyn a'i draed yn rhydd. Yn union fel mae hi'n bosibl i'r amatur drechu'r proffesiynol. Mae hynny'n digwydd, ond nid yn aml.

'Wel?' gofynnodd Gareth.

Cododd Daniel ei ben i edrych arno a'i baratoi ei hun am y cwestiwn nesaf am y difrod yn Ffordd yr Eglwys. Ond nid o'r cyfeiriad hwnnw y daeth y cwestiwn.

'Ble gest ti'r cannabis, Daniel?'

'Dwi ddim yn cofio.'

'Wyt ti'n gwbod y galli di ga'l pum mlynedd o garchar am fod â channabis yn dy feddiant?'

Chwarddodd Daniel. 'Pum mlynedd! Peidwch â bod yn ddwl. Tri mis a rhyw ddirwy ar y mwya.'

'Cyffur Dosbarth B, Daniel, pedair blynedd ar ddeg o garchar a dirwy drom am ei ddosbarthu.'

'Ar 'y nghyfer i o'dd rheina.'

'Chwe *joint*, ma' hwnna'n dod â ni'n agos iawn at ddosbarthu.'

Roedd y llygaid yn bylach nawr ac yn bradychu ei ansicrwydd.

'Mae e'n rhywbeth i'w ystyried, on'd yw e? Os byddi di'n barod ...'

'Gair, Sarjant Lloyd.'

Nid oedd Gareth wedi clywed y drws yn agor nac wedi clywed yr Arolygydd Ken Roberts yn dod i mewn.

'Gair,' ailadroddodd yr arolygydd.

'Mewn munud, syr.'

'Nawr, sarjant.'

Trodd Gareth at y peiriant recordio. 'Inspector Ken Roberts wedi dod i mewn i'r ystafell. Y cyfweliad yn gorffen am ddau ddeg saith munud wedi deg.' Diffoddodd Gareth y camera fideo hefyd cyn gadael yr ystafell a'i dymer yn ei ddwrn.

'Syr, ro'n i ar ganol holi Daniel Morgan …'

'Dwi'n gwbod,' meddai'r arolygydd, gan gau drws yr ystafell.

'… ac ar ôl camu o'i gwmpas e …'

'Dwi'n deall yn iawn …'

'… a diodde'i atebion mawreddog am dros awr, ro'n …'

'Ond ma' 'na alwad ffôn i ti, ac ro'dd Eifion …'

'… i'n dechre torri drwy'r act …'

'… yn credu y byddet ti ise siarad …'

'… ond nawr mae e'n ca'l cyfle i ailfeddwl ac i …'

'… â DS Ashley cyn gynted …'

'Pwy?'

'DS Graham Ashley o'r Met.'

'Odi fe'n dal ar y ffôn?'

'Odi. Cer. Paid poeni am y bachgen, fe ofala i amdano fe.'

Dyna sy'n fy mhoeni, meddai Gareth wrtho'i hun wrth gerdded i lawr y coridor.

'Odi hi'n gyfleus i fi ga'l gair 'da chi?' gofynnodd Eifion Rowlands i'r ymwelydd iechyd wrth ei harwain allan i'r cyntedd.

'Odi, ond do's 'da chi ddim rheswm i boeni am Emyr, ma' fe'n ennill pwyse'n iawn.'

Caeodd Eifion ddrws y lolfa ar eu hôl. Nid oedd am i Siân glywed popeth roedd am ei drafod gyda hi. Roedd yn poeni am gyflwr ei wraig, yn poeni digon i ofyn cyngor. Yn ogystal â hynny, nid oedd am i Siân a'r ymwelydd iechyd fod yn y tŷ ar eu pennau'u hunain. Roedd Eifion wedi treulio'r rhan fwyaf o'r bore yn holi James Collins, a phan oedd pethau'n dechrau cynhesu a'r bachgen yn barod i agor ei galon iddo dyma'i gyfreithiwr yn cyrraedd ac yn mynnu cael amser i drafod ei sefyllfa gyda James. Manteisiodd Eifion ar ei gyfle i ddianc o'r orsaf a bod gartre gyda Siân pan alwai'r ymwelydd iechyd.

'Ond beth am yr holl lefen a'r dihuno bob nos?' gofynnodd.

'Fe dyfith e mas o hwnna,' meddai gan roi'r ffeil yn ei ches a'i gau.

'Pryd?'

'Dwi'n gwbod 'i bod hi'n teimlo fel 'se pethe'n mynd i fynd mla'n fel hyn am byth, ond dim ond cyfnod yw e. Fe wellith pethe, fe gewch chi weld.'

'A beth am Siân? Ma'r cyfan yn effeithio'n ddrwg arni.'

'Dwi'n gallu gweld 'ny.'

'A dyw hi ddim yn gallu bwydo Emyr fel ma' hi ise.'

'Rhan o'r straen yw hynny. Os na allith hi ymlacio pan fydd hi'n 'i fwydo fe, bydd Emyr yn synhwyro bod rhywbeth o'i le, a fydd e ddim yn bwydo'n iawn.'

'Ond allith hi ddim ymlacio tra bo' Emyr fel mae e.'

'Na, dwi'n gwbod. Ma' Mrs Rowlands yn diodde o iselder. Ddylech chi ga'l Dr Price i'w gweld hi. Dwi'n ofni 'i bod hi wedi cymryd yn fy erbyn i, a falle bydde'n well pe bai ymwelydd iechyd arall yn dod i weld Emyr o hyn mla'n.'

Nodiodd Gareth. Roedd yntau wedi dod i'r casgliad hwnnw ac roedd yn ddiolchgar na fu raid iddo ef awgrymu'r newid.

'Diolch yn fawr i chi am eich help, Mrs Pritchard.'

Cydiodd yr ymwelydd iechyd yn ei bag a cherdded am y drws, ond gyda'i llaw ar y ddolen oedodd a throi at Eifion.

'Plismon y'ch chi, ontefe, Mr Rowlands?'

'Ie.'

'Odi hi'n gyfleus i fi ga'l gair 'da chi?'

'Ro't ti'n iawn. Dwi'n ffonio o fanc Hatchwell Ross. Ma' 'da Stephen Michael Llewelyn gyfri 'ma, a bob mis ers dros bum mlynedd ma' dwy fil o bunne wedi ca'l 'u trosglwyddo iddo o gyfri Eirlys Llewelyn. Ei fam yw hi, ife?'

'Ie. Dyna ro'n i wedi disgwl clywed,' meddai Gareth gan sawru'r mwynhad o fod wedi dysgu rhywbeth i Scotland Yard.

'Ond nid dyna beth ro'n i'n ei ddisgwl,' meddai Ashley, yn amlwg yn teimlo i'r byw fod y cyfrif wedi ei agor ers cynifer o flynyddoedd ac na wyddai ef ddim amdano. 'Ry'n ni wedi bod yn cadw llygad ar Stephen ers amser a dwi'n synnu'n fawr na ddethon ni i wbod am y cyfri hwn ynghynt. Ma' gwbod beth ma' pobol sy'n ymwneud â chyffurie'n 'i neud â'u harian yn arwydd pendant o sut ma'n nhw'n rhedeg 'u busnes.'

'Falle nad yw e wedi bod yn defnyddio'r cyfri. Os o'dd e'n trafod miloedd o bunne bob dydd, do'dd dim rhaid iddo fe drafferthu â'r cyfri hwn.'

'Dyna beth ro'n i'n 'i feddwl i ddechre, ond dyw hwn ddim yn gyfri segur. Ma'r arian yn mynd i mewn yn rheolaidd iawn ac yn mynd mas yn weddol reolaidd hefyd.'

'Yr un faint?'

'Nage. Ers y dechre ma' cant ac ugain o filoedd wedi'i dalu i mewn, ond erbyn hyn dim ond saith deg pum mil sy ynddo.'

'Pa mor reolaidd o'dd yr arian yn ca'l 'i godi?'

'Tair, falle pedair gwaith y flwyddyn. Do's 'na ddim patrwm, ond hyn sy'n ddiddorol, fe ga'th y swm dwetha, pedair mil a hanner, 'i godi ddydd Gwener dwetha.'

'All hynny ddim bod yn iawn. Ma' 'da ni dystion a welodd Stephen yma ddydd a nos Iau,' meddai Gareth. 'Neu wyt ti'n credu 'i fod e wedi dychwelyd i Lundain i godi arian o'r banc a wedyn dod 'nôl lawr 'ma, achos ro'dd e'n bendant 'ma nos Sadwrn,' ychwanegodd yn sarhaus, gan nad oedd y Met wedi medru cadw llygad barcud ar Stephen Llewelyn.

'Na, dwi ddim yn credu 'ny am eiliad, ac yn fwy na 'ny

dwi ddim yn credu bod Stephen wedi bod yn defnyddio'r cyfri hwn o gwbwl. Fe ddangoses i lun ohono fe i staff y banc a do'dd yr un ohonyn nhw wedi 'i weld e o'r bla'n. A dyw'r llofnod ar y slip codi arian yn ddim byd tebyg i'w lofnod arferol.'

'Ond os nad yw Stephen wedi bod yn defnyddio'r cyfri …?'

'Pwy sydd yn 'i ddefnyddio? Dwi ddim yn gwbod, ond dwi'n gobeithio y ca i wbod hynny cyn bo hir. Bydd y camerâu diogelwch wedi ffilmio pwy bynnag fu 'ma ddydd Gwener, ac o gymharu'r amser y codwyd yr arian â'r llunie dynnodd y camerâu, fe ddylen ni allu gweld pwy sy wedi bod yn defnyddio'r cyfri. Yr unig broblem yw bod y tapie'n ca'l 'u trosglwyddo ar ddiwedd pob wthnos i stordy ym Milton Keynes. Ma'r banc wedi anfon un o'i swyddogion diogelwch i nôl tapie ddydd Gwener. Dyna pam dwi'n dal 'ma; yn disgwl amdanyn nhw. Dwi ddim yn gwbod faint o amser y cymerith hi i ni fynd drwy'r tapie ond fe ro i wbod i ti pan ddown ni o hyd i rywbeth. Falle mai ni fydd yn dal dy lofrudd di wedi'r cwbwl.'

'Ie,' meddai Gareth yn llywaeth. Y perygl o ddysgu gwers i'r Met yw eu bod nhw'n fwy na pharod i dalu'r pwyth yn ôl.

'A hei,' meddai Ashley cyn terfynu'r sgwrs, 'gwna dy ore i fod yn agosach at y ffôn y tro nesa!'

Ar ei ganfed.

'Wel, Mr Morgan, dyma beth yw profiad annymunol.'

'Ie,' meddai Emrys Morgan, gan godi i gyfarch yr Arolygydd Ken Roberts, yn gwerthfawrogi ei gydymdeimlad.

'Na, steddwch, Mr Morgan.'

'Diolch, Mr …'

'Roberts.' Tynnodd yr Arolygydd Ken Roberts y gadair y bu Gareth yn eistedd arni o'r tu ôl i'r bwrdd a'i gosod yn

ymyl y gweinidog. Wrth wneud hyn fe edrychodd yn gyf-
lym ar Daniel i weld sut oedd ef yn dygymod â'i sefyllfa ac
fe'i synnwyd o weld y bachgen yn syllu'n ôl arno'n slei.

'Ydych chi'n ymwneud â'r achos hwn?' gofynnodd Emrys
Morgan iddo.

'Odw, ac ma'n ddrwg iawn gen i eich bod chi wedi ca'l
eich hunan yn y fath sefyllfa.'

'Wel, nid fi yw'r pregethwr cyntaf i'w gael ei hun y tu
mewn i furiau cell, inspector.'

'Nage, ma'n siŵr, ond o achos 'u ffydd fel arfer, Mr
Morgan, nid yn gymaint o achos 'u teuluoedd.'

'Digon gwir, ond ein dyletswydd ni sy'n rhieni yw sefyll
gyda'n plant ar adeg o argyfwng yn y gobaith y bydd y
profiad yn un adeiladol, yn un a fydd maes o law yn rhoi
rhuddin ynddyn nhw.'

'O, dwi'n cytuno'n llwyr â chi.'

Pesychodd yr heddwas Alun Harris er mwyn ei arbed ei
hun rhag tagu.

Roedd Daniel yn cilwenu ar ei dad a Ken Roberts yn
union fel pe bai'n cael hwyl am eu pennau.

'Dwi'n deall eich bod chi wedi bod 'ma ers dros awr, Mr
Morgan. O's rhywun wedi cynnig rhywbeth i chi 'i yfed?'

'Naddo, ond dwi'n iawn, wir i chi, dwi ddim ise i neb
fynd i drafferth.'

'Dim trafferth. Fydd Sarjant Lloyd ddim 'nôl am beth
amser ac fe wna i'n siŵr na fydd e'n ailddechre holi Daniel
heb i chi fod yn bresennol.'

'Wel, os y'ch chi'n siŵr.'

'Harris, newch chi fynd â Mr Morgan lawr i'r cantîn i
ga'l paned o rywbeth? Fe arhosa i gyda Daniel.'

Arhosodd Ken Roberts nes bod drws yr ystafell wedi cau
ar ôl y ddau, yna croesodd at Daniel, a oedd yn dal i wenu
fel pe bai'n mwynhau rhyw freuddwyd breifat, bleserus.

Ond fe'i tynnwyd yn ôl i dir y byw yn ddigon diseremoni pan gydiodd yr arolygydd yn ei bleth a thynnu 'i ben yn ôl nes bod ei war yn gwasgu yn erbyn cefn y gadair. Yna plyg-odd drosto nes bod ei geg o fewn chwarter modfedd i glust y bachgen.

'Reit, Danny boi, ma' 'da ti un cyfle ac un cyfle yn unig. Rwyt ti a fi yn mynd i ga'l sgwrs fach a dwi ise'r gwir a dim byd ond y gwir. Fe alli di gadw dy gelwydde ar gyfer y gweithwyr cymdeithasol fydd yn llunio adroddiad arnot ti cyn i ti ga'l dy ddedfrydu. A phaid â thwyllo dy hunan; pan ddaw'r achos 'ma i'r llys dyna fydd dy ddiwedd di. Dy unig obaith o leihau'r gosb yw neud dy ore glas i'n helpu ni. Wyt ti'n deall?' A gyda phlwc danlinellol rhyddhaodd Ken Roberts ei wallt.

'Allwch chi ddim neud 'na,' protestiodd Daniel a'i lais yn ymylu ar wich.

'Neud beth?' gofynnodd yr arolygydd a oedd wrthi'n symud y gadair y tu ôl i'r bwrdd.

'Fy mygwth i,' meddai gan rwbio'i war.

'Do's neb wedi dy fygwth di, Daniel. Dwi'n ofni dy fod yn edrych ar lawer gormod o deledu. Ma' ise i chi bobol ifanc fynd mas i ga'l mwy o awyr iach. Mynd mas i neud rhywbeth, hyd yn o'd os mai dim ond dwyn ceir a thaflu cerrig at gapeli yw e.'

'Chi ddim yn gall.'

Winciodd yr arolygydd arno. 'Dwyt ti ddim yn gwbod 'i hanner hi. Nawr 'te, dwi ise gwbod o ble gymerest ti'r Sierra 'na nos Sadwrn.'

'Dy'ch chi ddim fod i fy holi i heb fod rhywun arall yn y stafell, ac ry'ch chi i fod i recordio'r cyfan,' meddai Daniel gan bwyntio at y peiriannau recordio.

'Pwynt da, ond dwi ddim yn rhyw siŵr iawn shwd ma'r pethe 'ma'n gweithio. Ond do's dim ise'r rheiny arnon ni;

sgwrs fach rhyngddot ti a fi yw hon tra bod dy dad yn ca'l paned o de, ond fe all e fod yn gyfle i ti ystyried dy sefyllfa cyn i bethe fynd yn rhy bell.'

'Meddwl amdana i y'ch chi, ife?'

'Wrth gwrs.'

'O ie. A beth y'ch chi'n meddwl sy 'da fi i' ddweud?'

'Lot fawr, ddweden i.'

'Am beth?'

'Am ryw Sierra du, er enghraifft, a ble'r o'dd e wedi 'i barcio nos Sadwrn.'

'A beth y'ch chi ise gwbod am y Sierra 'ma?'

'Fel wedes i, ble'r o'dd e wedi 'i barcio.'

''Na i gyd. Chi'n gwbod popeth arall amdano fe, y'ch chi?'

'Dwi'n credu'n bod ni.'

'Cachu! Chi'n gwbod dim.'

'O odyn. Ni'n gwbod mai ti ddygodd e; ma' ôl dy fysedd di drosto fe i gyd. Ry'n ni hefyd yn gwbod bod Dafydd Lewis, James Collins a Terry Hill wedi bod gyda ti yn y car. Falle y byddet ti'n licio gwbod ein bod ni'n 'u holi nhw hefyd.'

Chwarddodd Daniel. 'Chi ddim yn gwbod, y'ch chi?'

Gwenodd Ken Roberts fel un oedd yn hen gyfarwydd â chlywed a chadw cyfrinachau. 'Gwbod beth?'

'Pwy arall o'dd yn y car.'

Paul Manning! Ro'n i'n ame, meddai Ken Roberts wrtho'i hun. Fe oedd y pumed bachgen welodd Ifor Johnson yn y car. Roedd e wedi dringo allan o'r fynwent a dianc gyda'r lleill wedi'r cwbl.

'Pwy, Daniel? Gwed ti wrtha i pwy arall o'dd gyda ti yn y Sierra.'

'Geraint Roberts.'

'Cofia di na alli di gredu popeth ma' Jackie Pool yn 'i weud,' rhybuddiodd y Rhingyll Berwyn Jenkins Carol Bennett.

'Dwi'n gwbod 'ny, ond ma' Kevin wedi cadarnhau mai cot Stephen Llewelyn o'dd yr un dda'th Jackie o hyd iddi.'

'Wel, os bydd Jackie'n meddwl 'i fod e wedi bod o help i ni, fydd e ddim yn hir yn gofyn am dâl am hynny. Hei! Gan bwyll!' Cododd Berwyn Jenkins ei ddwylo i'w arbed ei hun rhag cael ei daro gan Gareth Lloyd a ruthrai i lawr y grisiau i'r cyntedd.

'Sori,' meddai Gareth. 'Ar frys.'

'Hei!' galwodd Carol ar ei ôl. 'Wyt ti wedi cwpla holi'r bachgen Morgan 'na?'

'Ar 'yn ffordd 'nôl ato fe ydw i.'

'Wel, falle bydd gwbod beth brynodd Stephen Llewelyn ddydd Llun dwetha o help i ti.' A chofiodd Gareth fod Carol wedi bod yn holi yn siopau'r dref am yr holl nwyddau newydd sbon roeddynt wedi dod o hyd iddynt yn ystafell Daniel.

'Gest ti rywbeth?'

Nodiodd Carol. 'Ro'dd Stephen Llewelyn wedi prynu gwerth dros bymtheg can punt o ddillad, CDs, fideos, gêmau cyfrifiadur ac offer trydanol o bob math mewn pum siop ac wedi talu am y cwbwl â'i gerdyn credyd.'

'Dydd Llun wedest ti?'

'Ie, mwy na diwrnod ar ôl iddo fe ga'l 'i ladd.'

'Da iawn, sawl achos o ga'l nwydde drwy dwyll i'w hychwanegu at restr Daniel Morgan. Hei, ma' rhaid i fi fynd, ma' Ken Roberts mewn gyda fe ar hyn o bryd.'

'O? Ro'n i'n meddwl bod Clem Owen wedi gweud wrtho fe i gadw draw oddi wrth y bechgyn.'

'Ble glywest ti 'ny?'

'Kevin Harry wedodd. Clywodd e'r ddau'n dadle ddoe.

Ro'dd Ken am holi'r bechgyn ond ro'dd Clem Owen am iddo fe gymryd drosodd oddi wrthot ti ar lofruddiaeth Stephen Llewelyn.'

'O'dd e wir? A dyna fe'n torri ar draws 'y nghyfweliad i.'

Dyn a ŵyr beth roedd Ken Roberts yn trio'i wneud yn yr ystafell holi. Diolch byth bod Emrys Morgan ac Alun Harris yno, ond hyd yn oed wedyn gwyddai Gareth o brofiad pa mor beryglus y gallai'r arolygydd fod.

Trodd Gareth ar ei sawdl a rhuthro i lawr y coridor i gyfeiriad Ystafell Holi 1 a chyrraedd yr yn pryd â'r Parchedig Emrys Morgan a'r heddwas Alun Harris ar eu ffordd yn ôl o'r ffreutur.

Maen nhw wedi gadael Daniel ar ei ben ei hun gyda Ken Roberts, meddai Gareth wrtho'i hun. Cydiodd yn nolen drws yr ystafell holi a daeth y Parchedig Emrys Morgan i sefyll yn ei ymyl yn barod i'w ddilyn i mewn i'r ystafell. Felly hyd yn oed pe bai Gareth wedi gallu ymateb yn gyflym a chau'r drws ar unwaith, ni fyddai hynny wedi rhwystro'r gweinidog rhag gweld ei fab ar wastad ei gefn ar y llawr a'r Arolygydd Ken Roberts yn plygu drosto'n fygythiol.

'Odyn nhw i gyd yn gweud yr un peth?'

'Odyn.'

'A Paul Manning? Odi fe hefyd yn gweud bod Geraint gyda nhw yn y car?'

'Do'dd Paul Manning ddim yn y car.'

Curodd Ken Roberts y ddesg â'i law. 'Dwi ddim …'

'Ken!' gwaeddodd Clem Owen ar ei draws. 'Do'dd Paul Manning ddim yn gwbod unrhyw beth am y car nes i ni weud wrtho fe, ac ma'r bechgyn er'ill i gyd yn cytuno nad o'dd e gyda nhw. Fe adawon nhw Paul ar ôl yng Nghapel Bethania.'

Edrychodd Ken Roberts yn hir ar ei bennaeth tra disgynnai'r darnau i'w lle a chwalu ei fyd yn deilchion. Roedd y ddwy awr ddiwethaf wedi bod yn hunllefus o afreal ac yntau'n gorfod esbonio, fel bachgen ysgol, beth oedd wedi digwydd. Yn gorfod ailadrodd wrth bawb nad oedd wedi bwrw Daniel Morgan; bod y bachgen wedi 'i daflu ei hun i'r llawr. A gweld yr un olwg amheus ar wyneb pawb – ar wahân i wyneb Emrys Morgan a oedd yn sicr yn adnabod ei fab ac yn gorfod cydnabod, o'r diwedd, y drygioni y gallai ei gyflawni. Oedd, roedd y Parchedig Emrys Morgan yn adnabod ei fab, ond a oedd yr Arolygydd Ken Roberts yn adnabod ei fab yntau? Dyna'r cwestiwn roedd yn rhaid iddo ef ei wynebu nawr.

Yna deallodd fod Gareth Lloyd wedi mynd i gasglu Geraint ac Angela a bod Clem Owen wedi bod yn holi Geraint heb yn wybod iddo ef.

'Beth o't ti'n meddwl o't ti'n 'i neud yn holi Geraint heb i fi fod yn bresennol?' gofynnodd i Clem Owen ar ôl dod o hyd iddo yn ei ystafell.

'Wyt ti'n meddwl y bydde hynny wedi bod yn ddoeth?'

'Fi yw 'i dad e!'

'A beth am Daniel Morgan? O'dd hi'n iawn i ti 'i holi fe ar 'i ben 'i hun? O leia ro'dd Angela'n bresennol pan holes i Geraint.'

Cnodd Ken Roberts ei dafod ac roedd blas lludw arno.

'Bydd yn rhaid i fi sgrifennu adroddiad o'r cwbwl sy wedi digwydd 'ma heddi,' aeth Clem Owen yn ei flaen. 'Ac fe fydd hi'n braf gallu gweud dy fod ti nid yn unig wedi dy ddatgysylltu dy hunan yn syth, ac yn wirfoddol, o'r ym-chwiliad, ond dy fod di hefyd wedi gwneud popeth yn dy allu i beidio â chymhlethu'r sefyllfa. Ma' David Peters yn mynd i ga'l haint fel ma' hi pan glywith e.'

'Ond fe ddylet ti fod wedi gweud wrtha i 'u bod nhw 'ma.'

'Er dy fwyn di, ac er mwyn Geraint, ro'n i'n meddwl y bydde'n well pe bait ti ddim yn gwbod.'

Gwyddai Ken Roberts fod ei bennaeth yn iawn ond doedd hynny'n fawr o gysur.

'Beth ddigwyddodd 'te?' gofynnodd yn dawel. 'Beth wedodd Geraint wrthot ti?'

'Wyt ti'n cofio i Ieuan golli'r Sierra am gyfnod pan o'dd e yn 'i gwrso?'

'Odw.'

'Wel, ro'dd y bechgyn o'dd gyda Daniel Morgan am ddianc tra o'dd y cyfle 'da nhw, ond os mai dyna o'dd Daniel yn bwriadu'i neud fe newidiodd 'i feddwl pan welodd e Geraint yn cerdded am adre.'

'Beth o'dd Geraint yn neud lan fan'ny? Ro'dd e'n bell mas o'i ffordd os mai bwrw am adre o Draeth Gwyn o'dd e.'

'Ro'dd e wedi hebrwng 'i gariad adre.'

Chwyrnodd Ken Roberts yn ddirmygus ac aeth Clem Owen ymlaen.

'Wel, beth bynnag, dyna ble welodd Daniel Geraint ac fe gynigiodd lifft adre iddo fe. Do'dd Geraint ddim yn gwbod mai wedi dwyn y car o'dd Daniel, ond yn lle gyrru i ffwrdd oddi wrth Ieuan, fe drodd Daniel y car 'nôl am ganol y dre a, yng ngeirie James Collins, mynd i chwilio am gar Ieuan. Ro'n nhw i gyd yn gwbod bod Geraint yn fab i blismon ac ma'n debyg mai bwriad Daniel o'dd naill ai ca'l mab i blismon i drwbwl neu'i ddefnyddio fe fel rhyw fath o swiriant petaen nhw'n ca'l 'u dal y noson honno neu rywbryd yn y dyfodol.'

'Wedodd y bechgyn hyn wrthot ti?'

'Do, fwy neu lai. Do'dd Daniel ddim wedi gweud wrthon nhw beth o'dd e'n bwriadu 'i neud. 'I ddilyn e'n llyweth o'dd y bechgyn, a cha'l llond bola o ofn pan sylweddolon nhw beth o'dd ar 'i feddwl e. Ar ôl y ddamwain rhedodd pawb 'u ffordd 'u hunain. Damcaniaethu ar fy rhan i yw'r rhan fwya ond dwi ddim yn credu 'mod i'n bell iawn o'r gwir.'

Siglodd Ken Roberts ei ben a gweld Geraint yn ei ddychymyg yn rhedeg drwy strydoedd y dref; yn cyrraedd adref ac yn diolch nad oedd ei rieni'n dal ar eu traed. Ond a fyddai bod ar lawr pan gyrhaeddodd wedi gwneud unrhyw wahaniaeth? A fyddai Geraint wedi bod yn fwy parod i siarad am y digwyddiad ar y pryd? A fyddai yntau wedi rhoi cyfle iddo ddweud beth ddigwyddodd?

'Ond fe alle fe fod wedi gweud wrtha i beth o'dd wedi digwydd,' meddai Ken Roberts yn uchel, er mai siarad ag ef ei hun yr oedd mewn gwirionedd. 'Os nad o'dd e gyda'r lleill pan gymeron nhw'r car ro'dd e'n ddiniwed o'r drosedd. Bydde gweud rhywbeth wedi arbed lot fawr o waith a gofid.'

'Bydde, fe fydde hynny wedi bod yn well i bawb. Ond dyna fe, nid fel'na fuodd hi. Ac er bod dyn, i radde, yn gallu esgusodi ymddygiad Geraint, dwi'n ofni, Ken, na fydd llawer yn esgusodi dy ymddygiad di. Beth dda'th drosot ti, gwed? Yn defnyddio dy awdurdod i fod ar dy ben dy hun gyda Daniel Morgan. Wyt ti ise ca'l dy daflu mas o'r ffôrs? Achos os mai dyna wyt ti'n moyn, Ken, rwyt ti'n agos iawn at ga'l dy ddymuniad. Bydd rhaid i fi roi gwbod i Gaerfyrddin ac fe alli di fod yn ddiolchgar nad yw David Peters 'ma heddi. Ar ôl cwynion David Ellis a Timothy Morris a'r ffordd rwyt ti wedi bod yn ymddwyn yn ddiweddar, fe ddylet ti fod wedi ca'l dy anfon adre cyn hyn.'

'Ise gwbod o ble'r o'dd Daniel wedi cymryd y Sierra o'n i, dim byd arall.'

'Petait ti wedi bod 'ma prynhawn ddoe fe fyddet ti wedi clywed Carol yn gweud ble'r o'dd Jackie Pool wedi dod o hyd i'r got a byddet ti'n gwbod ble'r o'dd Stephen Llewelyn wedi parcio'r Sierra. Ond yn bendant, Ken, nid dyna'r ffordd i fynd ati. A dyna fel bydd pobol er'ill yn 'i gweld hi, dwi'n ofni. Ma'n mynd i fod yn anodd iawn profi mai ei daflu 'i hun ar y llawr na'th Daniel pan glywodd e sŵn Gareth a'i dad yn siarad tu fas i'r stafell. Yn enwedig gan fod 'i dad yn cefnogi Daniel.'

'Dwi ddim yn deall 'ny: do's 'da fe ddim byd ond llond pen o regfeydd i'w rhoi i'w dad, a dyw hwnnw'n gweld dim bai o gwbwl yn Daniel. Ma' fe fel clai yn 'i ddwylo fe.'

'Ond dyw 'i fam ddim mor feddal, yn ôl Gareth. Falle y bydd hi'n fwy parod i ddweud y gwir amdano fe.'

'Gobeithio 'ny, beth bynnag. Ma'n hen bryd i Daniel Morgan ddysgu gwers,' meddai Ken Roberts. 'Mewn ugain mlynedd a mwy weles i erio'd neb o'dd yn fwy o ddiawl bach.'

'Ry'n ni'n mynd yn rhy hen i'r gwaith, Ken. Gwaith i ddynion ifanc dibriod, di-blant yw hwn. Ma' ca'l teulu'n golygu dy fod yn gorfod meddwl am bethe er'ill ar wahân i'r gwaith. Rhywbeth arall i boeni a gofidio amdano.'

'Ie, ti'n iawn fan'na. Ofni y galle fod 'da Geraint ryw-beth i' neud â'r ddamwain o'n i. Do'n i ddim yn credu, neu ddim ise credu 'i fod e'n rhan o'r helynt, ond ro'dd e'n hwyr yn dod adre nos Sadwrn ac ro'dd disgrifiad Ellis o un o'r bechgyn yn ddigon tebyg i Geraint pan wedodd e bod un ohonyn nhw'n gwisgo cot y Dallas Cowboys.'

'Dwi'n deall bod 'da Terry Hill got fel 'ny.'

''I got e welodd David Ellis; ro'dd Geraint wedi rhoi 'i un e i'r ferch, Ceri.'

'Pam na fyddet ti wedi gweud rhywbeth wrtha i am dy ofidie am Geraint?'

Siglodd Ken Roberts ei ben. 'Fel arfer fe fydde'r ymhol-iade wedi mynd yn 'u bla'n ac fe fydde'n ofne i wedi dif-lannu wrth i ni ddod i wbod pwy o'dd yn gyfrifol. Ond mwya i gyd ro'n i'n dod i wbod, mwya i gyd ro'n i'n dod i ame Geraint. Ac fe dda'th llofruddiaeth Stephen Llewelyn i hawlio sylw pawb. Ond allen i ddim rhoi'r gore i'r ym-chwiliad. Ro'dd yn rhaid i fi wbod, naill ffordd neu'r llall.' Oedodd a thwrio yn ei boced am ei bibell. 'Pan dda'th Arwel Watkins â Paul Manning mewn 'ma fore dydd Mawrth ro'dd pethe'n gwella i Geraint. Yna fe ffoniodd Angela i ddweud bod y ferch wedi dod â'i got e 'nôl, ac ro'dd hi'n edrych fel pe bai'r rheswm dros boeni drosodd.'

'Ma' rhai yn mynd i ofyn, Ken, os o't ti'n meddwl bod y cyfan drosodd a bod Geraint yn ddiniwed, pam est ti i weld Daniel Morgan? Ac fe ddylet ti fod wedi sylweddoli cyn hynny fod 'na wrthdaro yn yr ymchwiliad. Gwrthdaro y galle, ac y gall cyfreithiwr eto ei ddefnyddio i ga'l y rhai o'dd yn gyfrifol am y ddamwain yn rhydd.'

'Nago'dd, Clem, do'dd 'na ddim gwrthdaro. Un ymhlith dege yn y parti o'dd Geraint, ac ro't ti'n gwbod 'i fod e wedi bod 'na, fe wedes i wrthot ti. Tad yn poeni am 'i blentyn o'n i, ac os bydd rhywun yn gweud y galle hynny effeithio arna i fel plismon, dy'n nhw ddim yn 'y nabod i. Oni bai am berfformiad Daniel Morgan fe fydden i wedi dod i weud wrthot ti fod Geraint yn y car pan ga'th Ieuan ei ddamwain.'

'Ti'n gwbod cystal â fi, Ken, y bydd 'na ddigon o bobol, y tu fewn a'r tu fas i'r adeilad 'ma, yn barod i weud mai cuddio rhan Geraint yn hyn i gyd o'dd dy fwriad.'

'Dyw hynny ddim yn wir.'

'Wel, y cyfan alla i' weud yw 'mod i'n diolch byth nad fi fydd yn gorfod 'u perswadio nhw o 'ny.'

Crychodd Clem Owen ei drwyn ar y frechdan salad a osodwyd o'i flaen ac edrych o gwmpas y criw oedd wedi meddiannu ei ystafell i weld pwy oedd wedi bachu'r frechdan cig eidion.

'Syr.'

'Hm?' Roedd Carol Bennett yn estyn mygaid o de iddo. 'O, diolch.' Fe'i cymerodd a'i osod ar un o'r ffeiliau niferus a oedd, i bob pwrpas, yn rhan o'r ddesg, gan adael cylch gwlyb arni. Cymerodd Gareth Lloyd gwpan o'r hambwrdd ac eistedd yn ymyl Carol, yn wynebu'r ddesg. Bwytaodd pawb, ar wahân i'r prif arolygydd, ac yfed mewn distawrwydd. Nid oedd yr un ohonynt am ddechrau'r drafodaeth.

Fe fyddai'r awyrgylch dipyn yn ysgafnach, a'r sefyllfa'n llawer haws i Carol a Gareth pe na bai Ken Roberts yno. Fe allai'r gweddill ohonynt wyntyllu'n ddirwystr yr hyn oedd eisoes yn destun sgwrs yr orsaf gyfan. Fe allent gael y ffeithiau a'r cefndir i gyd oddi wrth Clem Owen a bod mewn sefyllfa freintiedig ymhlith eu cydweithwyr. Ond, er nad oedd Ken Roberts yn rhan o'r ymchwiliad bellach, teimlai Clem Owen fod ganddo gyfraniad i'w gynnig i'r cyfarfod, ac yn wyneb amharodrwydd y lleill i siarad, Ken Roberts wnaeth y cyfraniad cyntaf.

'Na,' meddai. 'Dwi ddim yn credu bod 'da'r bechgyn unrhyw beth i' neud â'r llofruddiaeth. Pan dda'th Daniel Morgan ar draws y car, ro'dd Stephen Llewelyn eisoes wedi ca'l 'i ladd – neu o leia wedi ei daflu i'r afon. Dyna beth dwi'n 'i gredu.'

Wel, mi fyddet ti'n credu hynny, on' byddet ti? meddai Carol Bennett wrthi ei hun a chymryd darn arall o'r frechdan cig eidion.

'Reit,' meddai Clem Owen. 'Odyn ni'n derbyn yr hyn ddwedodd Daniel Morgan? Do's 'na ddim tyst y naill ffordd na'r llall.'

'Beth am yr amser?' gofynnodd Gareth. 'Odi trefn y digwyddiade'n cyd-fynd â'r hyn ddwedodd e?'

'Dwi wedi dechre rhoi trefn ar yr amsere,' atebodd Carol. 'Ond dwi ise cadarnhau gyda ti ac Eifion beth …'

'Ble ma' Eifion?' gofynnodd Owen, a oedd newydd sylwi ar absenoldeb y ditectif gwnstabl.

Edrychodd y lleill ar ei gilydd ac ysgwyd eu pennau.

'Pryd adawon nhw'r traeth?' gofynnodd Carol gan fwrw ymlaen ar drywydd y prif ddirgelwch.

'Rhwng deng munud a chwarter wedi un ar ddeg,' cynigiodd Ken Roberts cyn i Gareth gael cyfle i ateb.

'Ac ma'r pedwar ohonyn nhw'n cytuno ar yr amser – gore gallan nhw gofio,' ychwanegodd Roberts.

'A beth am Geraint?' gofynnodd Gareth i Clem Owen.

'Do'dd Geraint ddim gyda nhw pan adawon nhw'r traeth,' atebodd Roberts.

'Nago'dd, dwi'n gwbod,' meddai Gareth. 'Meddwl o'n i, gan 'i fod e yn y parti, tybed a o'dd e wedi sylwi pryd gadawodd y lleill.'

'Naddo,' atebodd Clem Owen. 'Ro'dd e'n naturiol wedi 'u gweld nhw ar y traeth, ond tan iddyn nhw gynnig reid adre iddo fe dyw Geraint ddim yn cofio dim am y pedwar. Beth bynnag, erbyn un ar ddeg ro'n nhw wedi cyrra'dd Ffordd yr Eglwys.'

'O'n,' meddai Carol. 'Derbyniwyd y gŵyn gynta amdanyn nhw am ddeunaw munud wedi deg, ac am wyth munud ar hugain i un ar ddeg fe anfonwyd Ieuan Daniels yno.'

'Pryd gyrhaeddodd e 'na?' gofynnodd Clem Owen gan gydio mewn brechdan a chnoi darn mawr o'i chanol cyn sylweddoli mai'r frechdan salad oedd hi.

'Ugain munud i un ar ddeg.'

'Pryd glywon ni amdanyn nhw nesa?' gofynnodd Owen iddi.

'Yng Nghapel Bethania am saith munud wedi un ar ddeg.'

'Be sy 'da'r bechgyn i' weud am hyn, Gareth?' gofynnodd Clem Owen, gan dynnu cylch winwnsyn o'i geg a'i daflu'n obeithiol i gyfeiriad y bin sbwriel.

'Braidd yn niwlog ynglŷn â'r union amser ddigwyddodd pethe rhwng gadel y traeth a chyrra'dd y capel, ond ro'dd un ohonyn nhw'n cofio clywed cloc yr eglwys yn taro un ar ddeg cyn iddyn nhw gyrra'dd Bethania.'

'Pryd gyrhaeddodd Ieuan 'na?'

'Wel,' meddai Carol, 'ro'dd hi'n ddeng munud wedi un ar ddeg pan ofynnwyd iddo fe fynd i weld pwy o'dd yn taflu cerrig at y capel, ac ro'dd hi bron yn ugain munud wedi erbyn iddo fe gyrra'dd.'

'Ro'dd hi'n dair munud ar hugain i hanner nos pan alwodd Ieuan i ddweud 'i fod e'n dilyn y Sierra,' meddai Gareth.

'Dal arno am funud,' meddai Owen wrtho. 'Ken, beth o'dd hanes y bechgyn yn y capel?'

'Cyrhaeddodd y pump gyda'i gilydd, ac yn ôl Paul Manning, a'r tri arall hefyd dwi'n meddwl, syniad Daniel Morgan, mab gweinidog Bethania, o'dd torri'r ffenestri. Alla i gredu hynny'n hawdd. Ti'n gwbod beth dwi'n 'i feddwl ohono fe; diawl bach hunanol ac annymunol. Beth fyddet ti'n 'i weud, Gareth?'

'Cytuno'n llwyr,' cadarnhaodd Gareth, ac fe'i trawyd am eiliad gan y disgrifiad. Pwy oedd wedi defnyddio'r union eiriau hynny i ddisgrifio rhywun arall yn ddiweddar?

'Do's dim un o'r pedwar yn cofio Daniel yn 'u gadel,' meddai Carol, 'ond ma'n rhaid 'i fod e wedi 'u gadel bron ar unwaith gan 'i bod hi'n cymryd rhyw ddeng munud i gerdded o'r capel i'r lle y da'th Jackie Pool o hyd i'r got.'

'Ac yn ôl Daniel Morgan dyna lle y da'th e o hyd i'r car,' meddai Gareth.

'Gest ti synnwyr 'da fe yn y diwedd, 'te?' gofynnodd Ken Roberts.

'Yn y diwedd. Ro'dd e'n dal i wadu'r cwbwl am dipyn, ond ro'dd tystiolaeth y bechgyn er'ill a'r siope ble'r o'dd e wedi defnyddio cardie credyd Stephen Llewelyn yn bethe na alle fe'u gwadu'n hawdd. Pan sylweddolodd e hynny fe welodd e gymaint o'dd y twll ro'dd e ynddo a dechreuodd e weud y gwir. Yn ôl Daniel do'dd neb yn agos i'r car pan dda'th e ar 'i draws.'

'Pryd o'dd hynny?' gofynnodd Clem Owen.

'Tua chwarter wedi un ar ddeg. Mae e'n gweud y bydde fe wedi gadel llonydd i'r car oni bai iddo sylwi bod gole tu fewn iddo fe. Fe driodd e'r drws ac, abracadabra, dyma fe'n agor. Ro'dd yr allwedd yn dal yn yr *ignition* ac ar draws sedd y gyrrwr ro'dd y got. Fe a'th e drwy'r pocedi a chymryd y waled a'r arian mân o'dd ynddi a'i thaflu ar y wal isel – drosti ro'dd e'n meddwl – rhwng y ffordd a'r afon.'

'A dyna ble dda'th Jackie Pool o hyd iddi,' meddai Carol Bennett.

'Do'dd dim byd arall yn y got?' gofynnodd Clem Owen.

'Nago'dd, yn ôl Daniel.'

'Iawn.'

'Gyrrodd Daniel y car yn ôl i gasglu'r lleill.'

'A dyna pryd da'th Ieuan ar 'i draws.'

'Ie.'

'Do's dim amheuaeth mai Daniel Morgan o'dd yr arweinydd. Dilynwyr digon diddychymyg yw'r lleill,' meddai Ken Roberts.

Stephen Llewelyn! Cliciodd Gareth ei fysedd. Roedd Richard Jones wrth ddisgrifio Stephen Llewelyn wedi dweud ei fod ef yn berson hunanol ac annymunol a chanddo'r gallu i berswadio eraill i'w ddilyn.

'Ie, Gareth?' gofynnodd Clem Owen iddo.

'Ym ... dim byd, syr. Dim ond meddwl mor debyg yw Daniel Morgan i Stephen Llewelyn.'

'O's 'na arwyddocâd i hynny? Rhyw gysylltiad rhyngddyn nhw? Beth am y cyffurie?'

'Na, dwi ddim yn meddwl,' atebodd Gareth.

'Dwi ddim yn credu 'ny,' meddai Ken Roberts.

'Gysylltest ti â Karston Kars?'

'Do. Ro'dd Stephen Llewelyn wedi llogi'r car o dan enw a chyfeiriad ffug.'

'Pa enw ddefnyddiodd e?'

'Michael Jackson.'

'Falle'i fod e wedi defnyddio'r enw hwnnw ar ôl dod 'ma.'

'Na, dwi ddim yn meddwl. Fe es i drwy'r adroddiade i gyd a do'dd neb o'r enw Michael Jackson ynddyn nhw.'

'Iawn,' meddai Clem Owen, gan ei dynnu ei hun i fyny yn ei gadair. 'Gadewch i ni weld be sy 'da ni. Ro'dd Stephen Llewelyn wedi parcio'i gar ar bwys wal yr afon rywbryd cyn chwarter wedi deuddeg, ond faint cyn hynny? Ma' hynny'n rhywbeth dy'n ni'n dal ddim yn gwbod. Ond o gofio'r adroddiad *post mortem*, ma'n rhesymol casglu bod rhywun wedi ymosod arno fe yn y fan honno. Rhywun dda'th yno gydag e, neu a dda'th ar ei draws e yno ...'

'Neu rywun o'dd yn disgwl amdano,' cynigiodd Carol Bennett.

'Rhywun o'dd wedi trefnu cwrdd ag e yno, ti'n meddwl? Ie, ma' hynny'n bosibilrwydd, ond pwy bynnag o'dd e fe daflodd e'r corff dros y wal ac i mewn i'r afon. Wyt ti wedi anfon rhywun draw i archwilio'r lle, Gareth?'

'Ydw.'

'Iawn, ond os y'ch chi'ch dau'n fodlon nad o'dd 'da'r bechgyn ddim i' neud â'r llofruddiaeth, be sy 'da ni?'

'Y cysylltiad â Llundain a'r fasnach gyffurie,' awgrymodd Gareth. 'Dyna fyd Stephen Llewelyn tan yn ddiweddar. Ma'r hyn ro'dd Ashley wedi 'i weud wrtha i yn awgrymu bod rhywun wedi rhoi pris ar fywyd Stephen. Ro'dd e a dau o'i bartneriaid wedi diflannu gyda dros chwe miliwn o bunne.'

'Wyt ti'n credu bod rhywun wedi rhoi contract arno fe?' gofynnodd Ken Roberts yn ddirmygus.

'Ma'n bosib. Mae e'n digwydd yn amal iawn yn ôl Ashley.'

'Yn Llundain falle, ond ddim fan hyn.'

'Ie, yn Llundain fel arfer, ond os yw'r sawl sydd â phris ar 'i ben yn dianc i Gwmsgwt, yn Cwmsgwt geith e'i ladd. Ac ma'n rhaid i ni gofio bod rhywun wedi trio torri mewn i dŷ mam Stephen Llewelyn nos Sadwrn. Falle mai cyd-ddigwyddiad o'dd e, neu falle mai rhywun yn chwilio am Stephen o'dd yn gyfrifol.'

'Beth am y busnes 'ma gyda'r cyfri banc? O's rhywbeth wedi dod o hwnnw?' gofynnodd y prif arolygydd.

'Defnyddiodd rhywun e ddydd Gwener dwetha, pan o'dd Stephen eisoes wedi gadel Llundain. Dwi'n disgwl i Ashley gysylltu eto pan ddaw e o hyd i ragor o wybodaeth.'

'Hm. Trueni na chawson ni hyd i olion bysedd yn nhŷ Eirlys Llewelyn; fe fydde hynny wedi bod yn rhywbeth i'r Met weithio arno. Gareth, dda'th 'na rywbeth o'r holi o ddrws i ddrws yn Ffordd Glaneithin?'

'Eifion fuodd wrthi ac fe gafodd e hyd i un person o'dd wedi gweld car dierth wedi 'i barcio gyferbyn â thŷ Eirlys Llewelyn yn hwyr nos Sadwrn. Car mawr lliw arian, ond do'dd e ddim yn siŵr iawn o'r mêc, er 'i fod yn meddwl falle mai Ford o ryw fath o'dd e.'

'Wel, ma'n bosib y gall hynny fod o help. Ond er ein bod ni nawr yn gwbod ychydig yn fwy am beth ddigwyddodd nos Sadwrn, do's 'da ni ddim tamed mwy o syniad beth o'dd Stephen Llewelyn yn 'i neud 'ma, nac ymhle y buodd e'n aros, na phwy laddodd e.'

Curodd rhywun ar y drws ac fe gododd Carol Bennett i'w agor.

'Eifion!' meddai mewn ffug syndod. 'Creda neu beidio, ro'n ni wedi gweld dy ise di.'

Anwybyddodd Eifion ei chyfarchiad a cherdded heibio iddi at Clem Owen.

'Syr, ma' 'da fi rywun lawr stâr y dylech chi 'i weld.'

'O, a phwy yw e?'

'Michael Pritchard. Ma' 'da fe wybodaeth am Stephen Llewelyn ychydig cyn iddo ga'l 'i lofruddio. Ac ma'n bosib mai ef o'dd un o'r bobol dwetha i'w weld e'n fyw.'

'Os yw e'n dyst mor bwysig â 'ny, pam na fyddet ti wedi dod ag e lan 'da ti?'

'Ro'n i ise'ch rhybuddio chi. Dyw e ddim y person hawsa i siarad ag e. 'I wraig yw ymwelydd iechyd Siân a hi wed-odd wrtha i fod Stephen Llewelyn wedi bod yn 'u tŷ nhw nos Sadwrn. Byth ers iddi glywed bod Llewelyn wedi marw, ro'dd hi am i'w gŵr gysylltu â ni ond ro'dd e'n gwrthod yn lân.'

'Pam?'

'Ro'dd e a Stephen yn hen ffrindie ysgol a do'dd e ddim ise neud dim a alle ga'l Stephen i drwbwl.'

'Ond ma' Stephen Llewelyn wedi marw!' ebychodd Carol y tu ôl iddo.

'Do'dd hynny'n neud dim gwahaniaeth. Yn ôl 'i wraig, ma' Michael Pritchard yn hanner addoli Stephen Llewelyn.'

'Welodd hi Stephen hefyd?' gofynnodd Owen.

'Do.'

'Wel, bydd 'i thystiolaeth hi'n ddigon i brofi ble'r o'dd e nos Sadwrn,' meddai Carol.

'Ma 'da Michael Pritchard fwy na 'ny i'w ddweud. Nid Stephen Llewelyn o'dd yr unig berson iddo ef a'i wraig ei weld nos Sadwrn. Roedd yr ail berson yn chwilio am Stephen ac yn amlwg am 'i waed. Falle'u bod nhw wedi gweld llof-rudd Stephen hefyd.'

Prin fod digon o le i bawb yn ystafell Clem Owen, ond nid oedd y prif arolygydd am wastraffu amser yn symud i un o'r ystafelloedd cyf-weld, felly fe wysiwyd Eifion i fynd i nôl ei dyst. Edrychodd Pritchard o'i gwmpas yn anghyff-orddus. Byddai'r cylch o wynebau disgwylgar yn ddigon i wneud i'r person mwyaf hunanfeddiannol, a oedd wedi dod at yr heddlu o'i wirfodd, ddechrau amau ei fod wedi gwneud y penderfyniad cywir, ond i un nad oedd erioed wedi teimlo'n hyderus, roedd y profiad yn ymylu ar yr hunllefus. Tyn-nodd Pritchard becyn o sigaréts o'i boced a thanio un yn nerfus. Llyncodd y mwg yn awchus ond nid ymlaciodd ddim.

Roedd Clem Owen wedi holi tystion cyndyn droeon yn ystod ei yrfa ac wedi dysgu nad amharodrwydd i gynorth-wyo'r heddlu a'u gwnâi mor gyndyn i ddweud wrtho beth roeddynt wedi ei weld neu wedi ei ddioddef. Methu datgelu cyfrinach neu wybodaeth a fyddai'n golygu, yn eu meddyl-iau hwy, eu bod yn bradychu rhywun roeddynt yn ei garu neu'n ei ofni oedd y rhan fwyaf ohonynt. Ac i lawer, roedd yr ymdrech yn eu gwneud yn gorfforol sâl. Ond roedd Clem Owen hefyd wedi dysgu, os câi ef yr wybodaeth honno, fe allai fentro ei fywyd arni.

'Dim ond ise i chi gadarnhau'r hyn wedodd eich gwraig wrth DC Rowlands y'n ni, Mr Pritchard, er mwyn neud yn siŵr ein bod ni wedi ca'l y ffeithie i gyd yn gywir. Iawn?'

Tynnodd Pritchard yn ddwfn ar ei sigarét a nodio'i ben yn araf am rai eiliadau gan gadw'i lygaid ar lygaid y prif arolygydd, a phan oedd Owen wedi dechrau anobeithio y câi ateb, dechreuodd ar ei stori.

'Do'n i ddim wedi clywed gair oddi wrth Stephen ers blynydde, ddim ers iddo fe redeg bant, a dyna ble'r o'dd e nos Sadwrn yn sefyll ar stepen y drws, fel pe bai e'n galw i 'ngweld i bob nos Sadwrn. Wedodd e 'i fod e ar 'i wylie, ac er nad o'dd e'n bwriadu aros yn hir, ro'dd e am alw i 'ngweld i tra o'dd e 'ma. Ro'dd e ise gwbod beth o'dd wedi digwydd i bawb ers iddo fe adel; yn gofyn pwy o'dd yn dal i fyw yn yr ardal a beth o'dd pawb yn 'i neud. Yna, ar ôl hanner awr, heb ddim rhybudd, fe gododd, a dweud y galwe fe 'to cyn gadel, a bant ag e.'

'Faint o'r gloch o'dd hyn?'

'Cyrhaeddodd e tua hanner awr wedi saith a gadel am wyth.'

'Beth am yr hen ffrindie 'ma fuoch chi'n 'u trafod? Ddangosodd e ddiddordeb mewn rhai yn arbennig?' gofynnodd Owen.

Siglodd Pritchard ei ben cyn ateb a'i wyneb yn disgleirio gan falchder. 'Naddo. Ro'dd gydag e fwy o ddiddordeb yno' i nag yn neb arall. Ro'dd e'n meddwl 'mod i wedi gneud yn dda i gadw llong bysgota 'nhad i fynd, a llwyddo i neud bywoliaeth mas ohoni.' Ond cymylodd ei wyneb cyn iddo ychwanegu, 'Ond oni bai fod Susan yn gweithio, allen i ddim cario mla'n i bysgota.'

'Wedodd Stephen rywbeth arall?' gofynnodd Owen.

Siglodd Pritchard ei ben yn araf eto a gwasgu'r sigarét i'r llwchflwch ar y ddesg o'i flaen. 'Na, dim ond 'i fod e am weld y llong.'

'Ond welsoch chi mohono fe ar ôl 'ny.'

'Naddo, ond …'

Pwysodd Eifion ymlaen at Michael Pritchard. 'Gwedwch beth ddigwyddodd ar ôl i Stephen adel.'

Nodiodd Pritchard am ychydig cyn ailgydio yn ei stori. 'Rywbryd wedi hanner awr wedi naw o'dd hi pan ganodd cloch y drws 'to, ac ro'n i'n meddwl falle mai Stephen o'dd 'na. Ond pan agores i'r drws, ddim Stephen o'dd 'na ond rhyw ddyn arall yn chwilio amdano fe. Ro'dd e'n gwenu'n gyfeillgar ac yn siarad yn gwrtais i ddechre ond ro'n i'n meddwl bod rhywbeth o'i le. Do'n i ddim wedi gweld na chlywed dim am Stephen ers deng mlynedd, ond nawr o fewn dwyawr dyma Stephen yn galw ac wedyn hwn. Dechreues i gau'r drws ond gwthiodd e ar agor a cherdded i mewn i'r tŷ. Cydiodd e yn 'y mraich a 'ngwthio i yn erbyn y wal a gofyn 'to ble'r o'dd Stephen. Pan wedes i nad o'dd e 'na fe ofynnodd e a o'dd rhywun arall yno. Pan wedes i fod Susan yn y gegin, fe wthiodd e fi i lawr y cyntedd a 'nhaflu i mewn i'r gegin.'

Oedodd Michael Pritchard i dwrio yn ei boced am y pecyn sigaréts ac i roi trefn ar ei feddyliau. Yn yr ysbaid honno fe geisiodd Gareth gasglu ynghyd y tameidiau o wybodaeth roedd Ieuan Daniels wedi eu danfon o'i gar.

'Ro'dd y dyn yn gwbod bod Stephen wedi bod yno i 'ngweld i ac wedi 'i ddilyn pan adawodd,' aeth Pritchard yn ei flaen, 'ond collodd e ar y ffordd 'nôl i ganol y dre. Dyna pam dda'th e'n ôl aton ni, rhag ofn ein bod ni'n gwbod i ble'r o'dd e wedi mynd. Fe fygythiodd e Susan a fi, a phetai e'n gwbod bod Nia, ein merch, yn y gwely, dwi'n gwbod y bydde fe wedi 'i bygwth hi hefyd. Pe bydde gyda fi'r syniad lleia ble o'dd Stephen, fe fydden i wedi gweud wrth y dyn er mwyn ca'l 'i wared e.'

Distawodd am ychydig eto wrth iddo gofio'r perygl oedd

wedi bygwth ei deulu oherwydd Stephen Llewelyn. Roedd hefyd yn meddwl pa mor barod y bu i fradychu ei gyfaill er mwyn gwaredu ei deulu rhag y perygl hwnnw.

'Wel, fe gredodd y dyn o'r diwedd nad o'n i'n gwbod ble'r o'dd Stephen, ond cyn iddo fynd fe racsodd e'r gegin fel rhybudd o beth nele fe petawn i'n gweud wrth Stephen neu wrth yr heddlu 'i fod e wedi bod yno. Dyna pam na allen ni weud wrth y plismon fuodd 'na'r noson honno beth o'dd wedi digwydd.' A siglodd ei ben mewn siom, tristwch a chywilydd.

'Da'th 'na blismon i'ch gweld chi nos Sadwrn?' gofynnodd Clem Owen.

'Do. Ro'dd cymydog wedi cwyno am y sŵn – sŵn y dyn yn rhacso'r gegin.'

Pwysodd Eifion ymlaen unwaith eto i'w annog. 'Gwedwch beth ddigwyddodd wedyn.'

Cododd Pritchard ei ben. 'Rhwng y difrod na'th y dyn, ac wedyn gorfod esgus i'r plismon 'na bod dim byd wedi digwydd, ro'dd Susan bron â cholli pob rheolaeth arni'i hun. Ar ôl i'r plismon adel, yr unig beth o'n i am neud o'dd ca'l Susan i gymryd rhywbeth i'w thawelu a'i helpu i gysgu. Ro'n i newydd 'i cha'l hi i'r gwely pan ganodd y ffôn. Stephen o'dd 'na ac ro'dd e am i fi gwrdd ag e draw ar bwys Crug yr Angor. Wedes i wrtho fe allen i ddim, a phan ddechreuodd e wasgu arna i fe wedes i am y dyn ac nad o'n i am adel Susan a Nia. Do'dd e'n synnu dim i glywed bod rhywun yn chwilio amdano fe, ond dyna pam ro'dd hi'n bwysig 'mod i'n 'i helpu fe. Wel, yn y diwedd fe gytunes i i gwrdd ag e cyn gynted ag y gallen i. Ond erbyn i fi neud yn siŵr bod Susan yn cysgu ro'dd hi wedi un ar ddeg arna i'n gadel y tŷ, a bron yn hanner awr wedi erbyn i fi gyrra'dd Crug yr Angor. Do'dd dim golwg o Stephen na neb arall 'na ac ro'n i'n meddwl 'i fod e wedi blino aros amdana i, ond pan glywes i ddydd Mawrth bod Stephen wedi marw, ro'n i'n gwbod bod y dyn arall wedi cyrra'dd 'na o 'mla'n i.'

Tawelodd Michael Pritchard ac edrychodd Clem Owen ar Eifion. Nodiodd hwnnw ei ben i ddweud mai dyna ddiwedd y stori.

'Welsoch chi rywun arall o gwmpas Crug yr Angor?' gofynnodd y prif arolygydd iddo.

'Naddo. Ond arhoses i ddim yn hir. Pan weles i nad o'dd Stephen 'na, fe es i adre'n syth.'

'Welsoch chi'r dyn arall 'ma wedyn?'

'Naddo.'

'Wedodd Stephen wrthoch chi pam fod y dyn 'ma ar 'i ôl e?'

'Naddo.'

'A do's 'da chi ddim syniad?'

'Nago's, dim.'

'Pan alwodd y dyn yn eich tŷ, sylwoch chi a o'dd car 'dag e?'

'Do, Ford Cosworth lliw arian.'

'Wedodd Stephen wrthoch chi pam 'i bod hi'n bwysig i chi gwrdd ag e?'

'Naddo.'

'Wedodd e unrhyw beth am eich llong?'

'Naddo.'

'O's 'na unrhyw beth arall ry'ch chi am 'i ddweud?'

Siglodd Michael Pritchard ei ben.

'Iawn, Mr Pritchard, dwi'n ddiolchgar iawn i chi am ddod aton ni. Dwi ise i chi fynd gyda DC Rowlands nawr a rhoi disgrifiad manwl iddo fe o'r dyn o'dd yn chwilio am Stephen Llewelyn. Popeth y gallwch chi 'i gofio amdano fe, iawn?'

Nodiodd Michael Pritchard ei ben unwaith yn rhagor a gadael i Eifion ei arwain o'r ystafell.

'Wel,' meddai Clem Owen ar ôl i'r drws gau ar y ddau. 'Ma'i stori'n cadarnhau ble ga'th Daniel Morgan hyd i'r Sierra.'

'Ac ma'n edrych yn fwy tebygol nawr mai'r dyn 'ma o Lundain laddodd Stephen Llewelyn a'i fod e wedi bod yn 'i ddilyn ers peth ...'

Canodd y ffôn a chydiodd Clem Owen ynddo. Gwrandawodd am rai eiliadau cyn ei estyn i Gareth gan ddweud, 'DS Ashley o'r Met.'

Cododd Gareth o'i gadair a chymryd y derbynnydd. 'Ie,' meddai, gan godi ei law dde i'w glust i gau allan lais Ken Roberts yn holi Carol am Jackie Pool yn dod o hyd i got Stephen Llewelyn.

'Dwi newydd weld llun o'r dyn gododd yr arian o'r cyfri ddydd Gwener dwetha,' meddai Ashley ar ben arall y ffôn. 'Ro'dd yr ariannwr yn 'i gofio fe'n iawn unwaith y gwelodd hi'r fideo, ond mae e'n wyneb hollol newydd i fi.'

'Ai'r un dyn o'dd yn codi'r arian bob tro?'

'Ma'n anodd gweud am nad o'dd e'n galw 'ma'n gyson, ond ry'n ni'n awr yn bwriadu mynd 'nôl drwy'r fideos i chwilio am ragor o lunie o'r adege y codwyd arian o'r cyfri.'

'Odi hi'n bosib i ni ga'l copi o'r fideo i weld a yw'r dyn yn gyfarwydd i ni?'

'Wela i ddim pam lai, ond os mai ise ca'l cip cyflym ar y dyn wyt ti, fe alla i anfon 'i lun i ti nawr. Ma' 'da nhw beiriant fan hyn sy'n gallu tynnu llun llonydd o'r fideo, ac os nei di roi eich rhif ffacs i fi ...'

Edrychodd Gareth ar y llun du a gwyn yn ymddangos yn boenus o araf o'r peiriant. Nid oedd y dyn i'w weld yn arbennig o glir. Roedd ongl y camera a'r ffaith fod y dyn yn symud rywfaint ar y fideo yn ei gwneud hi bron yn amhosibl cael llun perffaith, ond roedd yn ddigon clir i Gareth wybod nad oedd wedi gweld y dyn o'r blaen.

'Wel?' gofynnodd Clem Owen iddo pan ddychwelodd at y gweddill.

'Dwi ddim yn 'i nabod e,' ac estynnodd Gareth y llun i Carol Bennett. Pwysodd Ken Roberts dros ei hysgwydd i edrych arno.

'Dwi'n 'i nabod e,' meddai. 'Arwel Watkins, cyfreithiwr Paul Manning yw hwnna.'

'Pwy?' gofynnodd Clem Owen, gan estyn ei law am y llun.

'Arwel Watkins, cyfreithiwr Paul Manning,' ailadroddodd Ken Roberts.

'Partner yng nghwmni cyfreithwyr Jarvis a Jones?' gofynnodd Gareth.

'Ie.'

'Nhw yw cyfreithwyr Eirlys Llewelyn,' atgoffodd Gareth ei bennaeth. 'Nhw agorodd y cyfri i Stephen ar ran 'i fam.'

'Nest ti siarad ag Arwel Watkins am y cyfri?' gofynnodd Ken Roberts.

'Naddo, do'dd e ddim 'na. Â Richard Jones siarades i.'

'Faint o'dd Eirlys Llewelyn yn 'i roi yn y cyfri bob mis?' gofynnodd Carol.

'Dwy fil,' atebodd Gareth.

'Ond nago'dd hi ise gwbod os o'dd Stephen yn ca'l yr arian neu beidio?' gofynnodd Carol.

'Na. Os nad o'dd Stephen am iddi hi wbod beth o'dd e'n 'i neud â'i fywyd, yna ro'dd hi wedi gweud yn ddigon clir nad o'dd hi am wbod chwaith. Ro'dd hi'n cydnabod 'i chyfrifoldeb a'i dyletswydd, yn ôl Richard Jones.'

'Ond pam na fydde hi'n cadw llygad ar yr arian? Ma' dwy fil o bunne'r mis yn dipyn o arian i'w dalu mas heb wbod be sy'n digwydd iddo fe,' meddai Carol.

'Ond ro'dd hi *yn* cadw llygad arno fe,' meddai Clem Owen. 'Drwy 'i chyfreithwyr.'

'A thrwy ymddiried y cwbwl i Arwel Watkins, ro'dd e mewn sefyllfa ddelfrydol i neud beth bynnag ro'dd e'n moyn â'r arian,' meddai Ken Roberts.

'Ma'n amheus 'da fi a yw Eirlys Llewelyn yn gwbod dim am y cyfri, beth bynnag,' meddai Gareth. 'Ond petai hi wedi neud 'i hymholiade 'i hun, y cyfan y bydde hi wedi 'i weld fydde cofnod bod yr arian yn ca'l 'i godi yn enw Stephen. Fydde hi ddim yn gwbod nad 'i mab o'dd yn codi'r arian.'

'Sefyllfa berffaith am dwyll,' meddai Ken Roberts, a welai ryw fath o gyfiawnder naturiol yn y ffaith fod cyfreithiwr un o'r bechgyn oedd wedi cael Geraint i drwbl ei hun yn euog o drosedd. 'Os mai Watkins agorodd y cyfri a'i fod e wedi bwriadu defnyddio'r arian 'i hunan, cyn belled ag o'dd y banc yn y cwestiwn, 'i gyfri ef o'dd e, ac ro'dd popeth yn iawn cyhyd ag y bydde Stephen yn aros yn Llundain. Ond fe dda'th e adre, on'dofe?'

'Chi'n meddwl 'i fod e wedi dod i wbod bod Arwel Watkins yn dwyn yr arian?' gofynnodd Carol.

'Ma'n edrych fel 'ny.'

'Dwi ddim mor siŵr,' meddai Gareth. 'Dwi'n ame a o'dd Stephen yn gwbod am y cyfri. Ro'dd e yn y busnes cyffurie a bydde ca'l cyfri banc nad o'dd yr heddlu'n gwbod amdano wedi bod yn ddefnyddiol iawn iddo fe. Ac yn ôl Ashley, dod 'ma i ddianc rhag yr helynt yn Llundain na'th e; cadw'i ben lawr nes i bethe dawelu.'

'Ti'n dal i gredu bod 'na gontract ar 'i fywyd e ac mai rhywun yn Llundain laddodd e?' gofynnodd Owen iddo.

'Mae e'n bosibilrwydd cryf iawn.'

'Hy!' meddai Ken Roberts yn ddirmygus. 'Watkins yw'n ffefryn i. Mae e'n ffitio mewn dwy ffordd. Yn gynta, os o'dd Stephen, rywffordd, wedi dod i wbod am y cyfri ac wedi darganfod bod Watkins wedi bod yn 'i helpu 'i hunan i'r arian, ma'n ddigon posib y dele fe 'ma i chwilio amdano fe. Ac os o'dd Stephen am ddianc o Lundain a chwilio am rywle i gwato, fe alle fe neud 'ny ar yr un pryd.'

'Na,' meddai Gareth. 'Dwi ddim yn credu bod Stephen yn gwbod am y cyfri, ac ro'dd 'da fe ddigon o brobleme yn barod heb ddod 'ma i chwilio am ragor.'

'Iawn,' meddai Roberts, gan droi ei gadair i wynebu Gareth. 'Dyna'r ail bosibilrwydd, mai dianc o Lundain o'dd e ac nid dod 'ma i chwilio am Watkins – do'dd e ddim hyd yn o'd yn gwbod am Watkins nac am y cyfri banc. Ond do'dd Watkins ddim yn gwbod am yr helynt gyda'r cyffurie. Iddo fe, bydde gweld Stephen Llewelyn yn y dre yn golygu un peth ac un peth yn unig: 'i fod e wedi dod i wbod am y cyfri a'i fod e wedi dod ar 'i ôl e. Dwi'n siŵr y bydde hynny wedi rhoi llond bola o ofn iddo fe.'

'Chi'n awgrymu mai digwydd gweld Stephen na'th Watkins? Ry'n ni wedi holi bron pawb o fewn cylch o bym-theg milltir i'r dre a o'n nhw wedi gweld Stephen Llewelyn. Sawl ateb cadarnhaol gethon ni?' gofynnodd Gareth yn heriol i'r arolygydd. 'Dau. Dau mas o gannoedd.'

'Iawn, ond dyw hynny ddim yn golygu na alle Watkins fod wedi 'i weld e. Os o'dd y ddau yn y dre yr un pryd, ma'n ddigon posib iddyn nhw ddod ar draws 'i gilydd.'

'Tipyn o gyd-ddigwyddiad!'

'Ma' sawl un wedi 'i lofruddio heb fwy o reswm na'u bod nhw wedi digwydd bod yn y lle anghywir ar yr amser anghywir,' meddai Roberts, gan ddwyn y maen i'r wal. 'Yr unig wahaniaeth fan hyn yw bod 'da Arwel Watkins reswm da iawn dros ga'l gwared â Stephen Llewelyn.'

'Mae e'n dal yn ormod o gyd-ddigwyddiad i fi,' meddai Gareth, yn amharod i ildio. 'A dy'n ni ddim yn gwbod a yw Watkins erio'd wedi gweld Stephen.'

'Fe alle fe fod wedi gweld llunie ohono fe yn nhŷ 'i fam.'

'Llunie deng mlwydd oed. Bachgen ysgol fydde fe yn rheiny.'

'Beth am y fam?' gofynnodd Carol.

'Beth amdani?' gofynnodd Clem Owen, yn falch o glywed llais arall.

'Dy'n ni'n dal ddim callach ble'r o'dd Stephen wedi bod yn cwato ers iddo fe gyrra'dd y dre. Alle fe fod wedi aros gyda'i fam a'i bod hi, yn 'i diniweidrwydd, wedi gweud wrth Watkins bod 'i mab wedi dod adre.'

'Yn hollol!' meddai Roberts.

'Na,' meddai Clem Owen. 'Fe weles i Eirlys Llewelyn ddoe, a dwi ddim yn credu 'i bod hi wedi gweld Stephen yn ddiweddar. Dwi'n meddwl y bydde'i hymateb wedi bod yn wahanol iawn petai Stephen wedi dod adre, 'i fod e wedi dod 'nôl ati hi ar ôl yr holl flynydde, a'i bod hi wedi 'i golli fe 'to.'

'Ac ma' 'na ŵr a gwraig sy'n gofalu am y lle,' ychwanegodd Gareth. 'Fe fydden nhw'n gwbod os o'dd rhywun arall yn y tŷ.'

'Beth am y sawl driodd dorri mewn i'r tŷ?' gofynnodd Carol. 'Dwi'n barod i dderbyn mai'r un dyn fu'n bygwth Michael Pritchard a'i wraig a driodd dorri i mewn i dŷ mam Stephen. Ma'n bosib iawn 'i fod e ar ôl Stephen a'r arian.'

'Ond dyw hynny ddim yn newid y ffaith fod Arwel wedi bod yn dwyn yr arian o gyfri banc Stephen,' meddai Ken Roberts, yn ymladd ei achos.

'Na'dy, ond fe allwn ni siarad fan hyn am byth heb ddod gam yn nes at y gwir. Bydd rhaid i ni ga'l gair 'da Arwel Watkins i weld be sy 'da fe i' weud. Gareth, cer di i'w nôl e. Nes y cewn ni wbod ble yn hollol o'dd e pan ga'th Stephen Llewelyn 'i lofruddio, allwn ni ddim 'i ddiystyru fe'n llwyr fel llofrudd.'

Pan adawodd Gareth Lloyd swyddfa Clem Owen, roedd yn frwdfrydig iawn dros ymchwilio i symudiadau Arwel Watkins ar y nos Sadwrn blaenorol pe bai dim ond er mwyn profi bod yr Arolygydd Ken Roberts yn anghywir. Ond er gwaethaf ei frwdfrydedd ni wyddai lle i ddechrau nes i un o'r swyddogion clerigol estyn dalen ffacs arall iddo oddi wrth DS Ashley ac arni restr o'r dyddiadau y codwyd arian o gyfrif banc Stephen Llewelyn.

Ni chafodd ateb yng nghartref Arwel Watkins, ac nid oedd yn ei swyddfa, chwaith, ond roedd Gareth yn benderfynol na fyddai'n gadael yn waglaw ac fe ofynnodd a gâi air â Richard Jones. A phan, ar ôl sawl galwad ffôn, yr arweiniwyd Gareth, o'r diwedd, i mewn i'w ystafell, roedd hi'n amlwg bod y cyfreithiwr yn barod amdano'r tro hwn.

Eisteddai Richard Jones y tu ôl i'w ddesg yn ŵr proffesiynol parod am waith. Cododd i gyfarch Gareth ac er ei fod yr un mor groesawgar â chynt, teimlai Gareth fod rhyw ffurfioldeb newydd o'i amgylch.

'Dal i ymchwilio i gefndir Stephen Llewelyn, sarjant?' gofynnodd wrth i Gareth eistedd yn y gadair a wynebai'r ddesg.

'Odyn, Mr Jones. Fydden i'n iawn i feddwl mai un o'ch partneriaid, Mr Arwel Watkins, o'dd yn gyfrifol am agor y cyfri banc yn Llundain ar ran Mrs Eirlys Llewelyn?'

'Ie. Fel dwedais i wrthoch chi'r tro dwetha, ni fel cwmni, ond Arwel Watkins fel unigolyn, sy'n gyfrifol am waith Eirlys Llewelyn.'

'Nethoch chi ddim enwi Arwel Watkins y tro dwetha.'

'Falle naddo, ond roeddwn i o dan yr argraff mai ymchwilio i farwolaeth Stephen Llewelyn oeddech chi, ac nid i ddyletswyddau Arwel Watkins.'

'Ry'n ni'n dal i ymchwilio i farwolaeth Stephen Llewelyn.'

'Mae'n dda gen i glywed.'

'Ond ma'n hymchwiliade wedi ehangu rywfaint ers i ni siarad ddwetha, ac ma' 'da ni le i ame fod cysylltiad rhwng y ddau beth.'

'Pa ddau beth?'

'Llofruddiaeth Stephen Llewelyn a dyletswydde Arwel Watkins.'

Crychodd Richard Jones ei wefusau ac edrych yn wgus ar Gareth.

'A beth mae hynny'n ei olygu?'

'Odych chi'n gwbod ble'r o'dd Arwel Watkins ddydd Gwener dwetha?'

'Dydd Gwener?'

'Ie.'

'Roeddwn i dan yr argraff mai rywbryd nos Sadwrn y llofruddiwyd Stephen Llewelyn.'

'Allech chi ddweud wrtha i a o'dd Arwel Watkins yn gweithio ddydd Gwener dwetha?'

Crychodd Richard Jones ei wefusau unwaith yn rhagor cyn ateb.

'Nagoedd. Roedd Arwel a'i wraig wedi mynd i ffwrdd am ychydig ddyddiau.'

'Odych chi'n gwbod i ble'r ethon nhw?'

'I Lundain. Dwi'n deall iddyn nhw adael fore dydd Mawrth a dychwelyd rywbryd ddydd Sadwrn.'

Tynnodd Gareth o'i boced lungopi o ran o'r ddalen ffacs a dderbyniasai gan DS Ashley.

'Codwyd tair mil o bunne o gyfri Stephen Llewelyn fore dydd Gwener dwetha gan Arwel Watkins. Dyma restr o'r dyddiade er'ill pryd y codwyd arian o'r cyfri ers 'i agor. Fe fydden i'n gwerthfawrogi petaech chi'n ein helpu drwy gadarnhau ble'r o'dd Arwel Watkins ar y dyddiade hynny.' Estynnodd y ddalen ar draws y ddesg.

Gosododd Richard Jones ei sbectol yn ei lle ac edrych ar y rhestr.

'Pa dystiolaeth sydd gennych chi o hyn?' gofynnodd ar ôl astudio'r dyddiadau.

'Ma'r dystiolaeth am y twyll yn ddigon pendant ...'

'Er enghraifft?'

'Dwi'n ofni na alla i ddweud hynny wrthoch chi.'

'A beth am y llofruddiaeth?'

'Gan 'i bod hi'n ymddangos bod Arwel Watkins wedi bod yn dwyn arian yn rheolaidd o'r cyfri banc ro'dd e wedi 'i agor ar gyfer Stephen Llewelyn, ma' hynny'n 'i osod ef ar ben y rhestr o'r bobol ry'n ni am 'u holi ynglŷn â'i lofruddiaeth. Ma'r naill beth yn dilyn yn naturiol o'r llall.'

'Tystiolaeth amgylchiadol yn unig, felly. Ond rydych yn barod i'w arestio mewn cysylltiad â'r twyll?'

'Dyw'n hymchwiliade ddim wedi gorffen eto, ac fe fydden ni'n gwerthfawrogi unrhyw gymorth.'

'Ym mha ffordd?'

'Gyda'r dyddiade 'na.'

Edrychodd y cyfreithiwr ar y rhestr unwaith eto. 'Bydd rhaid i ni edrych 'nôl drwy'n dyddiaduron ar gyfer y blyn-yddoedd hyn, ac mae hynny'n mynd i gymryd amser.'

'Dwi'n sylweddoli 'ny. Fydde fe'n mynd i Lundain ar ran y cwmni o gwbwl?'

'Mae'n bosib, ond dwi ddim yn cofio unrhyw achlysur arbennig.'

'Falle y dewch chi ar draws un pan fyddwch chi'n mynd 'nôl drwy'ch dyddiaduron.' Cododd Gareth. 'Odych chi'n gwbod ble ma' Mr Watkins nawr?'

'O gwmpas ei waith, fydden i'n meddwl.'

'Fe ddwedodd un o'r merched lawr stâr wrtha i nad yw e yn 'i swyddfa.'

'Nagyw?'

'Nagyw, a dwi'n deall nad o's neb wedi 'i weld e ers peth cynta'r bore 'ma, a'i fod e wedi colli dau gyfarfod yn barod.'

'Falle'i fod e gartre.'

'Nagyw, fe alwes i yno cyn dod 'ma ond do'dd dim ateb.'

'Mae'n rhaid ei fod e yn rhywle arall, felly,' meddai Richard Jones gan wenu.

'O's gyda chi unrhyw syniad ble alle fe fod?'

Siglodd y cyfreithiwr ei ben a synhwyrai Gareth na werthfawrogai'r ffaith fod Gareth yn gwybod mwy nag ef am symudiadau ei bartner.

'Wel, os daw Mr Watkins i glawr, fe rowch chi wbod i ni, yn gnewch?'

'Wrth gwrs, sarjant,' meddai Richard Jones gan godi a hebrwng Gareth allan o'i swyddfa. Wrth gau'r drws ar ei ôl crychodd ei wefusau. Sylweddolai bellach pam roedd Arwel wedi edrych mor bryderus pan glywodd am ymweliad cyntaf Sarjant Lloyd a gofyn am gael gweld ffeil Stephen Llewelyn. Cerddodd Richard Jones yn ôl at ei ddesg, codi'r ffôn a siarad â'i ysgrifenyddes. Efallai y byddai'n syniad da iddo ef ddod o hyd i Arwel cyn i'r heddlu gael eu dwylo arno.

'Cyril, beth alla i 'i neud i chi?'

'Dim, wir. Ffonio ydw i i ddweud wrthot ti ein bod ni'r perchenogion wedi trefnu i gwrdd â chynrychiolydd cwmni diogelwch Secure ynglŷn â gofalu am y *chalets* ar Draeth Gwyn.'

'Ry'ch chi'n symud yn gyflym.'

'Ro'dd 'na dân arall neithiwr, Carol, a dy'n ni ddim am weld y *chalets* yn llosgi'n ulw.'

'Dwi'n deall 'ny, ond dwi ddim yn meddwl bod rhaid i chi boeni'n ormodol.'

'Ond alli di ddim addo na wneith dim ddigwydd iddyn nhw.'

'Na. Ond all neb addo 'ny, hyd yn o'd cwmni diogelwch.'

'Ond o leia fe fyddan nhw yma i atal beth bynnag all ddigwydd. Ry'n ni'n cwrdd â'r cynrychiolydd ar y traeth am bump o'r gloch y prynhawn 'ma.'

'Diolch am roi gwbod i fi, Cyril.'

Rhoddodd Carol y derbynnydd i lawr. Roedd hi newydd gydio yn ei bag llaw a cherdded at y drws pan ganodd y ffôn unwaith eto.

'CID, DS Bennett.'

'Rwyt ti'n swnio'n broffesiynol iawn, Carol.'

'Helô, Glyn,' meddai'n dawel.

Ers nos Wener roedd Carol wedi meddwl droeon amdano, ac roedd pob un o'r troeon hynny wedi gorffen gyda'r hyn roedd hi'n mynd i'w ddweud wrtho y tro nesaf y gwelai hi ef. Roedd hi wedi ystyried ei ffonio fel nad âi'r cyfan roedd hi wedi ei baratoi yn ofer. Ond wrth i ddydd Sadwrn basio a dydd Sul droi'n ddydd Llun ac yna'n ddydd Mawrth, roedd Carol yn amau'n fawr a glywai gan Glyn Stewart byth eto. A nawr, ac yntau ar ben arall y ffôn, ni allai gofio dim o'r hyn roedd wedi ei baratoi ar ei gyfer.

'Helô. Shwd wyt ti?'

'Yn cadw'n brysur.' Nage! Nid dyna'r oedd hi am ei ddweud. Byddai Glyn yn siŵr o feddwl ei bod hi wedi 'i thaflu ei hun i'w gwaith er mwyn peidio â meddwl amdano ef. 'Ac ma' 'da fi bethe pwysicach na mân siarad ar y ffôn i' neud, ti'n gwbod.'

'Ma' Louise yn yr ysbyty, Carol. Fe ga'th hi 'i rhuthro i mewn brynhawn dydd Gwener. Ga'th hi ryw fath o ffit. Dyw'r doctoriaid ddim yn siŵr 'to beth achosodd e, er 'u bod nhw wedi neud pob math o brofion.'

Roedd distawrwydd Glyn yn gorfodi Carol i ofyn, 'Shwd ma' hi?'

'Yn gwella, ond ma' hi'n dal yn yr ysbyty. Dyna ble'r y'n ni i gyd wedi bod ers nos Wener. Ma' fe fel ail gartre i Sheila a fi erbyn hyn.'

'Dwi ddim ise clywed amdani hi, Glyn,' meddai Carol, yn falch iddi gael rhyw achos i ddangos ei dicter.

'Na. Wel, dyna pam na allen i gysylltu â ti. Ro'dd popeth yn dra'd moch a, wel, a dweud y gwir, Carol, 'nes i ddim meddwl amdanat ti tan brynhawn dydd Sadwrn. Ma'n ddrwg 'da fi os yw hynna'n dy frifo di ond do'n i ddim yn meddwl am neb, dim ond am Louise.'

Gonestrwydd a chariad tad. Pa obaith oedd ganddi i ymladd yn erbyn y rheiny? Cilio o'r frwydr oedd galla.

'Glyn, alla i ddim siarad â ti nawr. Fel wedes i, dwi'n brysur.'

'Ond ma'n rhaid i ni siarad.'

'O's, ma' 'na bethe sy ise'u gweud, ond ddim nawr.'

'Dwi'n dal i dy garu di.'

'Ond ma'n amlwg nad fi yw'r person pwysica yn dy fywyd di.'

'Dyw hynna ddim yn deg, Carol.'

'Dyw bywyd ddim yn deg.'

'Ro'dd Louise yn ddifrifol wael, allen i ddim fod wedi 'i gadel hi.'

'Dwi'n falch 'i bod hi'n gwella.'

'Fe ffonia i ti 'to, pan na fydd pethe mor brysur. Iawn?'

'Os wyt ti'n moyn.'

'Beth wyt ti ise, Carol?'

'Gwbod ble dwi'n sefyll.'

'Ond do's dim wedi newid.'

'Paid twyllo dy hunan. Allwn ni ddim mynd 'nôl, ac ma' hi lan i ti pa mor bell allwn ni fynd mla'n.'

'Fe ffonia i ti 'to.'

'Hwyl, Glyn,' meddai Carol a rhoi'r ffôn i lawr. Damia fe! Byddai pethau'n haws y tro nesaf. Nid iddi hi, ond iddo fe.

Pwysai Clem Owen ar y wal yn edrych ar y criw o blismyn ar y geulan oddi tano'n mynd ati fel lladd nadredd. Ni fyddai'r prif arolygydd wedi ei synnu pe baent yn dod ar draws neidr neu ddwy go iawn yn y tyfiant trwchus. Dyna pam roedd wedi aros ble'r ydoedd; fe allen nhw wneud heb ei gymorth ef. Fe allen nhw wneud heb ei bresenoldeb hefyd, a dweud y gwir, ond roedd Clem Owen yn meddwl 'i bod hi'n bryd iddo wneud rhywbeth ar wahân i bori drwy adroddiadau eraill yn ei swyddfa. Ac unwaith roedd wedi treulio'r rheiny i gyd roedd ffurflenni a chofnodion a hol-iaduron o Gaerfyrddin yn mynnu ei sylw. Roedd e'n falch o allu cymryd lle Carol Bennett tra oedd hi'n gwneud ychydig o 'blismona cymunedol'. Roedd yn siŵr y gallai nodi hynny ar ryw ffurflen yn rhywle.

Er mai rhwng difrif a digrif yr oedd wedi dweud wrth Ken Roberts bod y ddau ohonynt yn rhy hen i'r gwaith, efallai fod mwy nag ychydig o wirionedd yn hynny. Ychydig wyth-nosau ynghynt, pan fu Clem Owen yn y pencadlys, roedd ganddo hanner awr ar ei ddwylo rhwng cyfarfodydd ac fe aeth i gael cipolwg ar yr arddangosfa a luniwyd i ddathlu chwarter canrif Heddlu Dyfed-Powys. Ymhlith yr hen hetiau, y llyfrau a'r tystysgrifau roedd casgliad helaeth o luniau'n cofnodi gwahanol agweddau o weithgaredd yr heddlu – y swyddogol a'r cymdeithasol. Yn eu plith roedd llun o'r tîm rygbi a enillodd bencampwriaeth heddluoedd gwledydd Prydain ddwywaith yn olynol ar ddechrau'r saithdegau. Ac yno yn y rhes gefn, ugain mlynedd yn ifancach a thair stôn yn ysgafnach, safai Clem Owen.

Wrth gwrs, roedd ganddo gopi o'r llun gartre yn rhywle, ond nid oedd ef, fel arfer, yn un a edrychai'n ôl yn hiraethus i'r gorffennol. Ond wrth edrych ar y llun hwnnw yn yr arddangosfa fe ddaeth rhyw bwl o hiraeth drosto. Nid y newidiadau amlwg yn ei ymddangosiad ef a gweddill y tîm a'i trawodd wrth iddo edrych ar y llun, ond am ryw reswm roedd yn cofio, fel petai'n ddoe, yn union sut y teimlai pan dynnwyd y llun. Roedd yna falchder cyffredin a digymysg yn y gamp roedden nhw wedi ei chyflawni, ond roedd yna falchder yn y ffaith ei fod ef a'i gyd-chwaraewyr hefyd yn gyd-weithwyr yn ogystal. Ac os oedden nhw wedi cyflawni'r gamp honno, pa gampau eraill y gallen nhw eu cyflawni fel tîm o chwaraewyr a chriw o blismyn?

Yn y cyfnod hwnnw roedd pobl wedi dechrau cael eu dadrithio gan bob math o awdurdod, gydag achos ar ôl achos o lygredd mewn llywodraeth leol yn dod i'r amlwg, ond roedd yr heddlu'n dal i ennyn parch y cyhoedd. Gallai'r bobl gyffredin ymddiried ynddyn nhw. Ond i beth? Fel y gallen nhw ymhen ychydig flynyddoedd gamddefnyddio'r ymddiriedaeth honno a defnyddio'u hawdurdod i ffugio tystiolaeth a cham-drin carcharorion fel roedd Ken Roberts wedi ei wneud?

Dwrdiai Clem Owen ei hun am beidio â sylweddoli ddyddiau'n ôl beth oedd yn digwydd. Pe bai ef wedi bod o gwmpas ei bethau, yn cadw llygad ar ei dîm yn lle gwneud gwaith gweinyddu David Peters, fe allai fod wedi osgoi hyn i gyd. Blydi biwrocratiaeth!

'Mr Owen!'

Adnabu Owen lais Timothy Morris ar unwaith. Roedd y gohebydd wedi bod yn ei blagio ar y ffôn ers dyddiau ac nid oedd ei weld yn y cnawd yn ychwanegu dim at y pleser. Ond cofiodd am y cwrs ar gysylltiadau cyhoeddus roedd wedi ei fynychu ychydig fisoedd ynghynt, a throdd i wynebu'r newyddiadurwr.

'Mr Morris, beth alla i' neud i chi heddi?'

'Prynhawn da, Mr Owen. Meddwl ro'n i falle fod 'na ddatblygiade ynglŷn â'r llofruddiaeth. Dwi'n cymryd mai rhan o'r ymchwiliad hwnnw yw'r holl waith hyn. Am beth yn hollol y'ch chi'n chwilio?'

'Unrhyw beth a all ein cynorthwyo i ddal y sawl sy'n gyfrifol am y drosedd.'

'Unrhyw beth yn arbennig?'

'Na.'

'Pam y'ch chi'n chwilio fan hyn?' a gwenodd y gohebydd wên ddilornus. 'Ro'n i'n meddwl mai wrth Graig y Bwlch y bu Stephen Llewelyn farw.'

'Ife, nawr?' meddai Clem Owen yn hollwybodus a cherdded i ffwrdd, ond nid oedd Timothy Morris wedi gorffen.

'*Chief inspector*! O's 'da chi unrhyw sylw i'w wneud am y ffaith bod nifer o bobol y dre'n credu nad all yr heddlu 'u diogelu nhw bellach, a bod rhaid ystyried cyflogi cwmnïe preifat i ofalu am 'u heiddo?'

Arhosodd Owen a throi i wynebu'r gohebydd. 'Mr Morris, dwi'n deall pryderon y bobol yma ac ma'n siŵr eich bod chi'n gwbod cystal â fi ein bod ni'n gorfod gweithio o fewn ein cyllideb. Dyw hi ddim yn bosib bellach i ni ga'l plismyn ym mhob rhan o'r dre. Ry'n ni'n trio rhoi dynion yn y llefydd lle'r y'n ni'n meddwl fydd mwya'u hangen nhw, ond yn anffodus allwn ni ddim rhag-weld bob tro ble fydd 'u hangen nhw fwya.'

'Dwy bunt yr wthnos, 'na i gyd ma'r cwmnïe preifat 'ma'n costio, ac ma pobol yn barod i dalu hynny er mwyn ca'l cysgu'n dawel.'

'Odych chi wedi gofyn i'r bobol hynny a fydden nhw'n barod i dalu dwy bunt yr wthnos yn fwy mewn trethi i ga'l rhagor o heddlu, wedi 'u hyfforddi, i neud y gwaith yn iawn?'

'Felly ry'ch chi o blaid codi'r trethi?'

'Os wela i hynna yn y papur …'

'Beth am y fandaliaeth yn Ffordd yr Eglwys? Odych chi wedi dal y rhai o'dd yn gyfrifol am hynny?'

'Ry'n ni bron â chwblhau'n hymholiade i'r achos hwnnw.'

'A beth am yr holl dane 'ma sy'n ca'l 'u cynne'n fwriadol? Odych chi bron â chwblhau eich ymholiade i'r rheiny hefyd? Sawl wthnos sy nawr ers y tân cynta?'

Roedd Clem Owen yn dechrau edifarhau gadael diogelwch ei swyddfa.

'Fan hyn!'

Trodd Owen a'r gohebydd i gyfeiriad yr heddwas oedd wedi galw. Safai yn ymyl yr afon yn chwifio'i ffon uwch ei ben i alw'r rhingyll a oruchwyliai'r chwilio.

Heb ddweud gair pellach wrth y gohebydd anelodd Clem Owen at y bwlch yn y wal a'r llwybr a arweiniai i lawr at yr afon. Dilynodd un o'r nifer o lwybrau newydd roedd yr heddweision wedi eu torri yn ystod y prynhawn nes y daeth at ymyl y rhingyll a'r heddwas.

'Fan'na, syr,' meddai'r rhingyll gan bwyntio at y llawr. Gwthiodd yr heddwas y gwair uchel naill ochr er mwyn i'r prif arolygydd weld yn well.

'Beth yw e?' gofynnodd Owen, gan bwyso ymlaen. 'Na, paid â'i godi. Dwi ddim ise i Morris a'i ffrind gyda'r camera lan fan'co 'i weld e.'

'*Crook-lock* car,' atebodd y rhingyll. 'Ac ma'r stwff tywyll 'na ar y bla'n yn edrych fel gwallt a gwa'd.'

Clywai Carol sŵn y lleisiau wrth iddi gerdded i lawr y llwybr at y traeth. Nid sŵn dadlau ac anghydweld, ond trafod rhesymol a chodi pwyntiau'n bwyllog. Safai rhwng ugain a deg ar hugain o bobl o flaen y cabanau – mwy nag yr oedd Carol wedi gweld yno ar yr un pryd o'r blaen. Pobl resymol a phwyllog oedd y rhain a oedd wedi dechrau anobeithio gweld unrhyw un yn datrys problem cyfraith a threfn, ac yno'n ceisio cynnig achubiaeth iddynt roedd cynrychiolydd cwmni Secure. Edrychai allan o le yn ei siwt a'i goler a thei yng nghanol y gweddill yn eu dillad haf lliwgar, ond gyda'i agwedd gydymdeimladol a'i frwdfrydedd ifanc llwyddai i ddal eu sylw i gyd. Cerddodd Carol yn dawel drwy'r tywod a sefyll y tu ôl i Cyril Adams.

'Fe fydde'r heddlu'n dweud yn bendant 'u bod nhw'n anghysbell,' meddai'r cynrychiolydd wrth y dorf a wrandawai'n astud arno. 'Ac o ystyried eu hadnodde prin fe fydden nhw'n dweud y gwir. I'r heddlu ma' dyddie atal trosedde drwy ga'l plismyn yn amlwg ar y strydoedd wedi hen fynd. Ymateb i drosedde sy wedi 'u cyflawni ma'r heddlu nawr. Ac yn anffodus dyna'r sefyllfa ma'n rhaid i ni i gyd fyw gyda hi. Ond do's dim rhaid i un ohonon ni dderbyn y sefyllfa honno, ac yn bendant do's dim rhaid i ni adel i ddrwgweithredwyr ga'l llonydd i neud fel ma'n nhw'n dewis. Ma' lot allwch chi 'i neud i ddiogelu'ch cartrefi, ac ma' 'da fi daflenni fan hyn os bydd rhai ohonoch chi ise gwbod mwy am gloeon dryse a ffenestri, neu laryme ...'

'Ond fydd rheiny'n neud dim gwahaniaeth lawr fan hyn, Mr Samuel,' meddai un o'r perchenogion ar ei draws.

Gwenodd Mr Samuel. 'Chi'n iawn, syr. Ychydig o effaith fydde'r rheiny'n 'i cha'l fan hyn ar y traeth gan nad o's 'na ryw lawer o bobol yma a fydde'n clywed y larwm.'

Cystal diffiniad o anghysbell ag y gallen i ei gynnig, meddyliodd Carol.

'Dyna pam dwi am ganolbwyntio ar ein gwasanaeth Securepatrol. Ma'r gwasanaeth Securepatrol yn wasanaeth pedair awr ar hugain, saith diwrnod yr wthnos, pum deg dwy wthnos y flwyddyn ...'

'Can mlynedd y ganrif,' meddai Carol dan ei gwynt.

'Ym …' meddai'r cynrychiolydd, a oedd wedi ei chlywed ac wedi llithro ryw ychydig oddi ar ei echel. 'Allwch chi fod yn dawel eich meddwl bydd yr adeilade i gyd yn ddiogel yn ein dwylo ni,' meddai gan wneud ei orau glas i gofio'i le ar y sgript.

Cydiodd Carol ym mraich Cyril Adams a'i arwain o'r neilltu o sŵn parablu cynrychiolydd Secure. Gallai Carol yn hawdd ddychmygu mai rhywbeth tebyg i hyn yr arferai cyfarfodydd pregethu awyr agored fod; yr unig wahaniaeth nawr oedd mai sicrwydd o nefoedd ar y ddaear roedd pobl yn ei geisio – dyna oedd y grefydd newydd.

'Odych chi wedi penderfynu derbyn cynnig Samuel?' gofynnodd i Cyril.

'Mwy neu lai. Ma' ambell un yn dal i feddwl y dylen ni ofalu am y *chalets* ein hunain, ond dwi'n siŵr y bydd y mwyafrif yn penderfynu o blaid Secure.'

'Beth, cyfri dwylo ar ôl iddo fe orffen 'i bwt?'

'Na, dy'n ni ddim wedi siarad â'r perchenogion i gyd eto. Ma' ambell un i ffwrdd a dy'n ni ddim yn licio poeni Eirlys Llewelyn a hithe newydd golli 'i mab.'

'Eirlys Llewelyn? Odi hi'n berchen ar un o'r *chalets*?'

'Odi, ond dyw hi ddim wedi bod 'ma ers blynydde. Dwi ddim yn gwbod pam nad yw hi'n 'i werthu.' Rhyfeddodd Carol unwaith eto at y cysylltiadau a redai driphlith-draphlith drwy ei gilydd mewn cymdeithas fechan. Ac roedd yn dod yn fwyfwy argyhoeddedig mai dod i wybod amdanynt a'u deall oedd hanfod plismona i raddau helaeth iawn.

'P'un yw e, Cyril?'

Yn allanol, doedd yna ddim yn wahanol yng nghaban Eirlys Llewelyn i'r gweddill o'i gwmpas. Deuddeg troedfedd sgwâr gyda drws a dwy ffenest yn y blaen ac un ffenest yn yr ochr. Ceisiodd Carol gofio a oedd wedi gweld rhywun yn ei ddefnyddio pan fu hi yno ar Draeth Gwyn, ond ar wahân i ryw frith gof o weld pâr yn eu chwedegau'n gwneud rhywfaint o waith cynnal a chadw arno unwaith neu ddwy, ni chredai iddi erioed weld neb arall ar ei gyfyl.

Trodd Carol fwlyn y drws ond roedd ar glo.

'O's rhywun wedi bod yn defnyddio'r caban yn ddiweddar?'

'Na. Ma' fe wedi bod yn nheulu Eirlys Llewelyn o'r dechre ond dyw hi ddim wedi 'i ddefnyddio fe ers amser. Ro'dd Stephen a'i ffrindie'n arfer dod lawr 'ma flynydde 'nôl.'

'O'dd e, wir?'

Tynnodd Carol ei llaw ar hyd fframyn y drws a'r ddwy ffenest yn y blaen. Roedd y paent yn lân a'r pren yn gyfan. Cerddodd rownd ymyl y caban i edrych ar y ffenest ochr. Yn ôl y crafiadau ar y pren, roedd hi'n amlwg bod y clo wedi cael ei fforsio ar agor rywbryd. Gwthiodd Carol yn ei herbyn ond gwrthododd ildio. Rhaid bod clo newydd wedi 'i osod yno.

'Nei di gadw llygad ar y lle, Cyril, nes y do' i 'nôl?'

'Pam, i ble wyt ti'n mynd?'

'I nôl yr allwedd. Dwi ise gweld be sy tu mewn, ond dwi ddim yn mynd i neud dim byd anghyfreithlon o dan drwyn Samuel Secure.'

'Do's dim rhaid i ti fynd i unman, ma' 'da fi allwedd i'r *chalet*.'

Roedd hi bron yn saith o'r gloch cyn i Clem Owen gael cadarnhad mai gwallt a gwaed oedd ar flaen y *crook-lock* a ddarganfuwyd ar lan yr afon. Byddai'n rhaid iddo aros am beth amser eto cyn y gallai'r gwyddonwyr fforensig ddweud wrtho ai gwallt a gwaed Stephen Llewelyn oeddynt, ond nes y clywai'n wahanol, roedd Clem Owen yn mynd i gymryd hynny'n ganiataol.

'*Crook-lock*,' meddai wrtho'i hun. Erfyn nad oedd ef wedi dod ar ei draws o'r blaen mewn achos o lofruddiaeth. Fel arfer, pan gâi rhywun ei guro i farwolaeth, nid oedd y llofrudd wedi cynllunio i ladd ymlaen llaw – ymosodiadau ffyrnig oeddynt, a'r llofrudd wedi ei bryfocio gymaint nes iddo golli pob rheolaeth arno'i hun a chydio yn yr erfyn cyfleus cyntaf. Roedd hi'n wir felly fod pob math o bethau wedi cael eu defnyddio i ladd drwy guro, ond roedd *crook-lock* yn un newydd i'w ychwanegu at y rhestr.

Ond nid y *crook-lock*, er mor drwm a chadarn oedd hwn, a laddodd Stephen Llewelyn, atgoffodd Clem Owen ei hun. Trwy foddi y bu Stephen farw, ond pwy bynnag a'i trawodd ef ar ei ben achosodd ei farwolaeth. Ac os mai llofruddiaeth neu ddyn-laddiad oedd hynny – ac fe gâi'r llys benderfynu pa un – gwaith Clem Owen oedd dod o hyd i'r sawl a'i trawodd ef ar ei ben â'r *crook-lock*.

Dyna ddamcaniaeth Gareth am ryw gontract Maffiaidd o Lundain wedi cael ergyd farwol, a gwenodd oblegid ei ddewis anfwriadol o eiriau. Byddai'r rheiny wedi cyflawni'r gwaith mewn ffordd lawer mwy proffesiynol a soffistigedig er mwyn gwneud yn berffaith siŵr eu bod wedi ei ladd. Oni bai – a diflannodd y wên o wefusau'r prif arolygydd – fod gwneud i lofruddiaeth ymddangos yn amaturaidd a damweiniol yn rhan o'u proffesiynoldeb soffistigedig.

'Na!' ebychodd a'i dynnu ei hun i fyny yn y gadair, ystwytho'i gefn a rhyddhau ei grys chwyslyd. Mwy o hyn ac fe fyddai wedi ei berswadio'i hun mai achos o hunan-laddiad oedd ganddynt ar eu dwylo.

Roedd yn dechrau closio at ddehongliad Ken Roberts o ddigwyddiadau nos Sadwrn. Yn sicr roedd yna gymhelliad cryf gan Arwel Watkins, a chyfle, o bosib, ond roedd cymaint o fylchau na allent eu llenwi nes y caent air â'r cyfreithiwr ei hun. Roedd diflaniad hwnnw'n cryfhau dadl

Ken Roberts, ac roedd y defnydd o'r *crook-lock* yn clymu'n well gyda'i ddamcaniaeth ef hefyd. Tybed a oedd Gareth Lloyd wedi dod o hyd i Arwel Watkins? Estynnodd am y ffôn i weld ble'r oedd Lloyd arni, ond cyn iddo gydio ynddo canodd y teclyn.

'Ie?'

'Ma' Mr Richard Jones a Mr Arwel Watkins 'ma i'ch gweld chi, syr.'

'Odyn nhw, wir? Cer â nhw i un o'r stafelloedd cyf-weld a thria ddod o hyd i Sarjant Lloyd. Gwed wrtho fe 'u bod nhw 'ma a 'mod i ise fe'n ôl 'ma ar unwaith.'

Gwthiodd Cyril yr allwedd i dwll clo'r caban a'i throi.

'Dyw hi ddim yn gweithio,' meddai, gan roi ail a thryd-ydd cynnig arni.

'Odych chi'n siŵr mai honna yw'r allwedd?' gofynnodd Carol.

'Odw. Mae wedi gweithio o'r bla'n. Ma'n rhaid bod rhywun wedi newid y clo.'

Nodiodd Carol. 'Bydd rhaid i fi dorri mewn wedi'r cwbwl.'

'Be sy mor arbennig am y *chalet*?' gofynnodd Cyril.

'Ry'n ni'n weddol siŵr bod Stephen Llewelyn wedi bod yn aros yn y dre ers diwrnod neu ddau cyn iddo fe ga'l 'i ladd, ond hyd yn hyn do's 'da ni ddim syniad ble. Os o'dd e'n gyfarwydd â dod fan hyn flynydde'n ôl, ma'n bosib mai yma y buodd e'n cuddio. O's 'da chi gŷn a morthwyl, Cyril?'

'Nago's, ma'r offer i gyd yn y tŷ.'

'Ma' 'da fi rai, fe a' i i'w nôl nhw i chi,' cynigiodd un o'r dynion a oedd wedi gadael Samuel i weld beth roedd Carol a Cyril yn ei wneud, a chyn i un ohonynt ddweud gair, i ffwrdd ag ef, a'i fflip-fflops yn tasgu'r tywod sych i bob cyfeiriad.

Cyril Adams, yn rhinwedd ei drefniant gydag Eirlys Llewelyn i gadw llygad ar y caban, a dorrodd glo'r ffenest ochr, ond Carol a ddringodd drwyddi.

Ychydig iawn o olau a ddeuai i'r caban drwy'r llenni trwchus, ond roedd yna ddigon i Carol weld bod rhywun wedi bod yn byw yno'n ddiweddar. Roedd arwyddion amlwg ym mhobman: pentwr bychan o bapurau newydd y tu ôl i'r drws, ac yn ei ymyl focs cardbord yn llawn sbwriel. Edrychodd Carol ar ei gynnwys o duniau, caniau a phacedi creision a bisgedi ond ni chyffyrddodd â hwy. Fe gâi Kevin Harry y pleser o dwrio drwyddynt.

'Ma' rhywun wedi bod yn aros 'ma, beth bynnag,' meddai Cyril Adams wrth ei hochr.

'Ddylech chi …' dechreuodd Carol, ond tawelodd pan welodd y wên blentynnaidd, ddireidus yn ymwthio drwy'r rhychau gwydn.

Aeth drwodd i'r ystafell arall a gweld sach gysgu wedi ei rhowlio'n daclus a'i gosod yn y cornel ar bwys cwpwrdd pren. Agorodd Carol y drws a disgynnodd ces mawr lledr i'r llawr. Roedd yna ges llai yno hefyd. Cydiodd Carol mewn brwsh llawr, a gan wthio'r goes drwy'r ddolen llwyddodd i'w godi a'i roi i orwedd ar ben y ces arall.

'Newch chi fod yn dyst o'r hyn sy yn y ces, Cyril?'

'Wrth gwrs.'

Tynnodd Carol siswrn bychan o'i bag llaw a phenlinio yn ymyl y ddau ges. Gwasgodd y siswrn yn erbyn y clo de ac agorodd yn syth. Ufuddhaodd y clo chwith yn yr un modd. Cododd Carol y caead ar dros hanner miliwn o bunnoedd mewn arian papur, darnau aur a gemau.

Roedd golwg druenus iawn ar Arwel Watkins. Dyn wedi torri, meddyliodd Clem Owen, dyn sy'n darganfod ei gydwybod ar ôl cael ei ddal, ac fe allai hynny wneud ei waith yn hawdd. Ond hawdd neu beidio, roedd yn rhaid iddo wneud ei waith.

'Odych chi'n deall y cyhuddiad, Mr Watkins?'

'Ydw.'

'Odych chi am ddweud rhywbeth? Gwneud datganiad?'

Pwysodd Richard Jones ymlaen yn agosach at y peiriant recordio cyn dweud yn glir ac yn araf, 'Dyw Mr Watkins ddim am ddweud dim ar hyn o bryd, *chief inspector*.'

'Pam fod y ddau ohonoch chi 'ma 'te?' gofynnodd y prif arolygydd.

'Am fod Sarjant Lloyd wedi dweud wrtha i eich bod chi am siarad â Mr Watkins.'

'Fe fydden i'n gwerthfawrogi petai'ch cleient yn siarad â ni hefyd. Ac ma'n siŵr eich bod chi a Mr Watkins, fel dau gyfreithiwr, yn gwbod nad cadw'n dawel yw'r llwybr gore i'w ddilyn bob tro.'

'Dwi'n barod i ateb eich cwestiynau,' meddai Arwel Watkins mewn llais tawel, difywyd.

'Diolch …'

'Arwel,' meddai Richard Jones, gan bwyso ymlaen at y peiriant recordio a cheisio edrych ar ei gleient ar yr un pryd. 'Rwy'n dy gynghori di i beidio ateb unrhyw beth fydd yn peryglu dy achos.' Newyddyn dibrofiad i gyfraith droseddol oedd Richard Jones. Cyfraith fasnachol a diwydiannol – gydag ychydig o waith ar ewyllysiau a buddsoddiadau personol – oedd ei ddewis, a'i hoff faes ef. Ni chofiai Clem Owen ei weld yn yr orsaf erioed o'r blaen. Ac os oedd yn mynd i barhau i dorri ar draws y cyfweliad â'i wrthwynebiadau, nid oedd y prif arolygydd am ei weld yno byth eto, chwaith.

'Mr Watkins, ers pryd y'ch chi wedi bod yn gyfrifol am faterion cyfreithiol Mrs Eirlys Llewelyn?' gofynnodd Clem Owen, gan anwybyddu'r cyfreithiwr.

'*Chief inspector*! Dwi ddim yn gweld fod hynny'n berthnasol.'

'Ro'n i'n deall bod Sarjant Lloyd wedi esbonio natur yr ymchwiliad i chi, Mr Jones. A gan fod Mr Watkins wedi gweud 'i fod e'n barod i ateb 'y nghwestiyne i,' meddai Clem Owen, 'dwi ddim yn meddwl fod angen gwastraffu rhagor o amser ar bwyntie amherthnasol. Ers pryd y'ch chi wedi bod yn gyfrifol am faterion cyfreithiol Mrs Eirlys Llewelyn?' ailofynnodd y prif arolygydd.

'Ers rhyw chwe blynedd.'

'Ody hynny'n golygu'ch bod chi hefyd yn ymwneud â materion ariannol Mrs Llewelyn?'

'Na, mae ganddi hi gyfrifydd sy'n delio â hynny.'

'Ond fel ei chyfreithiwr, ma'n siŵr eich bod yn delio â rhai o'i materion ariannol hi.'

Pwysodd Richard Jones ymlaen unwaith eto. 'Ma' Mr Watkins wedi ateb eich cwestiwn, ac i ddweud y gwir, dwi ddim yn gwybod pam rydych yn ei ofyn o gwbwl.'

'Ma'r rheswm yn un gweddol amlwg, weden i. Ma' Mr Watkins wedi bod yn dwyn ...'

'Dyw hynny ddim wedi 'i brofi,' meddai'r cyfreithiwr ar ei draws.

'Ma'n ddrwg 'da fi,' meddai Clem Owen yn fyr. 'Ma' Mr Watkins wedi ca'l 'i gyhuddo o ddwyn symie mawr o arian o gyfri banc ro'dd Mrs Llewelyn wedi 'i agor i'w mab. Os yw e wedi bod yn dwyn o hwnnw, ma'n bosib 'i fod e wedi bod yn dwyn o ffynonelle er'ill hefyd ...'

'Ar ba sail ...'

'... ac fe fydden i'n meddwl y bydde darganfod hyd a lled y camddefnydd hwn o arian eich cleients o ddiddordeb i chi ac i'ch cwmni, yn ogystal ag i ninne, Mr Jones. Neu falle nad y'ch chi'n poeni am 'u buddianne.'

'Pwy ydych chi'n ...'

'Dim ond yr arian o gyfri Stephen Llewelyn gymerais i,'

meddai Arwel Watkins, a'i lais tawel fel llais rheswm yng nghanol y bytheirio a'r dadlau o'i gwmpas.

'Arwel! Paid â dweud dim!'

'Ry'ch chi'n cyfadde'ch bod chi wedi cymryd yr arian?' gofynnodd Clem Owen i Arwel Watkins.

'Arwel! *Chief inspector*!' bloeddiodd Richard Jones fel mam yn cael trafferth i reoli plant anystywallt. 'Dyw Mr Watkins ddim yn cyfadde dim. Mae'n rhaid i fi brotestio am y ffordd rydych chi'n cynnal y cyfweliad hwn, *chief inspector*, a dwi'n mynnu eich bod chi'n ei derfynu ar unwaith.'

'Diben y cyfweliad hwn, Mr Jones, yw dod o hyd i'r gwir,' meddai Clem Owen, a'i dymer yn byrhau. 'Er mwyn neud 'ny ma'n rhaid i fi ofyn cwestiyne, ac os nad ydw i'n credu bod yr atebion yn rhai cywir yna ma'n rhaid i fi ofyn y cwestiyne hynny eto.'

'Mae hyn yn rhoi pwysau annheg ar fy nghleient.'

'Dwi ddim yn credu bod eich cleient yn meddwl 'ny. Chi sy'n 'i rwystro fe rhag gweud y gwir.'

'A beth sy'n gwneud i chi feddwl bod Mr Watkins yn dweud y gwir?'

'Ma' hynny'n beth rhyfedd iawn i chi 'i ddweud, Mr Jones. Fel arfer, trio'u gore i 'mherswadio i bod 'u cleients *yn* gweud y gwir ma' cyfreithwyr, nid trio 'mherswadio 'u bod nhw'n gweud celwydd.'

'Os newch chi ofyn y cwestiynau cywir, mae'n siŵr gen i y bydd Mr Watkins yn barod i'w hateb.'

'Ma' Mr Watkins *yn* barod i'w hateb nhw, dim ond iddo ga'l cyfle. Mr Watkins, ble'r o'ch chi ddydd Gwener dwetha? Odi hwnna'n gwestiwn wrth eich bodd, Mr Jones?'

'Yn Llundain,' atebodd Arwel Watkins cyn i'w gyfreithiwr gael cyfle i wrthwynebu.

'Nethoch chi ymweld â banc Hatchwell Ross?'

'Do.'

'Pam?'

'I godi arian o gyfri banc Stephen Llewelyn.'

Ochneidiodd Richard Jones, ond aeth Clem Owen yn ei flaen heb dalu'r sylw lleiaf iddo.

'Faint godoch chi?'

'Pedair mil a hanner o bunnoedd.'

'Ai dyma'r tro cynta i chi godi arian o'r cyfri hwn?'

'Nage. Dwi wedi bod yn gwneud hynny ers i'r cyfri gael ei agor.'

'A pryd o'dd hynny?'

'Chwe blynedd 'nôl.'

'Pan gymeroch chi gyfrifoldeb am faterion cyfreithiol Mrs Eirlys Llewelyn?'

'Ie.'

'Pwy agorodd y cyfri?'

'Fi.'

'Pam?'

'Roedd Mrs Eirlys Llewelyn wedi gofyn i'n cwmni ni agor cyfri ar gyfer ei mab, ac ufuddhau i'r dymuniad hwnnw oeddwn i.'

'Do'ch chi ddim yn ofni y bydde Mrs Llewelyn neu 'i mab yn dod i wbod eich bod chi'n cymryd yr arian?'

'Na. Doedd Mrs Llewelyn ddim am wybod dim am y cyfri, a doedd 'i mab ddim yn gwbod amdano fe.'

'Ond pam agor cyfri ar gyfer Stephen os nad o'dd e'n ca'l gwbod amdano fe?'

'Bwriad Mrs Llewelyn oedd y byddai Stephen yn cael gwybod amdano, ac roedd dweud wrtho yn rhan o 'ngwaith i.'

'Ond nethoch chi ddim.'

'Naddo.'

'Felly ro'ch chi wedi bwriadu helpu'ch hunan i'r arian cyn i chi agor y cyfri.'

'Nac oeddwn. Fe es i weld Stephen, neu fe driais i 'i weld e cyn agor y cyfri, ond gwrthododd e gwrdd â fi. Allen i wneud dim am hynny.'

'Ond fe agoroch chi'r cyfri beth bynnag?'

'Do.'

'A nethoch chi ryw ymdrech, drwy lythyr neu alwad ffôn, i weud wrth Stephen am y cyfri?'

'Naddo.'

'A beth am Mrs Llewelyn? Wedoch chi unrhyw beth wrthi hi?'

'Naddo; fel dwedais i, doedd hi ddim am wybod am y peth.'

'Felly,' meddai Clem Owen, gan grynhoi'r wybodaeth yn daclus cyn i Richard Jones gael cyfle i wrthwynebu. 'Ro'ch chi wedi agor cyfri banc a do'dd neb arall yn gwbod nac am wbod amdano fe, a dwy fil o bunne'n ca'l eu talu iddo'n fisol.'

'Oeddwn.'

'Tipyn o demtasiwn. Faint o arian y'ch chi wedi 'i gymryd o'r cyfri hwn erbyn hyn?'

'Rhywbeth dros saith deg mil o bunnoedd.'

'A beth y'ch chi wedi 'i neud â'r arian 'ma?'

'Ei wario.'

'Ar beth?'

'Ar fy hunan, ar wyliau a newid y car yn amlach nag y bydden i wedi gallu ei wneud hebddo fe.'

'Rhyw fath o ffynhonnell arall o incwm o'dd yr arian 'ma i chi?'

'Ie.'

'Pryd ddethoch chi'n ôl o Lundain?'

'Yn hwyr brynhawn dydd Sadwrn.'

'Newch chi weud wrtha i beth nethoch chi ar ôl cyrra'dd adre?'

'Wel, roedd y daith a'r ymweliad â Llundain wedi blino

'ngwraig ac fe aeth hi i'r gwely bron ar unwaith. Fe arhosais nes ei bod hi'n cysgu ac yna fe es i mewn i'r swyddfa i baratoi ar gyfer cyfarfod oedd gen i yn gynnar fore dydd Llun.'

'Pryd gyrhaeddoch chi'r swyddfa?'

'Rhywbryd wedi wyth o'r gloch.'

'O'dd 'na rywun arall yn y swyddfa? Rhywun a'ch gwelodd chi 'na?'

'Nagoedd, dim ond fi oedd 'na.'

'Felly do's neb all gadarnhau eich bod chi wedi bod 'na o gwbwl.'

'Nagoes. Ond gall Ann, fy ysgrifenyddes, ddweud wrthoch chi 'mod i wedi bod yno gan fod y gwaith nad oedd wedi ei wneud nos Wener wedi ei orffen erbyn bore dydd Llun.'

'Dyw hwnna'n profi dim; fe allech chi fod wedi 'i neud e gartre a galw i mewn a'i adel e 'na nos Sadwrn, neu fe allech chi fod wedi mynd i'r swyddfa ddydd Sul i neud y gwaith. Dyw'r ffaith nad o'dd e 'na nos Wener a'i fod e 'na ddydd Llun yn profi dim.'

'Fe ffoniais i rywun pan oeddwn i yno.'

'Pwy?'

'Michael Williams, perchennog y Llew Aur. Paratoi ar gyfer cyfarfod gydag e oeddwn i, a ffoniais ef i gael eglurhad ar ryw bwynt. Ffoniais ef ddwywaith, ond doedd e ddim ar gael y tro cyntaf. Fe all e gadarnhau hynny.'

'Ond fe allech chi fod wedi 'i ffonio o'ch cartre.'

'Ffoniodd e fi'n ôl. Doedd yr hyn roeddwn i am ei wybod ddim ganddo wrth law ac fe ffoniodd e fi'n ôl yn y swyddfa rai munudau wedyn.'

'O'r gore, Mr Watkins. Shwd ethoch chi i'r swyddfa?'

'Gyrru.'

'Ble adawoch chi'r car?'

'Mae gennym le parcio bach y tu ôl i'r adeilad. Fe adewais i'r car yn y fan honno.'

'Welodd rhywun chi'n cyrra'dd?'

'Ddim i fi wybod.'

'Pryd adawoch chi?'

'Hanner awr wedi deg.'

'Yr union amser neu oddeutu hynny?'

'Yr union amser. Dwi'n cofio edrych ar fy wats. Doeddwn i ddim wedi sylwi 'i bod hi mor hwyr.'

'Ac i ble'r ethoch chi wedyn?'

'Roeddwn i wedi bwriadu mynd adre, ond es i ddim yn syth.'

'I ble'r ethoch chi?'

'Roedd gen i dipyn o ben tost ar ôl gweithio mor hir ac fe es i lawr at y môr i gael awyr iach. Gyrrais i ar hyd y ffrynt, ond gan nad oedd lle i barcio, penderfynais fynd adre. Fe droais lan Heol Myrddin a mas wedyn ar bwys Rhyd Draws, ac wrth droi lan ar bwys Cornel Capstan fe welais i Stephen Llewelyn.'

'Ble'n union o'dd Stephen Llewelyn?'

'Dwi ise cyfle i siarad â 'nghleient, *chief inspector*,' meddai Richard Jones, gan godi ei ben o'i blu am y tro cyntaf ers amser. 'Arwel, dwi'n credu y dylet ti dawelu. Rwyt ti wedi dweud llawer gormod yn barod.'

'Na, Richard, dwi ise dweud beth ddigwyddodd.'

'Rwyt ti'n mynd yn groes i 'nghyngor i.'

Edrychodd Arwel Watkins i fyw llygaid Clem Owen a pharhau â'i gyfaddefiad.

'Roedd Stephen Llewelyn yn sefyll ar bwys wal y cei. Ar bwys ei gar, a'i gefn at y wal.'

'Shwt o'ch chi'n gwbod mai Stephen o'dd e?'

'Roeddwn i wedi 'i weld e o'r blaen.'

'Ymhle?'

'Yn Llundain, pan agorais i'r cyfri.'

'Ro'n i'n meddwl i chi weud 'i fod e wedi gwrthod cwrdd â chi?'

'Do, mae hynny'n wir, ond fe welais ef o bell.'

'Ac fe nabyddoch chi fe nos Sadwrn, ar ôl yr holl flynydde?'

'Roedd y car wedi 'i barcio ar bwys y lamp ac roeddwn i'n gallu gweld ei wyneb e'n glir.'

'Beth ddigwyddodd wedyn?'

'Gyrrais heibio iddo a throi cornel y stryd a stopio. Cymerais i'r *crook-lock* o'r car a cherdded 'nôl tuag at Stephen. Roedd e'n pwyso dros y wal ac fe fwrais e â'r *crook-lock*. Cwympodd e dros y wal, llithro i lawr yr ochr ac i mewn i'r afon. Taflais y *crook-lock* ar ei ôl cyn cerdded 'nôl at y car a gyrru adre.'

'Ble fwroch chi fe?'

'Ar ei ben.'

'Ymhle ar 'i ben?'

'Ar ochr dde ei dalcen.'

'O'ch wedi bwriadu 'i ladd e pan weloch chi fe?'

'Oeddwn, dyna pam es i â'r *crook-lock* gyda fi o'r car.'

'Pam?'

'Am mai hwnnw oedd yr unig beth oedd gen i yn y car.'

'Nage, pam o'ch chi am ladd Stephen Llewelyn?'

'Am 'mod i'n ofni 'i fod e wedi, neu y byddai, yn ffeindio mas am yr arian.'

'Ro'dd hynny wastad wedi bod yn bosibilrwydd. Felly ro'ch chi wedi penderfynu chwe blynedd 'nôl pe bai Stephen Llewelyn yn dod i wbod eich bod chi'n dwyn 'i arian e, y byddech chi'n 'i ladd e.'

'Oeddwn.'

'Beth os mai Eirlys Llewelyn fydde wedi ffeindio mas? Fyddech chi wedi 'i lladd hithe?'

'Na fydden.'

'Pam? Beth yw'r gwahaniaeth?'

'Mae hi'n ddynes dda, garedig …'

'Ond dyw hynny ddim wedi'ch stopio chi rhag dwyn 'i harian hi.'

'Arian Stephen oedd e.'

'Nage, arian Eirlys Llewelyn o'dd e, do'dd yr arian byth wedi cyrra'dd Stephen.'

'Yn ei gyfri ef oedd e.'

'Nage, eich cyfri chi o'dd e. Er eich bod chi wedi 'i agor yn enw Stephen, chi o'dd yn 'i ddefnyddio fe, a cyn belled ag o'dd y banc yn y cwestiwn, chi o'dd Stephen Llewelyn. Arian Eirlys Llewelyn ry'ch chi wedi bod yn 'i ddwyn.'

'Nage!' Ac fe drawodd Arwel Watkins y bwrdd â'i ddyrnau. 'Arian Stephen oedd e!'

'A dyna pam y llofruddioch chi fe?'

'Ie.'

'Dyna ddiwedd ar hwnna, 'te,' meddai Gareth.

'Ie,' meddai Clem Owen. 'Alli di ddim ca'l gwell tystiolaeth na chyfaddefiad.'

'Na,' cytunodd Gareth, a bu bron iddo ychwanegu heb feddwl, 'hyd yn oed os nad Ken Roberts sy'n ei gael', ond daeth pwl o euogrwydd drosto ac fe ddywedodd, 'Ro'dd Inspector Roberts yn iawn.'

'O'dd.'

Roedd Arwel Watkins wedi ei gyhuddo a'i arwain i'r celloedd. Fe fyddai'n ymddangos gerbron y llys drannoeth wedi ei gyhuddo o ddwyn arian Eirlys Llewelyn, a gan y byddai Richard Jones yn sicr o godi stŵr ynglŷn â'r cyfweliad, roedd Clem Owen am gasglu ffeithiau a thystion rhag ofn i'r cyfreithiwr honni bod y cyfaddefiad wedi ei gael drwy dwyll.

'Gwell i ti ddechre cadarnhau 'i stori,' meddai'r prif arolygydd, ond ni allai fagu unrhyw frwdfrydedd am y gwaith. Beth bynnag fyddai'r canlyniad nawr, ymddygiad Ken Roberts a gâi'r sylw gan y wasg, nid y ffaith fod ei ddycnwch wedi helpu ei gyd-weithwyr i ddal y llofrudd. 'Fe gysyllta i â Michael Williams. Cer di rownd i swyddfeydd Jarvis a Jones. Ma' siope a chaffis ar agor yn hwyr yr adeg hon o'r flwyddyn; falle bydd rhywun 'na yn cofio'i weld e nos Sadwrn.'

'Iawn,' meddai Gareth gan godi o'i gadair.

'O ie,' meddai Clem Owen. 'Nawr dwi'n cofio. Ges i neges gynne 'da Berwyn Jenkins. Rhywbeth am ryw wersyll gwylie draw ar bwys Pontberian.'

Teimlai helynt y noson cynt fel pe bai wedi digwydd wythnosau'n ôl erbyn hyn.

'Beth wedodd e?'

'Bod rhywun yn gyfrifol am y lle drwy'r nos neithiwr.'

'O.'

'Wyt ti ise gweud mwy wrtha i?'

'Na. Dyw e'n ddim byd.'

'Wyt ti'n siŵr?'

'Odw. Ddaw 'na ddim ohono fe.'

Trodd Gareth drwyn y car heibio i gornel yr adeilad a'i lywio i lawr y ffordd gul i'r maes parcio bychan yng nghefn swyddfeydd Jarvis a Jones y cyfeiriodd Arwel Watkins ato. Roedd lle i bedwar car ynddo ond dim ond un oedd wedi ei barcio yno y funud honno. Parciodd Gareth ar bwys y Peugeot glas a dringo allan o'i gar. Cerddodd o gwmpas y Peugeot gan edrych drwy'r ffenestri ar y llanast o bapur a chaniau cwrw gwag oedd ar hyd y llawr a'r sedd gefn. Efallai mai ceir partneriaid Jarvis a Jones a ddefnyddiai'r lle yn ystod y dydd, ond y tu allan i oriau gwaith roedd y lle yn eiddo i unrhyw un.

Edrychodd Gareth o'i gwmpas ar gefnau'r tai gyferbyn. Byddai'n wyrth pe bai rhywun wedi gweld Arwel Watkins yn parcio'i gar. Ond fel y byddai Richard Jones yn siŵr o ddadlau, doedd hynny ddim yn golygu nad oedd e wedi parcio'i gar yno. Roedd hi'n ddigon anodd profi bod rhywbeth wedi digwydd ond fe allai fod yn llawer anoddach profi nad oedd rhywbeth wedi digwydd.

Cerddodd yn ôl i fyny'r llwybr ac allan i'r ffordd fawr lle'r oedd siopau a bwytai a mwy o obaith am dystion. Roedd hi wedi wyth o'r gloch – tua'r un amser ag y dywedodd Watkins yr oedd wedi cyrraedd y swyddfa nos Sadwrn. Efallai nad oedd yr amgylchiadau'n ddigon gwyddonol i un o ddramâu *Crimewatch*, ond roedd hi'n dal yn bosibl fod 'na rywun o gwmpas yr un amser bob noson o'r wythnos.

Yn union gyferbyn â'r swyddfeydd roedd caffi'r Carousel. Roedd naw o bobl yn y Carousel: teulu o bedwar – mam a thad a dau blentyn – yn bwyta swper hwyr; dwy ferch yn eu harddegau, a dyn yn ei ddeugeiniau. Y tu ôl i'r cownter, yn llenwi jwg â llaeth berwedig, roedd gwraig ifanc. Gofynnodd Gareth am goffi ac edrychodd ar y wraig yn arllwys y llaeth o'r jwg i'w gwpan. Talodd amdano, a phan ddaeth y wraig â'i newid gofynnodd iddi ai hi oedd yn gweithio yno'r nos Sadwrn flaenorol.

'Ie, dwi 'ma tan naw o'r gloch chwe noson yr wthnos. Bydde fe'n saith petai Mrs Hi yn ca'l 'i ffordd.'

'Mrs Hi?'

'Ie, hi. Hi sy'n berchen y lle 'ma.'

'O. Y'ch chi'n nabod Arwel Watkins, un o'r cyfreithwyr sy'n gweithio ochor draw'r ffordd?'

Siglodd y wraig ei phen. 'Na, dy'n nhw ddim yn dod mewn fan hyn.'

'Ond odych chi'n 'i nabod e?'

'Pa un yw e? Yr un tal pwysig neu'r un bach tawel?'

'Yr un bach tawel. Chi yn 'u nabod nhw?'

'Dwi'n gwbod pwy y'n nhw. Chi'n dod i nabod pawb sy'n gweitho rownd ffordd hyn.'

'Weloch chi Arwel Watkins, yr un bach tawel, yn mynd i mewn i'r adeilad tua'r amser hyn nos Sadwrn?'

'Naddo. Ro'dd hi'n brysur iawn 'ma nos Sadwrn, ddim fel heno. Os a'th e mewn sylwes i ddim arno fe.'

'O'dd rhai o'r rhain 'ma nos Sadwrn?'

'Na, dwi ddim yn meddwl. Ro'dd cymaint o bobol mewn a mas o 'ma, dwi ddim yn cofio pwy o'dd 'ma i weud y gwir.'

'Beth am gwsmeriaid rheolaidd?'

'Un neu ddau yn ystod y dydd ond ddim gyda'r nos. Dyw Mrs Hi ddim yn lico'u gweld nhw'n aros 'ma'n magu cwpaned o de am orie. Dwi'n falch o'r cwmni.'

Diolchodd Gareth iddi a gadael.

Yr un oedd yr ymateb yn y siop losin drws nesaf ac yn y siop cardie-at-bob-achlysur a theganau meddal drws nesaf eto. Roedd rheolwr y bwyty bedwar drws i fyny yn adnabod Arwel Watkins a phawb arall a weithiai i Jarvis a Jones gan eu bod yn cael cinio canol dydd yno'n aml, ond nid oedd wedi gweld Arwel ar y nos Sadwrn nac ers hynny, chwaith. Cerddodd Gareth yn ôl ar hyd ochr arall y stryd, ond yr unig fusnes ar agor oedd siop hufen iâ ac nid oedd y bachgen a weithiai yno'n gwybod bod yna gwmni o gyfreithwyr yn y stryd, hyd yn oed. Byddai'n rhaid iddo ddychwelyd drannoeth, ond am y tro roedd wedi cael digon.

Roedd wedi cyrraedd ei gar pan ddaeth merch ifanc allan drwy ddrws cefn un o'r tai gyferbyn a cherdded at y Peugeot glas.

'Hanner munud!' galwodd Gareth arni, ond fe'i hanwybyddodd a dringo i mewn i'r car.

Rhedodd Gareth at y car a churo ar y ffenest. Agorodd y ferch ryw fodfedd ohoni.

'Beth?'

'Wyt ti'n arfer parcio dy gar 'ma?'

'Pam, pwy sy'n gofyn?'

Tynnodd Gareth ei gerdyn gwarant o'i boced a'i ddal yn erbyn y gwydr.

'Uffach, ma'n nhw'n hala'r cops rownd 'ma nawr. Jyst achos mai cyfreithwyr y'n nhw ...'

'Na, aros, dwyt ti ddim yn deall.'

'Dwi wedi gweud wrthon nhw o'r bla'n mai dim ond yn y nos dwi'n gadel y car 'ma ...'

'Ise gwbod dwi ...'

'Dwi'n gadel am ddeng munud wedi wyth bob bore, a dwi bron byth 'ma ar y penwthnos ...'

'Hei! Gad i fi ga'l cyfle i weud gair, nei di?'

'Ond os yw'r lle'n segur, beth yw'r ots os ...'

'Hei! Bydd dawel, nei di?'

'Dyw e ddim ...'

'Dwi ddim yn mynd i weud wrthot ti i beidio parcio 'ma. Dim ond ise gofyn un neu ddau o gwestiyne, 'na i gyd. Nodia dy ben os wyt ti'n deall.'

Nodiodd y ferch ei phen.

'Iawn. Nest ti barcio dy gar 'ma nos Sadwrn dwetha?'

'Do. Dwi bron byth 'ma ar y penwthnos ac ro'n i wedi mynd bant ddydd Sadwrn dwetha fel arfer, ond fel ma'n digwydd fe ddes i'n ôl yn y nos ...'

'Faint o'r gloch o'dd hi pan barcest ti 'ma?'

'Hanner awr wedi un ar ddeg.'

'Diolch, 'na i gyd o'n i ise gwbod.'

'A dy'ch chi ddim 'ma ar ran y cyfreithwyr?'

'Nadw.'

'Ma'n nhw wedi gweud wrtho' i sawl gwaith i beidio â pharcio 'ma, a wedodd yr un o'dd 'ma nos Sadwrn y bydde fe'n gweud wrth yr heddlu ...'

'Ro'dd rhywun arall 'ma nos Sadwrn?'

'O'dd. Un o'r cyfreithwyr. Ro'n i'n gwbod bod un ohonyn

nhw 'ma pan weles i'r Vitara wedi parcio 'ma, ac fe dda'th e mas jyst ar ôl i fi gyrra'dd.'

'Wyt ti'n gwbod pwy o'dd e?'

'Dwi ddim yn gwbod 'i enw fe ond dwi *yn* gwbod 'i fod e'n un o'r bosys. Dim ond nhw sy'n ca'l parcio fan hyn.'

'Alli di 'i ddisgrifio fe?'

Crychodd y ferch ei thrwyn. 'Do's dim byd yn arbennig alla i 'i weud amdano fe. Ro'dd e ryw dair neu bedair modfedd yn llai na ti. Dwi wedi 'i weld e o'r bla'n ac fe fydden i wedi gweud 'i fod e'n berson tawel, tan iddo fe roi llond pen i fi nos Sadwrn.'

'A gadel o'dd e pan welest ti fe? Ddim dod mas i moyn rhywbeth o'r car?'

'Nage. Ar ôl rhoi llond pen i fi, a'th e mewn i'r car a gyrru bant.'

'Shwd gar o'dd 'da fe?'

'Wedes i, Vitara.'

'Vitara?'

'Ie, ti'n gwbod, un o'r cerbyde gyriant pedair olwyn 'ma. Ro'n i wedi meddwl ca'l un ohonyn nhw; bydde fe wedi bod yn ddefnyddiol 'da 'ngwaith i 'da'r Arolwg Daearegol, ond ro'n i'n gweld bod 'da pawb a'i fam-gu un erbyn hyn felly fe benderfynes i gadw'r Peugeot er 'i fod e dros chwe blwydd o'd erbyn hyn a …'

'Welest ti'r Vitara'n gadel?' gofynnodd Gareth ar ei thraws.

'Do.'

'Wyt ti'n cofio i ba gyfeiriad yr a'th e?'

'Lan am y dre.'

'Wyt ti'n siŵr o 'ny?'

'Trodd e i'r dde ar ben y lôn.'

'Ddim i'r chwith lawr am y môr?'

'Nage, i'r dde am y dre.'

'Ac am hanner awr wedi un ar ddeg o'dd hyn?'

'Ie.'

'Allen i ga'l dy enw a dy gyfeiriad?'

'I beth?'

'Rhag ofn y bydda i am ga'l gair arall 'da ti.'

'Marian Evans, un deg dau Ffordd Goronwy.'

'Iawn, Marian, diolch yn fawr i ti.'

'Odi hyn yn golygu y galla i ddal i barcio 'ma?'

'Os wyt ti'n gweud y gwir, Marian, synnen i ddim os na chei di docyn anabl i barcio ble bynnag wyt ti'n moyn.'

Clywai Clem Owen sŵn gwydrau'n taro a chwsmeriaid yn siarad yn y cefndir a daeth darlun o wydraid peint a'r anwedd yn pefrio arno i'w feddwl. Arno ef roedd y bai na allai estyn amdano a chydio yn y gwydr. Roedd hi wedi bod yn ddiwrnod crasboeth arall ac roedd y chwys wedi bod yn llifo i lawr ei gefn a'i goesau am oriau. Pan gofiodd fod yn rhaid i rywun gadarnhau stori Arwel Watkins am yr alwad ffôn a wnaethai nos Sadwrn, fe benderfynodd Clem Owen ffonio'r Llew Aur yn lle galw yno'n bersonol. Dim ond un siwrnai arall roedd am ei gwneud heno, a'r siwrnai adre oedd honno. Ond wrth i'w glustiau a'i ddychymyg ei demtio roedd yn edliw iddo'i hun ei ddiogi. Edrychodd ar ei oriawr a'i chael hi'n anodd credu ei bod hi'n cymryd dros bum munud i'r ferch nôl Michael Williams o'r lolfa i'r bar; fe allai fod wedi cerdded yno yn yr amser hwnnw.

'Helô?'

'Mr Williams?'

'Ie.'

'*Chief Inspector* Owen, Heddlu Dyfed-Powys. 'Na i mo'ch cadw chi'n hir ond hoffen i chi gadarnhau un peth i ni.'

'O, ie?'

'Dwi'n deall mai Mr Arwel Watkins yw'ch cyfreithiwr chi.'

'Ie.'

'A dwi hefyd yn deall iddo fe'ch ffonio chi nos Sadwrn dwetha ynglŷn â …'

'Shwd ydw i'n gwbod mai'r heddlu y'ch chi?'

'Wel, dwi'n cyfadde, Mr Williams, fod rhaid i chi gymryd 'y ngair i am hynny, ond …'

'O, na. Do's dim rhaid i fi gymryd eich gair chi am ddim. Dwi ddim yn mynd i weud dim wrthoch chi am fy musnes i.'

'Mr Williams, dwi ddim am i chi weud dim wrtha i am gynnwys y sgwrs gethoch chi 'da Arwel Watkins, dim ond cadarnhau 'i fod e wedi'ch ffonio chi nos Sadwrn, a phryd yn union y ffoniodd e chi.'

'I bwy ry'ch chi'n gweitho? Faint ma'n nhw wedi 'i dalu i chi i ffeindio mas fy musnes i?'

'Dwi ddim ise gwbod 'ych busnes chi, ddyn. Dim ond …'

Ond roedd Michael Williams wedi rhoi'r ffôn i lawr.

Ochneidiodd Clem Owen. Byddai'n rhaid iddo alw yn y Llew Aur wedi'r cyfan. Ond roedd ganddo un alwad ffôn arall i'w gwneud cyn hynny.

Eisteddai Angela Roberts yn yr ystafell fyw, ac er bod y papur newydd yn agored o'i blaen, roedd wedi rhoi'r gorau i'w hymdrech i ganolbwyntio ar y storïau. Yn hytrach, roedd yn ceisio dychmygu sut y byddai'n teimlo ymhen diwrnod neu ddau pan fyddai hanes Ken a Geraint yn cael ei ddadlennu i'r byd. Uwch ei phen clywai gerddoriaeth yn chwarae yn ystafell Geraint, er nad oedd mor uchel ag arfer. Allan yn y cyntedd roedd Ken yn siarad ar y ffôn.

Roedd y tri ohonynt wedi dychwelyd i'r tŷ y prynhawn hwnnw fel pe baent wedi bod mewn angladd. Neb yn siarad, pawb yn barchus o'i gilydd ac yn teimlo rhyw ryddhad fod y diwrnod drosodd. Roedd y tŷ hefyd fel tŷ cynhebrwng, yn gyfarwydd ond yn ddieithr ar yr un pryd.

Rhoddodd Ken Roberts y ffôn i lawr a cherdded yn ôl i'r ystafell fyw.

'Clem Owen?' gofynnodd Angela iddo.

'Ie. Mae e am i fi fynd mewn fory,' meddai Ken gan eistedd yn flinedig yn y gadair freichiau gyferbyn â'i wraig.

'O'n i'n meddwl 'i fod e am i ti gadw draw nes bod David Peters yn dychwelyd.'

'Dyna ddwedodd e'r prynhawn 'ma, ond mae e am 'y ngweld i cyn iddo holi Arwel Watkins 'to.'

'Pam?'

'Dyw e ddim yn deall 'i agwedd e. Ma' rhywbeth ynglŷn â'i gyfaddefiad nad yw Clem yn fodlon ag e, a gan 'mod i wedi bod mewn cysylltiad â Watkins drwy'r wthnos mae e am i fi fod 'na fory.'

'Ma' Clem wedi bod yn dda i ti, Ken. Paid â neud dim i beryglu'i sefyllfa fe.'

'Be ti'n feddwl?'

'Wel, ddylet ti fynd mewn? Cadw'n glir fydde'r peth gore allet ti 'i neud nawr er dy les dy hunan a Geraint, yn ogystal â lles Clem.'

'Dwi'n gwbod, ond os allwn ni gau'r ddau achos cyn i David Peters ddod 'nôl fe alle hynny fod o fantais i ni.'

'Be sy'n mynd i ddigwydd i Geraint?'

'Ma' hynny yn nwylo David Peters i radde, ond bydden i'n synnu petai e'n ca'l mwy na rhybudd.'

''Na i gyd?'

'Ma' rhai sy'n fwriadol dorri'r gyfraith yn aml yn ca'l dim ond rhybudd. Ca'l 'i ddal yn nrygioni er'ill na'th Geraint. Paid â mynd o fla'n gofid; bydd Geraint yn iawn, gei di weld.' Ac fe gododd i fynd i'r gegin cyn i Angela gael cyfle i ofyn beth oedd yn mynd i ddigwydd iddo ef.

Dydd Iau 22 Gorffennaf
08:20 – 18:00

Drachtiodd y Rhingyll Berwyn Jenkins yn awchus o'r mygaid o de roedd y cynorthwyydd clerigol newydd ei osod o'i flaen. Ond trodd y te melys yn wermod pur pan welodd Jackie Pool yn gwthio'r drysau gwydr ar agor ac yn cerdded yn hyderus at y ddesg.

'Bore da, Jackie,' meddai'r rhingyll, gan roi'r mŵg ar y silff o dan y cownter. 'Shwd wyt ti heddi?'

'Pwy dwi fod i' weld i ga'l 'y nghot i 'nôl?' gofynnodd Jackie, gan anwybyddu'r cyfarchiad.

'Cot?' gofynnodd Jenkins. 'Pa got, Jackie?'

'Yr un gymerodd y ferch 'na oddi wrtha i.'

'O, ie,' a chofiodd Jenkins ddewrder Carol Bennett yn hawlio cot Stephen Llewelyn oddi wrth Jackie heb gymorth yr SAS na chriw o barafeddygon. 'Wel, dwi'n ofni na alli di ga'l y got 'na 'nôl.'

'Pam?' gwaeddodd Jackie Pool gan ddechrau crynu. ''Y nghot i yw hi a do's 'da neb hawl ...'

'Hei! Gan bwyll nawr! Ma'r got 'na'n dystiolaeth mewn achos o lofruddiaeth. Ti'n gwbod, y corff ddethon ni o hyd iddo ar waelod Craig y Bwlch.'

Siglodd Jackie Pool ei ben yn wyllt. Doedd e ddim yn gwybod, nac yn poeni, chwaith, am unrhyw gorff na llofruddiaeth nac am ddim na neb arall, dim ond y got, ei got ef.

'Dwi ise 'nghot i'n ôl,' meddai gan bwysleisio'r pum gair a tharo'r ddesg â bawd ei law dde.

'Ma'n ddrwg 'da fi, Jackie, ond alli di ddim 'i cha'l hi,' meddai Berwyn Jenkins yn bendant. 'Pam na ei di draw i Eglwys y Drindod; ma' 'da nhw ddillad fan'ny, a falle cei di rywbeth.'

Tynnodd Jackie ei law dde yn ôl ac ymlaen yn gyflym ar

draws ei lygaid a tharo'r llawr yn galed â sawdl ei droed chwith mewn ymgais i reoli ei siom a'i dymer.

'Allwch chi ddim … allwch chi ddim …' adroddai fel tiwn gron o dan ei anadl.

'Y peth gore alli di 'i neud yw mynd, os nad o's dim byd arall ti'n moyn,' meddai Berwyn Jenkins, a wyddai o brofiad mor orffwyll y gallai Jackie fod pan deimlai ei fod wedi cael cam.

Peidiodd y siglo a'r crynu a lledodd y mymryn lleiaf o wên ar draws ei wyneb.

'Ma' 'da fi gŵyn.'

'Jackie,' meddai Berwyn Jenkins yn ddiamynedd o amyneddgar. 'Alli di ddim ca'l dy got a dyna ddiwedd arni.'

'Nage, ddim y got, y car. Dwi ise cwyno am y car.'

'Car? Pa gar?' gofynnodd y rhingyll a'i lais yn dangos yn ddigon clir nad oedd yn mynd i ddioddef unrhyw ddwli pellach.

'Y car o'dd bron â 'mwrw i lawr nos Sadwrn.'

'Ti'n fwy o beryg i geir na ma' nhw i ti.'

'Ma' 'da fi hawl.' Ac unwaith eto pwysleisiodd y bawd y geiriau.

'Do's 'da ti ddim hawl i wastraffu amser yr heddlu. Nawr, os nad wyt ti am …'

'Ma' 'da fi hawl i gwyno,' meddai Jackie'n bendant cyn ychwanegu â thinc maleisus yn ei lais, 'neu bydda i'n cwyno amdanot ti,' a phwyntiodd y bawd melynfrown yn syth at galon y rhingyll.

Yng ngoleuni chwarter canrif o brofiad ac o ddysgu o gamgymeriadau eraill, dim ond eiliad gymerodd hi i'r Rhingyll Berwyn Jenkins bwyso a mesur y sefyllfa a dod i benderfyniad.

'Reit,' meddai, gan estyn am ffurflen o'r pentwr yn ei ymyl. 'Beth yn hollol yw dy gŵyn di, Jackie?'

'Diolch i ti am ddod, Ken,' meddai Clem Owen a deimlai ei fod yn swnio ychydig yn ffurfiol. Ond er gwaethaf ei holl flynyddoedd o wasanaeth, ni wyddai beth fyddai canlyniadau cael swyddog oedd wedi ei wahardd o'i waith yno i'w gynorthwyo.

'Fe wna i beth bynnag y galla i i dy helpu di, Clem. Ond os yw hyn yn mynd i dy roi di mewn lle lletchwith ...'

'Paid â siarad dwli, bydd popeth yn iawn, gei di weld,' meddai Clem Owen, gan siarad dwli ei hun. 'Rwyt ti'n swyddog profiadol, a dy brofiad fel tyst o ymddygiad Arwel Watkins dros y dyddie dwetha sy'n bwysig nawr. Ac fe wna i ddadle fy rhesyme o fla'n y *chief* os bydd rhaid.'

'Paid gweud 'ny, falle y byddwn ni'n cadw cwmni i'n gilydd tu fas i'w stafell e cyn bo hir.'

'Dwi'n 'i gofio fe'n whare yn safle'r cefnwr dros Heddlu Gwent flynydde'n ôl. Do'dd e'n dda i ddim bryd 'ny, chwaith. Dwy law chwith a dwy go's bren. Dim ond dau dymor barodd e. Do'dd 'i gysylltiade â'r Masons yn werth dim iddo fe pan o'dd hanner y tîm arall yn disgyn ar 'i ben fel llwyth o lo.'

'Wel, paid â'i atgoffa fe o 'ny os cei di dy alw i'w weld.'

'Falle bydd rhaid i fi. Weithie ma'n neud lles i ddyn ga'l 'i atgoffa o'i wendide.'

Gwenodd Ken Roberts, ond roedd y sylw'n rhy agos at yr asgwrn. 'Weles i Carol ar y ffordd mewn; ro'dd hi'n gyffro i gyd – rhywbeth am Stephen Llewelyn ac arian mawr ar Draeth Gwyn.'

'Ie, fan'ny, yng nghaban 'i fam, ro'dd e wedi bod yn aros. Buodd Kevin Harry draw 'na neithiwr yn mynd drwy'r lle, ac ma'r bois fforensig 'na ar hyn o bryd.'

'Y tywod yn y car,' meddai Roberts. 'Nid y bechgyn o'dd yr unig rai â thywod ar 'u tra'd, 'te.'

'Nage, ti'n iawn.'

'Beth am Arwel Watkins, odi fe'n gwadu lladd Stephen?'

'Nagyw, i'r gwrthwyneb. Mae e wedi cyfadde'r cwbwl. 'I fod e wedi dwyn yr arian o gyfri Stephen Llewelyn, ac mai fe laddodd e.'

'Beth yw'r broblem 'te?'

Cydiodd Clem Owen yn nhrawsgript cyfweliad y noson cynt a'i estyn i'w ddirprwy.

'Ma' popeth yn rhy daclus o lawer. Mae e'n rhy awyddus i agor 'i galon.'

'Dyw hynna ddim yn anghyffredin. Falle'i fod e'n falch 'i fod e wedi ca'l 'i ddal,' awgrymodd Ken Roberts gan ddarllen yn frysiog. 'Yn enwedig os mai gweithred fyrbwyll o'dd hi, fel mae e'n gweud fan hyn.'

'Falle nad o'dd e wedi dewis yr amser na'r lle, ond os darlleni di fe i gyd, mae e'n gweud 'i fod e wedi penderfynu ers amser y bydde fe'n lladd Stephen pe bai raid.'

'Pe bai raid. Do'dd e ddim wedi mynd mas o'i ffordd i chwilio amdano fe.'

'Nago'dd,' cytunodd Clem Owen, ond doedd e'n dal ddim yn hollol fodlon ag ymateb Arwel Watkins. 'Ma'r cwbwl yn dal yn rhy syml.'

'Am mai stori syml yw hi. Do'dd dim cynllunio mawr wedi digwydd.'

'Ond dyw'r stori ddim yn 'y nharo i'n iawn. Mae'n 'y nharo i fel stori. Ma'r ffeithie 'na i gyd – sut ddigwyddodd pethe, shwt dda'th e ar draws Stephen. Ma' hynny i gyd yn iawn, a'r ffaith mai *crook-lock* ddefnyddiwyd i'w ladd e. Ond wedyn dyw'r amser ddywedodd e iddo adel y swyddfa ddim yn cytuno â'r hyn wedodd y tyst wrth Gareth. Am hanner awr wedi un ar ddeg ac nid am hanner awr wedi deg y gwelodd hi Watkins yn gadel.'

'Wel o leia ma'r tyst yn cadarnhau 'i fod e yn y swyddfa nos Sadwrn.'

'Ma' Michael Williams, perchennog y Llew Aur, yn cad-arnhau 'ny hefyd. Gwaith ar 'i ran e o'dd Watkins yn 'i neud – rhywbeth am newid bragwyr – ac ro'dd y ddau wedi ffonio'i gilydd cwpwl o weithie yn ystod y nos. Ond dwi'n dal ddim yn hapus gyda'r amser adawodd e. 'Na pam dwi wedi anfon Carol i ga'l gair 'da'i wraig. Yn ôl Richard Jones ma' hi'n aros gyda'i mam yn Ystrad Meillion; yn gyfleus iawn allan o'r ffordd.'

'Rhag ofn iddi wrth-ddweud 'i gŵr?'

'Ma'n bosib. Ken, o't ti'n ffafrio Watkins fel y llofrudd ar ôl i ti ddod i wbod am yr arian, on'd o't ti?'

'Gweld bod 'da fe gymhelliad cryf iawn o'n i. Falle bod 'da'r bobol 'ma yn Llundain ddigon o reswm hefyd fel o'dd Lloyd yn gweud, ac os mai un ohonyn nhw a'th i dŷ Michael Pritchard nos Sadwrn, ma'n bosib y bydde fe wedi lladd Stephen petai e wedi ca'l cyfle. Anlwc Watkins o'dd mai fe welodd Stephen gynta. Pe na bydde fe a'i wraig wedi dod 'nôl ddydd Sadwrn, a fynte'n digwydd gweld Stephen ar bwys Crug yr Angor, ma'n ddigon posib y bydde'r boi o Lundain wedi 'i ladd e.'

'Shwd o'dd Watkins yn dy daro di pan o't ti'n trafod bus-nes Paul Manning 'da fe?'

'Fel 'se dim byd o'i le. Ro'dd e'n malu awyr ac yn cym-ryd wthnos i symud modfedd fel pob cyfreithiwr arall, ond ar wahân i hynny, ddim yn wahanol i'r hyn fyddet ti'n 'i ddisgwl. Ond cofia mai ar ddydd Mawrth weles i fe gynta; ro'dd e wedi ca'l digon o amser i roi trefn ar 'i hunan ers nos Sadwrn.'

Cydiodd Clem Owen mewn swp arall o bapurau a'u hestyn ar draws y ddesg. 'Cadarnhad mai'r *crook-lock* ddethon ni o hyd iddo fe ar bwys y Sawddan laddodd Stephen.'

'Allwn ni gysylltu Watkins â'r *crook-lock*?'

'Mae e'n gweud mai'r *crook-lock* ddefnyddiodd e i ladd Stephen, ac ma' ôl 'i fysedd e arno fe.'

'Hoelen arall.'

'Ie. Dwyt ti ddim yn meddwl 'i bod hi'n rhyfedd 'i fod e'n cynrychioli un o'r bechgyn o'dd wedi dwyn car Stephen Llewelyn?'

'Do'dd 'da Paul Manning ddim i' neud â'r car – fel rwyt ti a sawl un arall wedi 'i ddangos yn ddigon clir.'

'A chyd-ddigwyddiad yw hi 'i fod e wedi 'i ga'l 'i hunan i sefyllfa lle'r o'dd e'n cynrychioli rhywun o'dd â rhyw gysylltiad â'i drosedd e 'i hunan?'

'Pan dda'th e 'ma gynta gyda Paul Manning, dwi ddim yn credu fod 'da fe amcan y bydde'r achos hwnnw'n dod yn rhan o'r llofruddiaeth. Na, ar fore dydd Mawrth dim ond … Arhosa funud!'

'Beth?'

Pwysodd Ken Roberts ymlaen yn ei gadair. 'Cyfreithiwr yn gofalu am 'i gleient o'dd Watkins pan dda'th e 'ma gynta. Ond ro'dd 'na wahaniaeth rhwng 'i ymddygiad yn y bore a phan ddethon nhw'n ôl yn y prynhawn.'

'Ym mha ffordd?'

'Ym mhob ffordd. Bron na chymerodd e ran yn y cyfarfod o gwbwl. Raymond Manning o'dd yn neud y siarad i gyd. Ro'n i'n meddwl ar y pryd falle bod Manning wedi ca'l digon ar whare gêmau cyfreithiol a'i fod e wedi penderfynu cymryd y bla'n.'

'Ond nawr, a Watkins wedi cyffesu i lofruddiaeth, rwyt ti'n gweld y newid hwnnw mewn goleuni gwahanol.'

'Peth peryglus yw edrych 'nôl a thrio darllen rhywbeth i mewn i sefyllfa. Y cwbwl weda i yw fod 'na newid pendant ynddo fe; ro'dd e fel petai e mewn sioc, a'i feddwl ar rywbeth arall.'

'Alle fe fod wedi dod i wbod rhwng y ddau gyfarfod bod Daniel Morgan wedi dwyn car Stephen?'

'Pwy fydde wedi gweud wrtho fe?'

'Wedest ti ddim am y car pan o't ti'n holi Paul, a bod Watkins wedi neud y cysylltiad 'i hunan?'

'Awgrymes i ein bod ni'n ymchwilio i fwy na fandaliaeth, ond sonies i ddim am y Sierra.'

'Ond ro'dd damwain Ieuan ar newyddion y radio erbyn canol dydd ddydd Sul, ac ro'dd pawb yn gwbod ein bod ni'n chwilio am fechgyn ifanc o'dd wedi dwyn y Sierra du ro'dd Ieuan yn 'i gwrso.'

'Ond os na'th Watkins y cysylltiad 'i hunan, fe fydde fe wedi 'i neud e cyn bore dydd Mawrth.'

'Bydde, ti'n iawn.'

Curodd rhywun ar ddrws yr ystafell.

'Mewn!' ac agorodd Berwyn Jenkins y drws.

'Sori i dorri ar 'ych traws,' meddai pan welodd fod Ken Roberts yno hefyd.

'Na, ma'n iawn, Berwyn, dere i mewn.'

'Ro'n i'n meddwl y dylech chi ga'l gwbod am hyn.' Ac estynnodd y rhingyll ddalen o bapur i Clem Owen. 'Cwyn Jackie Pool am gar o'dd bron â'i fwrw fe lawr nos Sadwrn.'

'Ar bwys Crug yr Angor,' meddai Owen gan ddarllen. 'Ry'n ni'n gwbod am hyn yn barod; wedodd Jackie wrth Carol Bennett.'

'Do, syr, fe wedodd Carol wrtha inne 'fyd. Ro'dd hi'n meddwl falle mai'r Sierra ro'dd y bachgen yn 'i yrru i Gapel Bethania o'dd e.'

'Ie, dyna'r peth mwya tebygol.'

'Wel, os newch chi ddarllen cwyn Jackie, fe welwch chi fod hynny'n amhosib.'

'Alli di ddim credu chwarter yr hyn ma' Jackie Pool yn 'i weud, Berwyn,' meddai Ken Roberts. 'Pan siaradodd Carol ag e do'dd e ddim hyd yn o'd yn siŵr os mai nos Sadwrn o'dd hi pan welodd e'r car.'

'Dwi'n gwbod 'ny, a stori garbwl iawn gewch chi 'da fe fel arfer pan fyddwch chi'n 'i holi fe. Ond yn yr achos hwn Jackie sy'n cynnig gweud beth ddigwyddodd.'

'A ti'n meddwl bod hynny'n neud gwahaniaeth?' gofynnodd Clem Owen, gan edrych yn fanylach ar y ffurflen.

'Odw. Ma' hyn yn wirfoddol ac nid o dan bwyse.'

'Ma' fe'n gweud iddo fe weld y car yn Heol y Rheithordy. Ma' hynny ddwy neu dair stryd o Grug yr Angor,' meddai Clem Owen.

'Ac yn y cyfeiriad arall i Gapel Bethania,' meddai Berwyn Jenkins.

'"Da'th y car rownd y cornel tuag ata i,"' darllenodd Clem Owen. '"Ro'dd yn dod yn gyflym iawn ac ro'n i'n meddwl ei fod yn mynd i 'mwrw i. Ond fe a'th ar y palmant a chrafu ar hyd wal un o'r tai a stopio. Arhosodd e'r fan honno am rai eiliade cyn dechre eto a gyrru i ffwrdd."'

'Ma' crafiad cas ar hyd ochor Honda Arwel Watkins,' meddai Ken Roberts, gan gofio gweld y cyfreithiwr yn gyrru allan o faes parcio'r orsaf.

'Dyw Jackie ddim yn gweud pa fath o gar o'dd e,' meddai Clem Owen.

'Dyw e ddim yn cofio,' meddai Berwyn Jenkins. 'Bydde hynny'n ormod i' ddisgwl.'

'Ac erbyn i Jackie gerdded o Heol y Rheithordy i Grug yr Angor, ro'dd Daniel Morgan wedi dwyn y Sierra, a'r cyfan o'dd yno o'dd cot Stephen Llewelyn ar wal yr afon,' meddai Ken Roberts.

'Ie, ma'n edrych fel'ny,' meddai Clem Owen, gan estyn y ffurflen yn ôl i Berwyn Jenkins. 'Ma'r amser braidd yn amhendant; rywbryd ar ôl i'r Castell gau.'

'Yn ôl agor a chau'r tafarne ma' Jackie'n mesur amser,' meddai Berwyn Jenkins. 'Ro'dd hi wedi un ar ddeg ac fe alle hi gymryd bron i hanner awr i Jackie gerdded o'r Castell i Heol y Rheithordy ar ôl noson o yfed.'

'Ie,' meddai Clem Owen yn fyfyriol. 'Diolch i ti, Berwyn.'

'Ond dwyt ti'n dal ddim yn siŵr,' meddai Ken Roberts ar ôl i'r rhingyll adael yr ystafell.

'Wel, ma' hyn yn rhoi Watkins yng nghyffinie'r llofruddiaeth ar yr amser iawn, ac mae e wedi cyffesu 'fyd.'

'Pryd wyt ti'n mynd i'w gyhuddo fe?'

'Pan ddaw Richard Jones 'ma. Fel wedest ti, cymryd wthnos i symud ... Honda!'

'Beth?'

'Honda yw car Arwel Watkins?'

'Ie, Honda Prelude.'

'Ac ar hwnnw ma'r crafiad.'

'Ie.'

'Os dwi'n cofio'n iawn,' meddai Clem Owen, gan dwrio drwy'r papurau ar ei ddesg, 'fe wedodd y ferch wrth Gareth mai ... ie, dyma fe,' ac fe dynnodd ddalen allan o'r pentwr a darllen, '"Adnabyddodd Marian Evans y Suzuki Vitara a oedd wedi ei barcio y tu ôl i swyddfeydd Jarvis a Jones fel car un o'r cyfreithwyr."'

'Wel, dyna ti. Os gyrrodd Watkins o'r swyddfa yn y Vitara am hanner awr wedi deg, ro'dd hynny'n rhoi digon o amser iddo fe newid y car erbyn hanner awr wedi un ar ddeg.'

'Ie, ond am hanner awr wedi un ar ddeg y gwelodd y ferch e yn y Vitara.'

'Falle'i fod e wedi lladd Stephen cyn hynny ac wedi gadel yr Honda yn rhywle ar ôl iddo ga'l y ddamwain.'

''I fod e wedi mynd adre ar ôl lladd Stephen, newid 'i gar a mynd 'nôl i'r swyddfa.'

'Ie, er mwyn creu *alibi* iddo'i hun.'

'*Alibi*? I beth? Mae e wedi cyffesu mor rhwydd; dyw e ddim wedi gwadu'r llofruddiaeth am eiliad. Na, ma'n rhaid fod 'na rywbeth arall wedi digwydd yn ystod yr amser mae e'n gweud iddo adel y swyddfa a'r amser ma'r tyst yn gweud iddo adel. Rhywbeth nad yw Arwel Watkins am i ni wbod amdano.'

Pan ganodd y ffôn, roedd Gareth Lloyd yn brysur yn rhoi trefn ar y dwsinau o adroddiadau a datganiadau roedd yr heddlu wedi eu casglu dros y tridiau diwethaf, cyn eu pacio a'u gosod o'r neilltu ar gyfer yr achos llys.

'Heddlu Dyfed-Powys, DS Lloyd.'

'Bore da, DS Lloyd,' meddai Carys ar y pen arall.

'Ro'n i wedi meddwl dy ffonio di.'

'A dyma fi'n arbed deg ceiniog arall i Heddlu Dyfed-Powys.'

'Wel ma' pob ceiniog yn help ar hyn o bryd. Ro'n i wedi bwriadu ffonio neithiwr ond ...'

'Ond chest ti ddim cyfle.'

'Naddo.'

'Wel, ma' Rhian yn cofio atot ti. Dyna'r rheswm pam ro't ti am ffonio, yntefe?'

'Un o'r rhesyme.'

'Mae'n cofio Stephen yn iawn, ond dyw'r atgofion ddim yn rhai mae'n 'u trysori.'

'Pam?'

'Wel, pan fydde hi a'i rhieni'n ymweld â theulu Stephen, ar ôl swper, neu beth bynnag fydde'r achlysur, fe fydde'r oedolion yn eistedd i roi'r byd yn 'i le, ac er mwyn ca'l gwared â'r plant, gwaith Stephen oedd diddori Rhian.'

'O?'

'A'r hyn o'dd e'n 'i neud o'dd rhoi llond bola o ofn iddi. Fe fydde fe naill ai'n adrodd storïe arswyd am y tŷ, neu'n mynd â hi i rywle yn y tŷ neu'r ardd ar ryw esgus a'i gadel hi fan'ny, a phan fydde hi'n trio ffindio'i ffordd 'nôl, bydde fe'n 'i dychryn. Neu fe fydde fe'n paratoi cyrff ...'

'Yn paratoi cyrff, wedest ti?'

'Ie, dolie neu ddymis, neu'n hytrach ddarne ohonyn nhw, wedi 'u lliwio'n goch â phaent a'u gadel o gwmpas y lle.'

'Mae e'n swnio'n fachgen annwyl iawn. Beth o'dd 'u hoedran nhw bryd 'ny?'

'Ro'dd Rhian yn dal yn yr ysgol gynradd ac ro'dd Stephen yn ei arddege cynnar.'

'O'dd e'n dal i ymddwyn fel'ny pan o'dd e'n hŷn?'

'Fydden i ddim yn synnu, ond erbyn hynny ro'dd Rhian yn gwrthod mynd gyda'i rhieni; bydde hi'n mynd at 'i ffrindie 'i hunan. Yn dod ata i, ran amla.'

'Call iawn. Ond wedodd Rhian ddim wrthot ti bryd 'ny am dricie Stephen?'

'Naddo. Ges i'n synnu pan wedodd hi wrtha i ddoe amdanyn nhw, a phan ofynnes iddi pam na fydde hi wedi gweud o'r bla'n, 'i hateb hi o'dd 'i bod hi'n teimlo cywilydd, fel'se hi'n credu bod rhyw fath o fai arni hi bod Stephen yn whare'r tricie 'ma arni.'

'O'dd Rhian yn gwbod pam redodd Stephen bant pan na'th e?'

'Nago'dd, ond awgrymodd hi dy fod ti'n gofyn i rai o hen ffrindie Stephen sy'n dal i fyw yn y dre.'

'Enwodd hi rai?'

'Do. John Roberts, Jason Taylor, Mike Pritchard ...'

Wrth gwrs! Roedd Gareth wedi meddwl droeon ers clywed stori Mike Pritchard fod yna le i holi rhagor arno, ond gyda phopeth arall ar ei blât, a'r helynt gyda Ken Roberts, nid oedd wedi cael cyfle. Wel, efallai mai nawr oedd ei gyfle olaf, cyn iddi fynd yn rhy hwyr.

Sychodd Eifion y melynwy a'r sos coch oddi ar ei blât â'r darn olaf o'r bara, a gwthio'r plât gwag ar draws y bwrdd. Hwn oedd y trydydd bore yn olynol iddo gael ei frecwast yn ffreutur yr orsaf, ac er mai dim ond cig moch ac wy roedd wedi ei gael, pryd y gallai'n hawdd fod wedi ei goginio iddo'i hun gartre – pryd yr oedd wedi ei goginio iddo'i hun gartre droeon yn ddiweddar, ar wahanol adegau o'r dydd, ers i Siân roi'r gorau i baratoi bwyd iddo – teimlai Eifion ei fod yn cael llawer mwy na bwyd i'w gynnal.

Rhyfeddai nawr ei fod wedi goddef cropian o gwmpas y gegin ar flaenau ei draed cyhyd, gan gymryd dim ond sudd oren neu greision ŷd i frecwast, rhag ofn y byddai'n cadw gormod o sŵn drwy ferwi dŵr a gwneud tost, ac yn dihuno Siân ac Emyr. Efallai bod Susan Pritchard yn iawn, ac mai dim ond cyfnod lletchwith yn natblygiad Emyr oedd i gyfri am ei broblemau cysgu a bwyta ac y deuai gydag amser, ond roedd Eifion yn amau ai amser a roddai ben ar broblemau Siân – yn enwedig os nad oedd hi'n fodlon cydnabod bod ganddi broblemau.

Yn y cyfamser, beth oedd ef i fod i'w wneud? Roedd Siân wedi dangos yn ddigon clir bod ei bresenoldeb yn fwrn arni ac yn feirniadaeth ar ei gallu fel mam. Ond doedd wiw i Eifion ddadlau â hi, a dechrau rhestru'r holl ffyrdd y bu'n ei chefnogi a'i chynorthwyo yn ystod y misoedd diwethaf. I Siân, yn ei chyflwr presennol, roedd peidio cytuno â phob chwiw a bwgan y gwelai hi yn golygu ei fod yn ei herbyn.

Wel, roedd Eifion wedi cael digon ar gael ei drin fel dieithryn yn ei gartref ei hun. Ac roedd yna ben draw hefyd ar redeg adref bob pum munud i weld a oedd popeth yn iawn, yn enwedig a'i gyd-weithwyr yn dangos cyn lleied o gydymdeimlad tuag at ei sefyllfa. Roedd dioddef eu hensyniadau annheg am ei aneffeithiolrwydd fel plismon yn ddigon o faich; nid oedd am i'w fywyd personol fod yn destun sbort iddyn nhw hefyd. Fe roddai drefn ar ei fywyd ei hun yn ei ffordd ei hun.

Cododd a mynd at y cownter. Roedd ganddo ddigon o amser i gael cwpaned arall o de.

Eisteddai Richard Jones yn ymyl Arwel Watkins. Roedd ef wedi ceisio gohirio'r cyfweliad ac wedi cyflwyno nifer o resymau cyfreithiol y credai oedd yn ddigon dilys, ond nid oedd y Prif Arolygydd Clem Owen wedi derbyn yr un ohonynt; ac yn waeth fyth, nid oedd Arwel Watkins wedi gwneud dim i'w gynorthwyo yn ei ymdrechion.

'Dwi wedi ca'l cyfle i fynd drwy'r hyn ddwedoch chi neithiwr, Mr Watkins, ac ma' 'na nifer o bwyntie'r hoffwn i fynd 'nôl atyn nhw nawr,' meddai Clem Owen, unwaith roedd rhannau cychwynnol swyddogol y cyfweliad wedi eu cyflawni.

Nodiodd Watkins ei ben, yna cofiodd am y peiriant recordio a dweud, 'Iawn.'

Owen: Nawr, fe ddwedoch chi mai am hanner awr wedi deg y gadawsoch chi'r swyddfa.

Watkins: Ie.

Owen: Nid am hanner awr wedi un ar ddeg?

Watkins: Hanner awr wedi deg.

Owen: Wel ma' 'da ni dyst sy'n gweud mai am hanner awr wedi un ar ddeg y gadawsoch chi.

Watkins: Nage, mae hynny'n anghywir.

Owen: Ma'r tyst yn sicr o'r amser, Mr Watkins.

Jones: Pwy yw'r tyst hwn?

Owen: Bydde'n well 'da fi beidio enwi neb ar hyn o bryd, ond fe fyddwch, wrth gwrs, yn ca'l gwbod ymhell cyn i'r achos ddod i'r llys. Mr Watkins, odych chi'n cofio gweld rhywun ger maes parcio'r swyddfa pan adawoch chi am adre?

Watkins: Nagw … ydw.

Owen: Ry'ch chi *yn* cofio rhywun?

Watkin: Ydw.

Owen: Newch chi ddweud wrtha i pwy welsoch chi?

Watkins: Dwi ddim yn gwybod ei henw. Merch ifanc oedd wedi parcio'i char yn un o lefydd parcio'r cwmni oedd hi.

Owen: Siaradoch chi â hi?

Watkins: Do, fe ddwedais wrthi nad oedd ganddi hawl i barcio yno.

Owen: Nethoch chi fygwth dweud wrth yr heddlu petai hi'n parcio yno eto?

Watkins: Do, fe ddwedais i rywbeth fel'ny wrthi.

Owen: Be nethoch chi ar ôl siarad â'r ferch?

Watkins: Gyrru i ffwrdd.

Owen: I ba gyfeiriad?

Watkins: Lawr i gyfeiriad y môr.

Owen: Felly fe droesoch i'r chwith ar ben y ffordd sy'n rhedeg i lawr ar hyd ymyl y swyddfa.

Watkins: Do.

Owen: Ac nid i'r dde, i gyfeiriad canol y dre?

Watkins: Na.

Owen: A phetawn i'n gweud mai i'r dde ma'r tyst yn …

Watkins: Mae hi'n anghywir.

Owen: Ac am hanner awr wedi deg o'dd hyn? Pan adawoch chi'r swyddfa a gyrru i lawr am y môr?

Watkins: Ie.

Owen: Ma'r tyst yn gweud mai hanner awr wedi un ar ddeg o'dd hi.

Watkins: Fel ddwedais i gynnau, mae hi wedi gwneud cam-gymeriad.

Owen: Dwi ddim yn deall hyn, chi'n gweld. Dyma gyfle i chi ga'l *alibi* – rhywun yn gweud eich bod chi'n dal o gwmpas eich swyddfa am hanner awr wedi un ar ddeg – ac ry'ch chi'n mynnu eich bod wedi gadel awr cyn hynny.

Jones: Fe alla i ddeall bod yr amser yn bwysig, ond beth yw arwyddocâd y gwahaniaeth yma o awr?

Owen: Mr Watkins, odych chi am ateb hwnna?

Watkins: Fe adewais i'r swyddfa tua hanner awr wedi deg.

Dwi ddim yn dweud ei bod hi'n hanner awr wedi deg i'r eiliad, ond o gwmpas yr amser hynny oedd hi. Gyrrais i lawr ar hyd y môr am ychydig ac yna 'nôl am adre. Roedd hi'n rhywbeth wedi un ar ddeg pan welais i Stephen Llewelyn. Roeddwn i wedi cyrraedd adre erbyn hanner awr wedi un ar ddeg.

Owen: Chi'n gweld, Mr Jones, ma'ch cleient yn gwrthod y cyfle am *alibi*. Pe bai e'n gweud iddo aros yn y swyddfa tan hanner awr wedi un ar ddeg a cha'l gyrrwr y Peugeot i dystio mai dyna'r amser y gadawodd e'r adeilad, fe fydde 'na le cryf 'da chi i ddadle nad Mr Watkins lofruddiodd Stephen Llewelyn …

Watkins: Fi lofruddiodd e.

Owen: … neu o leia fe fydde'n rhaid fod Mr Watkins wedi gadel y swyddfa, lladd Stephen, a dychwelyd cyn hanner awr wedi un ar ddeg. Ai dyna ddigwyddodd, Mr Watkins?

Watkins: Nage.

Owen: Bydde hynny'n neud mwy o synnwyr. Gallen i dderbyn hynny, ond ry'ch chi'n gweud eich bod chi wedi cyrra'dd adre am hanner awr wedi un ar ddeg.

Watkins: Do.

Owen: I'r funud.

Watkins: Falle naddo, ond roedd hi o gwmpas yr amser hynny.

Owen: Hm. Sut fath o gar sy 'da chi?

Watkins: Honda Prelude.

Owen: A hwnnw ro'ch chi'n 'i yrru nos Sadwrn.

Watkins: Ie.

Owen: Dwi'n deall bod 'na grafiad ar hyd ochr chwith y car. Odi hynny'n iawn?

Watkins: Ydi.

Owen: Ai nos Sadwrn gesoch chi'r crafiad hwnnw?

Watkins: Ie.

Owen: Shwt?

Watkins: Roeddwn i'n gyrru'n rhy gyflym. Methais gornel ac aeth y car i ben y pafin a chrafu yn erbyn wal.

Owen: Ble digwyddodd hyn?

Watkins: Rhywle ar y ffordd adre.

Owen: Cyn neu ar ôl i chi ladd Stephen?

Watkins: Ar ôl.

Owen: Ble wedoch chi y digwyddodd hyn?

Watkins: Rhywle ar y ffordd adre.

Owen: Ond ble yn union, ym mha stryd?

Watkins: Dwi ddim yn cofio.

Owen: Na, rywsut do'n i ddim yn meddwl y byddech chi.

Ar ôl ei holl ymweliadau diweddar â thraethau a phentrefi gorlawn glan môr yr ardal, roedd Carol Bennett wedi gobeithio na fyddai raid iddi ymgodymu â'r llif ymwelwyr am gryn amser eto, ond ar ôl treulio ychydig funudau yn awyrgylch angladdol yr orsaf, lle'r oedd pawb erbyn hyn yn gwybod am drafferthion Ken Roberts, roedd hi'n falch o gael unrhyw esgus i ddianc. Edmygai Carol ddycnwch a dyfalbarhad yr Arolygydd Ken Roberts i brofi pob achos y tu hwnt i unrhyw amheuaeth, ac roedd yn cydnabod iddi ddysgu llawer yn ystod yr amser byr y bu'n cydweithio ag ef; ond roedd yn dod yn fwyfwy amlwg nad oedd cael canlyniad, costied a gostio, yn agwedd dderbyniol bellach.

Yn ystod ei gyrfa roedd hi wedi ceisio bod yn deg â phawb roedd wedi eu holi, ond gwyddai na allai dyngu llw a dweud nad oedd hi erioed wedi camarwain y cyhuddiedig na chamliwio na gorbwysleisio tystiolaeth i'w dibenion hi 'i hun. Ac roedd yn amau a allai unrhyw un o'i chyd-weith-wyr ddweud nad oedd wedi camddefnyddio'i awdurdod ac wedi glynu wrth lythyren y ddeddf bob tro. Gwaith i gyf-reithwyr oedd hynny, ac nid oedd y rheiny i gyd yn ddilych-win, chwaith.

Chwarter awr ar ôl gadael y dref cyrhaeddodd Carol bentref Ystrad Meillion, a dwy funud wedi hynny fe stopiodd ei char y tu ôl i Suzuki Vitara gwyn oedd wedi ei barcio o flaen Gwernfelen, tŷ y byddai unrhyw blentyn ysgol gynradd wedi gallu tynnu llun ohono'n gwbl ddidrafferth. Curodd y curwr efydd pen llew a chlywed bron ar unwaith rywun yn cerdded ar hyd y cyntedd.

'Helô, bore da,' meddai wrth y wraig a agorodd y drws. 'Sarjant Carol Bennett. Mrs Thomas?'

Gwenodd y wraig ac edrych yn frysiog a di-hid ar y cerdyn gwarant a ddangosodd Carol iddi.

'Ie.'

'Fydde hi'n bosib ca'l gair gyda'ch merch, Mrs Judith Watkins?'

'Ma'n ddrwg 'da fi, ond dyw hi ddim yma ar hyn o bryd.'

'Odi hi wedi mynd adre?'

'O na, dim ond wedi mynd ar neges i'r siop ma' hi, fe ddyle hi ddod 'nôl unrhyw funud.'

'Allen i ddod mewn i aros amdani?'

'Wrth gwrs, dewch i mewn.'

Dynes famol, groesawgar ac agored oedd Megan Thomas; ei gwallt wedi hen fritho a'i chorff bychan crwn dim ond yn crafu dros bum troedfedd â chymorth sodlau'r esgidiau a wisgai. Roedd ei hymateb, neu yn hytrach ei diffyg hymateb, i ymweliad gan aelod o'r heddlu yn dangos yn ddigon eglur na wyddai hi fod ei mab yng nghyfraith wedi ei arestio. Agorodd lenni'r parlwr ac ymddiheuro am nad oedd hi wedi gwneud hynny eisoes y bore hwnnw. Gwenodd Carol ac ymddiheuro yn ei thro am darfu arni mor gynnar yn y bore. A gyda hynny o fân siarad, dim ond un testun arall – ar wahân i'r tywydd, a oedd yn dal yn gynnes – oedd ganddynt yn gyffredin.

'Ddyle Judith ddim fod yn hir.'

'Popeth yn iawn.'

'Falle y gallen i eich helpu,' cynigiodd Megan Thomas, yr un mor ymwybodol o'r tawelwch. 'Neu Arwel, gŵr Judith; mae e'n gyfreithiwr, a falle y bydde fe'n fwy o help i chi na Judith.'

'Na, diolch yn fawr i chi, ond gyda Mrs Watkins dwi am ga'l gair.'

'O, wel, dyna fe, dyw e'n ddim o 'musnes i,' a gwnaeth ystum dihidio â'i dwylo cyn ychwanegu, 'Dyw e'n ddim byd i' neud ag Arwel yw e? Dyw e ddim wedi ca'l damwain?'

Siglodd Carol ei phen, yn falch fod Megan Thomas wedi crybwyll damwain, a gan gydio ar yr ymresymiad tenau y dylai gwraig Arwel Watkins gael gwybod cyn ei fam yng nghyfraith, fe ddywedodd Carol nad oedd Arwel Watkins wedi cael damwain.

'Dwi'n falch. Petai rhywbeth yn digwydd i Arwel, fe fydden i a Judith ar goll yn llwyr. Mae e'n dda iawn yn fy helpu i yn yr ardd. Fe sy'n 'i neud hi i fi bob blwyddyn. Ma'n llawer rhy fawr i fi …'

Gadawodd Carol iddi siarad tra crwydrai ei meddwl a'i llygaid o gwmpas yr ystafell daclus a'i hatgoffai o gartref ei rhieni. Disgleiriai'r haul cryf ar y celfi pren a gorchuddion lliwgar y cadeiriau esmwyth. Ar ochr dde'r ffenest roedd dresel dderw dywyll yn llwythog gan jygiau a phlatiau tseina. Ond er gwaetha'r cyfoeth a grogai arni, roedd hi'n amlwg mai'r ddau lun a safai ar bob pen i'r ddresel oedd fwyaf gwerthfawr yng ngolwg ei pherchennog.

Ffotograffau o ddau deulu oeddynt. Ac er ei bod hi ryw ugain mlynedd yn iau, a'i gwallt yn dywyllach a'i chanol yn feinach yn y llun, fe adnabu Carol Megan Thomas ar unwaith. Ac os mai ei gŵr oedd y dyn tenau cefnsyth â mwstás tenau a safai yn ei hymyl, yna mae'n debyg mai Judith oedd y baban a fagai Megan Thomas. Roedd y llun ar ochr dde'r ddresel yn llawer mwy diweddar, ond o ran cyfansoddiad roedd y ddau yn union yr un fath: teulu bychan, mam a thad a phlentyn. Dwy genhedlaeth nad oedd ganddynt y syniad lleiaf beth oedd o'u blaen.

'O's 'da chi blant?' gofynnodd Megan Thomas, yn sylwi ar Carol yn edrych ar y lluniau.

'Nago's,' atebodd Carol gan deimlo ychydig yn euog, ac yna'n grac â hi 'i hun am deimlo felly.

'Ma' Judith yn hoff iawn o blant.'

Roedd gofal a diddordeb gorfamol Megan Thomas yn ymylu ar orfusnesu ym mywyd ei merch. Rhywbeth nad oedd ei mam hi, diolch byth, yn euog ohono. Ond wedyn ni allai Carol fod yn siŵr nad oedd yn ei thrafod hi fel hyn â phawb a alwai i'w gweld. Ai dyna a wnâi pob rhiant? Rhoi ei fywyd ei hun o'r neilltu a gadael i'r plant ei feddiannu'n llwyr? Fel Eifion a'i wraig, yn cael eu rheoli gan arferion cysgu a bwyta eu babi a'r balchder cynnar yn diflannu'n gyfan gwbl wrth i'r gofidiau gynyddu? Ac os nad yw hynny'n ddigon i danseilio'r hapusrwydd, gall salwch neu ddamwain ddilyn, fel gyda Glyn a'i ferch. Ac nid dim ond y rheiny a achosai ofid, fel y gwyddai Ken ac Angela Roberts. A yw cyfrifoldeb a gofid rhiant byth yn dod i ben? Roedd Carol yn amau'n fawr. Ac os mai dyna beth oedd priodi a magu plant yna roedd hi wedi penderfynu nad oedd hi am gael dim i'w wneud ag ef.

'Ro'dd hi'n siom i ni i gyd pan wedodd y doctor na alle Judith byth ga'l plant,' meddai Megan Thomas, yn parhau i siarad am ei theulu. I rai, meddyliodd Carol, bywyd gyda phlant sy'n boen, tra i eraill, y boen yw gorfod byw hebddyn nhw.

'Ai Mrs Watkins yw'ch unig blentyn?' gofynnodd Carol gan edrych eto i gyfeiriad y llun ar y ddresel.

'Ie. Dim ond hi ac Arwel sy 'da fi nawr ac rwy'n ffodus

iawn ohonyn nhw'll dau. Bu 'ngŵr i farw'n ifanc iawn, pan o'dd Judith yn fach, ac am flynydde dim ond Judith a fi o'dd, ond nawr ma' 'da fi Arwel hefyd, ac mae e wedi bod yn dda iawn, yn union fel mab. Ac mae e wedi neud byd o les i Judith.'

'Ai Mr a Mrs Watkins sy yn y llun 'na?'

'Ie.'

'A'r babi?'

Siglodd Megan Thomas ei phen. 'Ben. Ro'n i'n meddwl y bydde popeth yn iawn pan ga'th Judith ac Arwel Ben. Ro'dd e'n fabi annwyl a diddig iawn ac ro'dd y ddau ohonyn nhw, a finne, wrth gwrs, yn meddwl y byd ohono fe. Ro'dd 'i golli'n ergyd fawr i ni i gyd.'

Nodiodd Carol ei phen yn dawel gan geisio gwneud synnwyr o'r hyn roedd Megan Thomas yn ei ddweud.

'Ma'n ddrwg iawn 'da fi, ond dwi ddim yn deall.'

'Ro'dd Judith ac Arwel wedi dechre ar y broses o fabwysiadu Ben, ond wedyn fe benderfynodd ei fam iawn 'i bod hi am 'i gadw fe ac fe roddodd y llys Ben 'nôl iddi. Ro'dd 'i golli fel'ny yn beth anodd iawn. Os rhywbeth, ro'dd hi'n wa'th na phe bai e wedi marw. O, ma' hynna'n swnio mor ofnadw,' ac fe gododd ei llaw i sychu'r dagrau o gornel ei llygaid.

Roedd y pwysau o orfod cyfrannu at y sgwrs yn gwasgu'n drwm iawn ar Carol, yn enwedig gan y gwyddai na allai gynnig cysur o unrhyw fath, a bod ysgytwad arall yn eu haros fel teulu.

'Ond dyna fe, ma'n rhaid i ni fynd mla'n, rywsut. Ma' 'da ni'n gilydd o hyd, a falle daw cyfle arall eto. Ro'dd Judith yn gadarnhaol iawn pan alwodd hi 'ma nos Sadwrn ac yn gweud 'u bod nhw'n mynd i roi cynnig arall ar fabwysiadu,' meddai Megan Thomas, gan gynnwys defnyn pwysig o wybodaeth ynghanol y llif o fân siarad.

'Fe alwodd Mrs Watkins 'ma nos Sadwrn?'

'Do.'

'Ro'n i'n meddwl 'u bod nhw wedi bod i ffwrdd.'

'O o'n, ro'n nhw wedi bod yn Llundain am ychydig o wylie, ac er mai yn hwyr brynhawn dydd Sadwrn y cyrhaeddon nhw adre, fe dda'th Judith i 'ngweld i.'

'Faint o'r gloch o'dd hynny?'

'Cyrhaeddodd hi 'ma tua naw o'r gloch, os dwi'n cofio'n iawn.'

'Tan pryd arhosodd hi?'

'Ro'dd hi 'ma am ryw awr a hanner i ddwyawr ...'

'Fyddech chi'n meindio petawn i'n defnyddio'ch ffôn, Mrs Thomas?'

'Na, ddim o gwbwl. Mae e mas yn y cyntedd.'

'Ma'n ddrwg 'da fi, gyfeillion,' meddai'r Prif Arolygydd Clem Owen wrth iddo ddychwelyd i'r ystafell holi. Eisteddodd yn y gadair ar draws y bwrdd i Richard Jones ac Arwel Watkins a sicrhau bod pob peth yn gyfreithiol gywir cyn bwrw ymlaen â'r holi.

Owen: Sôn am y ceir o'n i, os cofia i'n iawn. Allech chi weud wrtha i sawl car sy 'da chi?

Watkins: Dau.

Owen: Beth y'n nhw?

Watkins: Honda Prelude a Suzuki Vitara.

Owen: Rhywbeth tebyg i jîp yw'r Vitara, ontefe?

Watkins: Ie.

Owen: Ac fe wedoch chi mai'r Honda Prelude o'ch chi'n 'i yrru nos Sadwrn. Odi hynna'n gywir?

Watkins: Ydi.

Owen: Ma'r tyst a'ch gwelodd chi'n gadel y swyddfa'n gweud mai'r Vitara ro'ch chi'n 'i yrru.

Watkins: Mae hi'n anghywir.

Owen: Beth yw lliw'r Vitara?

Watkins: Gwyn.

Owen: Ai chi sy'n 'i yrru fel arfer?

Watkins: Nage, car 'y ngwraig yw e, ond dwi'n 'i yrru weithiau.

Owen: Nos Sadwrn dwetha?

Watkins: Na.

Owen: Er gwaetha'r ffaith fod 'da ni dyst …

Watkins: Mae hi'n anghywir.

Owen: Odych chi wedi gyrru'r Vitara i'r gwaith o gwbwl?

Watkins: Ydw, sawl gwaith, pan mae 'nghar i yn y garej yn cael gwasanaeth neu rywbeth tebyg.

Owen: Ond yr Honda ro'ch chi'n 'i yrru nos Sadwrn.

Watkins: Ie.

Owen: A'ch gwraig sy'n gyrru'r Vitara ran amla, ac ro'dd hi gartre nos Sadwrn?

Watkins: Oedd.

Owen: Ac ro'dd hi gartre pan adawoch chi am y swyddfa am ychydig wedi wyth o'r gloch?

Watkins: Oedd.

Owen: Yn y gwely, dwi'n credu i chi ddweud.

Watkins: Ie.

Owen: Ac ro'dd hi'n dal 'na am hanner awr wedi un ar ddeg pan gyrhaeddoch chi adre o'r swyddfa?

Watkins: Oedd.

Owen: Yn cysgu?

Watkins: Ie.

Owen: Siaradoch chi â hi o gwbwl?

Watkins: Naddo.

Owen: Felly do'ch chi ddim yn gwbod nos Sadwrn ei bod hi wedi bod i weld ei mam yn Ystrad Meillion.

Watkins: [Dim ymateb].

Owen: Do'ch chi ddim yn gwbod 'ny?

Watkins: [Dim ymateb].

Owen: Ma'i mam, Mrs Megan Thomas, yn cadarnhau hynny.

Watkins: [Dim ymateb].

Owen: Do's 'da chi ddim …

Watkins: Dylsech chi ddim fod wedi 'i phoeni hi.

Owen: Beth? 'Nes i ddim deall hynna, Mr Watkins.

Watkins: Dylsech chi ddim fod wedi poeni mam Judith.

Owen: Pam? Odych chi'n ofni y gall hi neu eich gwraig wrth-ddweud eich stori?

Watkins: Does ganddi hi na Judith ddim i'w wneud â hyn.

Owen: Ma'n ddrwg 'da fi ond …

Watkins: Does ganddyn nhw ddim i'w wneud â hyn!

Owen: Eisteddwch, Mr Watkins.

Watkins: Pam na wnewch chi wrando arna i?

Owen: Dwi'n credu y dylech chi weud wrth eich cleient i eistedd, Mr Jones.

Jones: Arwel, gwell i ti eistedd. Inspector, dwi'n credu y galla i'ch helpu ychydig fan hyn. Dri mis yn ôl fe ddechreuodd Mr a Mrs Watkins ar y broses o fabwysiadu babi bach, bachgen, naw wythnos oed. Bythefnos yn ôl, gyda dim ond tair wythnos i fynd cyn y byddai'r llys yn rhoi'r gorchymyn i fabwysiadu, fe benderfynodd y fam, y fam fiolegol, ei bod hi am gadw'r plentyn. Roedd ganddi'r hawl i wneud hynny, wrth gwrs, ond nid yw hynny'n lleihau'r boen i Mr a Mrs Watkins. Mae'n siŵr y byddech chi'n cytuno eu bod nhw'll dau wedi bod o dan gryn straen yn ddiweddar, ac mai dyna pam nad yw Mr Watkins am i chi boeni ei wraig yn ddiangen.

Owen: Diolch i chi am ddweud hynny wrtha i, Mr Jones, ac ma'n ddrwg 'da fi am yr amgylchiade hyn. Ond gan mai ymchwiliad i lofruddiaeth yw hwn, gall pob peth fod yn berthnasol, ac mae dod i wbod beth yn union ddigwyddodd yn hollbwysig.

Jones: Fe fydden i'n dweud bod Mr Watkins wedi bod yn

barod iawn i ddweud y gwir wrthoch chi. Mae e wedi dweud yn union beth ddigwyddodd. Dyw e ddim wedi cadw dim yn ôl.

Owen: Odi, ar yr olwg gynta ma' popeth yn ymddangos yn syml iawn, ond wedyn ry'n ni'n dod at fusnes yr amser a'r car, ac ar unwaith ma' pethe'n mynd yn gymhleth.

Jones: Mater o'ch tyst yn gwneud camgymeriad yw hynny. Ac os yw hi wedi gwneud camgymeriad ynglŷn â'r amser, yna mae'n ddigon posib ei bod hi wedi gwneud camgymeriad ynglŷn â'r car hefyd. Ma' Mr Watkins wedi dweud ei fod e wedi gyrru car ei wraig i'r gwaith o'r blaen; falle mai ar un o'r achlysuron hynny, ac nid nos Sadwrn diwetha, y gwelodd hi Mr Watkins.

Owen: O na, nos Sadwrn o'dd hi, ma'r ddau ohonyn nhw'n cytuno ar hynny. Mr Watkins, allech chi weud wrtha i beth a'th drwy'ch meddwl pan welsoch chi Stephen Llewelyn?

Watkins: Dwi ddim yn cofio.

Owen: Syndod, ofn, casineb. Beth?

Watkins: Dwi ddim yn cofio.

Owen: O'dd rhywun wedi gweud wrthoch chi fod Stephen wedi dod adre?

Watkins: Na.

Owen: Wel, os nad o'ch chi wedi'ch paratoi eich hunan mewn unrhyw ffordd, ma'n rhaid eich bod wedi meddwl neu deimlo rhywbeth pan weloch chi e'n ddirybudd fan'na ar bwys Crug yr Angor. Nethoch chi ddim meddwl falle mai rhywun arall, rhywun o'dd yn edrych yn debyg i Stephen o'dd e?

Watkins: Naddo.

Owen: Felly ro'ch chi'n bendant mai Stephen o'dd e, er nad o'ch chi wedi 'i weld e ers blynydde – mor bendant, nes eich bod chi wedi stopio'r car, cydio yn y *crook-lock* a mynd 'nôl i'w ladd e? Ac os dwi'n cofio'n iawn, dim ond unwaith ro'ch chi wedi ei weld e erio'd.

Watkins: Mae'n rhaid ei fod e'n agosach i'r ymwybod nag arfer. Roeddwn i wedi bod yn Llundain ac wedi codi arian o'r cyfri. Mae'n bosib mai dyna pam yr adnabyddes i fe ar unwaith.

Owen: Felly, pan welsoch chi'r dyn 'ma yng ngoleuade'r car, fe nabyddoch chi fe ar unwaith.

Watkins: Do.

Owen: Fe welsoch chi'r darlun cyfan: dyn yn sefyll ar bwys 'i gar, ac mewn eiliad fe wedoch chi wrth eich hun, Stephen Llewelyn yw hwnna.

Watkins: Fydden i ddim yn dweud mai fel'na'n union y digwyddodd e.

Owen: Na, ond rhywbeth tebyg i hynna.

Watkins: Ie.

Owen: Bydden i'n meddwl bod y darlun yna o Stephen yn sefyll ar bwys wal yr afon yn un clir iawn ac yn un a fydd yn aros yn hir yn eich cof.

Watkins: [Dim ymateb].

Owen: Odi hynny'n iawn?

Watkins: Ydi, mae'n siŵr.

Owen: Caewch eich llygaid a meddyliwch am yr olygfa. Ie, caewch nhw. Dyna fe. Nawr ewch drwy'r olygfa unwaith 'to. Ry'ch chi'n dod rownd cornel y stryd ac ma' goleu-ade'r car, eich car chi, yr Honda Prelude, yn goleuo rhywun yn sefyll ar bwys wal Crug yr Angor ac ry'ch chi'n gweld Stephen Llewelyn. Iawn?

Watkins: Iawn.

Owen: Nawr, Mr Watkins, dwi ise i chi edrych ar y darlun yna yn eich meddwl a dweud wrtha i beth ma' Stephen Llewelyn yn 'i wisgo.

Watkins: Beth?

Owen: Na, caewch eich llygaid fel y gallwch chi 'i weld e'n glir; fel y gallwch chi weud wrtha i beth o'dd Stephen Llewelyn yn 'i wisgo nos Sadwrn pan lofruddioch chi fe.

Watkins: Dwi ddim yn cofio.

Owen: O, dewch nawr. Ma'n siŵr bod y darlun yn fyw yn eich cof. Chi wedi gweud 'ny'n barod. Ro'ch chi wedi 'i weld e yng ngoleuade'r car ac wedi 'i nabod. Fe yrroch chi heibio iddo fe, parcio'r car, cydio yn y *crook-lock* a cherdded 'nôl. Ma'n siŵr 'da fi eich bod chi wedi ca'l digon o amser i weld beth o'dd e'n 'i wisgo.

Watkins: Falle, ond dwi ddim yn cofio.

Owen: Dy'ch chi ddim yn cofio beth o'dd e'n 'i wisgo?

Watkins: Nac ydw.

Owen: Na. Ond nid mater o fethu cofio yw ə, Mr Watkins, ond yn hytrach mater o ddim yn gwbod am nad o'ch chi 'na o gwbwl. O'ch chi?'

Dim ond canllath a hanner oedd yna o bencadlys yr heddlu i weddillion diwydiant pysgota'r dref. Pum llong yn unig oedd ar ôl o lynges o dros ddeg ar hugain o longau a hwyliai allan yn blygeiniol o'r harbwr lai na chwarter canrif yn gynharach i ddychwelyd yn llwythog ar y llanw olaf. Ond bellach prin fod yr helfeydd a ganiateid i'r dyrnaid o longau oedd ar ôl i'w dal yn ddigon i roi bywoliaeth i'r perchenogion a'r criwiau. Yng ngeiriau un hen forwr, diwydiant pum llong a dau bysgodyn oedd hi bellach, ond ni welai ef na neb arall unrhyw arwydd o wyrth achubol ar y gorwel – ar wahân i'r marina, ac roedd sawl gŵr busnes lleol a wyddai sut i ffurfio cwmni a benthyca arian yn barod i wthio'r cwch hwnnw i'r dŵr.

Cerddodd Gareth ar hyd y cei heibio i'r pysgotwyr gwialen a lein a eisteddai'n amyneddgar yn eu cadeiriau haul. Roedd Susan Pritchard wedi dweud wrtho dros y ffôn fod ei gŵr yn gwneud gwaith cynnal a chadw ar ei gwch ac na fyddai'n debygol o hwylio tan ail lanw'r dydd. Ni chafodd Gareth drafferth i ddod o hyd i'r cwch, a chyn iddo orfod penderfynu sut roedd yn mynd i ddringo i fyny iddo, fe welodd Mike Pritchard yn symud blychau pren ar ei fwrdd.

'Mr Pritchard!'

'Bore da,' meddai Mike Pritchard yn gyfeillgar gan dynnu sigarét o gornel ei geg. 'Alla i'ch helpu?'

'Gareth Lloyd. Fe gwrddon ni ddoe pan ddethoch chi i'r stesion gyda Ditectif Rowlands,' meddai Gareth, gan symud yn agosach at ochr y cwch.

'O ie,' meddai Pritchard a diflannodd y wên.

'Ma' 'da fi rai cwestiyne pellach i'w gofyn i chi am Stephen Llewelyn.'

'Dwi wedi gweud wrthoch chi bopeth a ddigwyddodd. Do's 'da fi ddim byd arall i'w ddweud.'

'Ond ma' 'na rai pethe yr hoffwn i wbod am Stephen Llewelyn 'i hunan.'

'Alla i ddim eich helpu chi. Cyn iddo fe alw nos Sadwrn, do'n i ddim wedi gweld Stephen ers blynydde. Dwi'n gwbod dim amdano fe ers hynny.'

'Wel, am y blynydde pan o'ch chi'n 'i nabod e dwi ise gwbod.'

'Pam? Be sy 'da 'ny i' neud â hyn i gyd?'

'Dwi ddim yn gwbod, 'na pam dwi am ga'l gair 'da chi.'

Ochneidiodd Pritchard a thaflu gweddillion y sigarét dros ymyl y cwch i'r dŵr. 'Beth y'ch chi ise gwbod?'

Edrychodd Gareth o'i gwmpas a sylwi bod ambell un o'r genweirwyr yn dangos mwy o ddiddordeb ynddo ef a Mike Pritchard nag yn y pysgod.

'Allech chi ddod lawr fan hyn am funud?'

Nodiodd y llongwr ei ben a dringo dros ymyl y cwch gan ddisgyn yn ystwyth ar y cei a sefyll yn anfodlon o flaen Gareth.

'Ro'ch chi a Stephen yn ffrindie da ar un adeg.'

'Nid fi o'dd 'i unig ffrind.'

'Ond atoch chi a'th e pan dda'th e'n ôl i'r dre.'

'Dim ond am mai fi yw'r unig un sy'n dal i fyw 'ma.'

'Beth am Jason Taylor a John Roberts? Ma'n nhw'n dal i fyw yn y dre, ac ro'n i'n deall 'u bod nhwythe hefyd yn ffrindie â Stephen.'

'O'n,' cytunodd Pritchard yn gyndyn.

'Ond atoch chi a'th e. Pam?'

'Am mai fi yw'r unig un sy'n dal i fyw 'ma sy'n berchen cwch. 'Na pam o'dd Stephen am 'y ngweld i. Am 'i fod e am i fi fynd ag e i rywle, fwy na thebyg. Wedes i 'ny wrthoch chi.'

'Ethoch chi ag e i rywle?'

'Pwy? Stephen?'

'Ie.'

'Naddo. Wedes i wrthoch chi, pan gyrhaeddes i Grug yr Angor ro'dd Stephen wedi mynd.'

'Ie, dyna wedoch chi.'

'Ond dy'ch chi ddim yn 'y nghredu i.'

'Dim ond eich gair chi sy 'da ni mai fel'ny o'dd hi. Do's 'da ni ddim tystiolaeth arall i brofi'r hyn ry'ch chi'n 'i weud. A dim ond eich gair chi sy 'da ni fod Stephen hyd yn o'd wedi'ch ffonio chi a gofyn i chi gwrdd ag e ar bwys Crug yr Angor. A gweud y gwir, dy'n ni ddim wedi dod o hyd i unrhyw un a welodd Stephen ar ôl iddo adel eich tŷ chi.'

'Ddim arna i mai'r bai mai fi o'dd y person ola i' weld e.' Ac fe estynnodd i boced ei drowsus am sigarét arall.

'Bydden i'n meddwl mai'r llofrudd o'dd y person hwnnw.'

'A fi yw hwnnw, ife? 'Na beth y'ch chi'n trio'i weud?'

'Cafodd 'i gorff 'i olchi i'r môr. Fe alle fe fod wedi disgyn o gwch …'

'Na.'

'… neu ga'l 'i daflu o gwch.'

'Na!'

Syllodd Pritchard ar Gareth a'r dicter i'w weld yn glir yn ei lygaid. 'Dwi ddim ise siarad â chi,' meddai gan droi i ffwrdd a cherdded i fyny'r cei. Aeth Gareth ar ei ôl a chydio yn ei fraich.

'Pam, be sy ...'

'Dwi wedi gweud y gwir wrthoch chi,' poerodd Mike Pritchard, a'r gwythiennau'n dew, fel rhaffau, ar hyd ei wddwg tywyll. 'Os nad y'ch chi'n 'y nghredu i do's dim pwynt siarad mwy.'

'Ond ma' 'na gwestiyne er'ill dwi am 'u gofyn i chi.'

'Do's 'da fi ddim diddordeb.'

'Ro'ch chi a Stephen yn arfer bod yn ffrindie; ro'ch chi'n un o'i griw e yn yr ysgol.'

'Beth ma' hynny'n 'i olygu? Ro'n ni'n griw o ffrindie, 'na i gyd.'

'Ro'dd Stephen yn gallu neud ffrindie'n hawdd, on'd o'dd e?'

Cododd Pritchard ei ysgwyddau. 'Dwi ddim yn gwbod. Dwi erio'd wedi meddwl am y peth.' Ond roedd yn amlwg i Gareth ei fod e'n dweud celwydd. Roedd yn amau'n fawr a oedd Mike Pritchard wedi meddwl am unrhyw beth arall heblaw Stephen yn ystod y dyddiau diwethaf. Siawns ei fod hefyd wedi sylweddoli mai ei ddefnyddio roedd Stephen am ei wneud. Ac os oedd wedi ei ddadrithio gan ei hen ffrind, fe allai hynny fod o fantais i Gareth.

'Beth amdanoch chi? Odych chi'n 'i cha'l hi'n hawdd i neud ffrindie?'

Cododd a disgynnodd yr ysgwyddau unwaith eto.

'Neu odi hi'n well gyda chi fod ar eich pen eich hunan? Mas ar y cwch heb neb arall o gwmpas. Ai dyna lle'r y'ch chi hapusa, Mr Pritchard?'

'Dyna 'ngwaith i.'

'Ond er bod Stephen yn gallu neud ffrindie'n hawdd,

ro'dd e'n blino arnyn nhw – neu o'n nhw'n blino arno fe – yn weddol gyflym hefyd. Dyna pam ro'dd e'n licio ca'l criw o ffrindie agos o'i gwmpas, rhai o'dd yn fwy ffyddlon, yn fwy dibynnol arno fe. On'd o'dd e? Ac ro'ch chi'n un o'r rheiny.'

Chwarddodd Mike Pritchard ond doedd dim hiwmor yn ei lais, a gwelodd Gareth ei fod wedi gwasgu ar fan tyner iawn.

'Fel wedes i, ro'n ni'n ffrindie da. Ffrindie ysgol, dim mwy na 'ny.'

'Wel, os o'ch chi'n ffrindie da, ma'n siŵr eich bod chi'n gwbod pam adawodd Stephen y dre. Pam redodd e bant ddeng mlynedd 'nôl?'

Gwelwodd Pritchard a siglo'i ben. 'Do'dd e'n ddim byd,' meddai'n dawel.

'Ond ro'dd e'n ddigon i neud i Stephen adel.'

Siglodd Pritchard ei ben eto, nid gydag unrhyw bendantrwydd nac argyhoeddiad, ond er mwyn gwasgaru'r meddyliau oedd yn dechrau casglu.

'Dwi ddim yn cofio.'

'Dwi ddim yn eich credu.'

Edrychodd Mike Pritchard o'i gwmpas fel anifail yn chwilio am ddihangfa. Roedd hyn yn ei boeni yn fwy na chael ei amau o ladd Stephen. Gwyddai ei fod yn ddieuog o hynny. Ei ddicter cyfiawn wrth feddwl bod Gareth wedi awgrymu'r fath beth, ynghyd â'i rwystredigaeth wrth i Gareth bwyso arno oedd i gyfrif am ei ymateb byrbwyll. Ond roedd hyn yn wahanol. Roedd sylfaen gadarn i'w ofidiau nawr.

'Allwn ni fynd i eistedd yn y car?' gofynnodd Pritchard pan welodd fod pawb ar y cei o fewn ugain llath yn syllu'n agored arnynt. Pwyntiodd at Renault coch ar bwys wal y cei. Nodiodd Gareth a cherddodd y ddau at y car.

Tynnodd Pritchard sigarét arall o'r pecyn. Llyncodd y mwg yn ddwfn, cyn ei chwythu yn erbyn ffenest flaen y car.

'Dwi ddim yn gwbod yn iawn ble i ddechre. Dwi ddim wedi gweud hyn wrth neb arall, ddim wrth Susan hyd yn o'd. Falle pe bydden i wedi gweud wrthi hi fe fydde hi'n haws nawr. Ro'ch chi'n iawn, dwi ddim yn un da am wneud ffrindie. Susan yw'r un gymdeithasol yn ein tŷ ni. Dyna pam ma' hi mor dda wrth 'i gwaith. Ma'n well 'da fi fod ar 'y mhen fy hunan.'

Tynnodd eto ar y sigarét. 'Ro'dd Stephen yn hollol wahanol. Ro'dd e'n gallu neud ffrindie'n rhwydd iawn. Neu dyna'r o'n i'n arfer meddwl. Ond dim neud ffrindie o'dd Stephen mewn gwirionedd, ro'dd hi'n fwy fel 'se fe'n casglu pobol, yn 'u casglu nhw ac yn 'u hastudio nhw er mwyn 'u defnyddio. Ond dim ond plant ifanc o'n ni ar y pryd ac yn gwbod dim am gymhlethdode perthynas pobol â'i gilydd. Ro'n ni'n derbyn pobol fel o'n nhw a ddim yn trio deall popeth ro'dd pawb yn 'i neud a'i weud. Ond dyna o'dd Stephen yn 'i neud. Ro'dd e wedi deall yn gynnar iawn mai dyna ma' lot o bobol yn 'i neud.

'Ro'n i yn yr un dosbarth â Stephen drwy'r ysgol gynradd a'r ysgol uwchradd, ac oherwydd hynny yn fwy na dim byd arall, ma'n siŵr, ro'n i'n ca'l 'y nghyfri'n un o'i ffrindie, yn un o'r criw, fel wedoch chi. Ro'ch chi'n iawn am hynny hefyd. Ro'dd 'na saith ohonon ni ro'dd Stephen wedi'n casglu dros y blynydde, merched yn ogystal â bechgyn, ac fe fydde'n bywyde ni'n troi o'i gwmpas e. Bydden ni'n mynd i'w dŷ yn aml, ac i rywun fel fi o'dd yn byw mewn tŷ cyngor, ro'dd cartre Stephen yn fyd hollol wahanol. Do'dd Mam byth adre o'r gwaith cyn chwech o'r gloch ac fe fydden i'n amal yn mynd adre o'r ysgol gyda Stephen. Ro'dd 'i fam e wastad 'na ac yn falch o weld 'i ffrindie.

330

Ro'dd Stephen yn gallu'i throi hi rownd 'i fys bach ac yn mynd mas o'i ffordd i ddangos i ni mor hawdd o'dd hi iddo fe i'w cha'l i roi caniatâd iddo i neud neu i ga'l beth bynnag o'dd e'n moyn. Ar y pryd ro'n i'n meddwl bod hynny'n grêt ac o'n i'n eiddigeddus iawn ohono fe.'

'Beth am 'i dad?'

'Ro'dd 'i berthynas â'i dad yn hollol wahanol. Alle Stephen ddim twyllo'i dad fel ro'dd e'n twyllo'i fam ac ro'dd e'n casáu 'i dad am hynny. Ro'dd e hefyd yn 'i ofni fe. Fydde'i dad ddim yn meddwl dwywaith cyn rhoi Stephen yn 'i le, hyd yn o'd pan fydden ni 'na. Bydde Stephen yn trio neud yn ysgafn o'i dad y tu ôl i'w gefn, ond ro'n ni i gyd yn gwbod mai dim ond sioe o'dd hynny. Ro'dd 'i dad wedi gweld trwyddo fe cyn i ni wneud. Ac ro'dd hynny'n corddi Stephen.'

Sugnodd y mwg olaf o'r sigarét a chwerthin. 'Ac ro'n ni'n meddwl ein bod ni'n arbennig.' Chwarddodd eto a siglo'i ben. 'Arbennig!' Taflodd y sigarét allan drwy'r ffenest a chynnau un arall yn syth.

'Ac nid ni o'dd yr unig rai a feddyliai 'ny, chwaith. Ma'n chwerthinllyd o edrych 'nôl nawr a ninne'n ddim byd mwy na phlant yn meddwl ein bod ni'n gwbod popeth am fywyd. Ond bryd 'ny ro'dd e'n deimlad da ac o'dd e'n dipyn o sbort gweld rhywun o'r tu fas yn trio bod yn ffrindie 'da Stephen. Ro'dd y derbyniad ro'n nhw'n 'i ga'l yn dibynnu'n hollol ar 'u gwerth nhw yng ngolwg Stephen. A beth bynnag o'dd e'n 'i benderfynu, fe fydden ni – y criw – yn cytuno ag e.

'Ro'dd 'na un ferch, ro'dd hi flwyddyn yn iau na ni, ac yn ddwl bared am Stephen. Ro'dd e wedi dawnsio 'da hi unwaith yn disgo Nadolig yr ysgol, dim byd mwy na 'ny, ac ma'n siŵr 'da fi y bydde Stephen wedi anghofio popeth amdani yr eiliad y gorffennodd y ddawns. Ond ro'dd hi'n amlwg bod y digwyddiad yn bwysicach iddi hi. Fe anfonodd hi gerdyn ac anrheg Nadolig i Stephen ond yn lle gadel y peth fan'ny ac aros i weld beth fydde'i ymateb e, fe anfonodd hi lythyron ato fe yn gweud gymaint ro'dd hi'n 'i garu ac yn meddwl amdano fe. Wel, wrth gwrs, bydde Stephen yn darllen y rhain i ni, a bydden ni i gyd yn ca'l sbort am 'i phen. Bydde hi hefyd yn chwilio am ryw esgus i siarad ag e bob dydd yn yr ysgol, ac os nad o'dd Stephen ar ga'l bydde hi'n ein holi ni amdano fe. Ise gwbod popeth amdano fe, beth o'dd e'n 'i hoffi, beth o'dd e'n 'i gasáu, beth o'dd e'n neud yn 'i amser sbâr, i ble fydde fe'n mynd? Ro'dd hi'n byw er mwyn Stephen.

'Ar y dechre ro'dd Stephen yn licio'r sylw ac yn 'i hannog er mwyn neud sbort am 'i phen, ond ar ôl wythnose ac wythnose o hyn gyda dim argoel 'i bod hi'n mynd i roi'r gore iddo fe, fe dda'th hi'n ben tost i ni i gyd. Dechreuodd Stephen alw enwe arni a gweud gymaint ro'dd e'n 'i chasáu ond do'dd hynny'n ca'l dim effaith. Ro'dd hi fel ci bach ar 'i ôl e o hyd. O'r diwedd, fe benderfynodd Stephen y bydde'n rhaid iddo fe neud rhywbeth, rhywbeth a fydde'n rhoi diwedd ar y poeni ond rhywbeth a fydde'n sbort i ni ar yr un pryd.

'Erbyn hynny ro'dd hi'n wylie'r Pasg a dim ond Stephen a finne o'dd o gwmpas. Ro'dd rhieni Stephen wedi mynd i ffwrdd ac ro'dd hynny'n rhoi llawer mwy o ryddid i ni. Dwi'n credu bod 'i fam-gu wedi dod i aros gyda fe i ofalu amdano, ond galle Stephen 'i thwyllo hi fel ro'dd e'n twyllo'i fam.

'Y cynllun o'dd y bydde Stephen yn gwahodd y ferch i *chalet* y teulu, un o'r cabane 'na sy ar Draeth Gwyn. Dim ond fe a hi, cyfarfod cariadon, neu dyna fydde hi'n 'i gredu, ond ro'n i'n mynd i fod 'na hefyd. Y tu fas. Ro'n i i fod i aros nes bod y ddau wedi bod yn y caban am ryw ddeng munud cyn neud rhyw sŵn y bydde'r ddau yn siŵr o'i glywed. Bydde Stephen yn dod mas i weld beth o'dd 'na gan adel y ferch ar 'i phen 'i hunan. Wedyn ro'n ni'n dau'n mynd i roi llond bola o ofn iddi. Ro'dd Stephen wedi torri hen ddolie ro'dd e wedi ca'l hyd iddyn nhw yn rhywle a'u peintio i edrych fel darne gwaedlyd o gyrff, ac fe fydden ni'n dau'n cadw sŵn fel ysbrydion ac yn udo fel cŵn o gwmpas y *chalet* ac yn taflu'r darne o ddolie i mewn ati. Do'dd dim trydan yn y *chalet*, a'r gannwyll fydde Stephen yn dod gydag e fydde'r unig ole yno. Bydde hynny'n neud y cyfan yn fwy erchyll.'

Agorodd Pritchard y pecyn unwaith eto a chynnau ei drydedd sigarét mewn llai na deng munud.

'Dechreuodd hi sgrechian ar unwaith. Ro'dd hi'n cadw mwy o sŵn na ni'n dau ac ro'dd 'i chlywed hi'n sgrechian mor ofnadw a gwbod 'i bod hi wedi 'i dychryn, yn ein hannog ni i'w phoeni hi'n fwy ac i roi mwy fyth o ofn iddi. Dwi ddim yn gwbod am faint y buon ni wrthi, yn rhedeg o gwmpas yn gweiddi, yn udo ac yn curo ochre'r *chalet* a hithe y tu fewn yn sgrechian ac yn begian ar bwy bynnag o'dd wrthi i stopio. Ro'dd hi hyd yn o'd yn gweiddi ar Stephen i neud i bwy bynnag o'dd wrthi i stopio. Ro'dd hi'n dal heb sylweddoli mai Stephen o'dd yn gyfrifol am y cwbwl.

'Ro'n ni'n dau wedi colli ar ein hunain gymaint allen ni ddim stopio nes bod ein lleisie'n gryg a'n gyddfe'n brifo. Erbyn hynny ro'dd y ferch wedi tawelu, ac yn y distawrwydd fe allen ni 'i chlywed hi'n llefain fel plentyn bach. Safai Stephen a finne y tu fas i'r *chalet* yn gwrando arni, yn chwerthin am 'i phen, y chwys yn diferu'n oer arnon ni.

'Dyna pryd y dechreues i sylweddoli beth ro'n ni wedi 'i neud, a phoeni am beth o'dd yn mynd i ddigwydd nesa. Ro'dd hyn yn fwy ac yn wa'th nag unrhyw beth ro'n i –

beth bynnag am Stephen – wedi 'i fwriadu. Dim rhyw sbort tynnu co's a gwneud sbort am 'i phen hi o'dd hyn. Ro'n ni wedi bod yn whare ar feddwl ac ofne person ac ro'dd hynny'n 'y nychryn i. Ond allen i weld wrth wyneb Stephen 'i fod e wrth 'i fodd.

'Ro'dd cywilydd arna i; ro'n i am fynd i mewn i'r *chalet* i weld shwd o'dd hi, ond ar yr un pryd do'n i ddim am iddi 'ngweld i. Do'dd 'da fi ddim syniad beth i' neud, a phan wedodd Stephen wrtha i i fynd adre ro'n i'n falch iawn o ga'l gadel. Dwi'n gwbod y dylen i fod wedi aros. Ro'n i'n gwbod 'ny wrth i fi gerdded lan o'r traeth i'r ffordd fawr 'nôl am y dre. Ond allen i ddim mynd 'nôl.

'Dwi ddim yn gwbod beth ddigwyddodd yn y *chalet* ar ôl i fi adel, ond o nabod Stephen, ma' 'da fi syniad go dda beth alle fod wedi digwydd. Es i ddim i'w weld e drannoeth a dda'th e ddim i 'ngweld i, a'r peth nesa glywes i o'dd 'i fod e wedi rhedeg bant. Dim gair wrth neb. Nos Sadwrn dwetha o'dd y tro cynta i fi 'i weld e ers hynny.'

'Beth am y ferch? Beth ddigwyddodd iddi hi?'

'Dwi ddim yn gwbod. Weles i mohoni ar ôl hynny. Dda'th hi ddim 'nôl i'r ysgol ar ôl y gwylie. Ro'n i'n meddwl, yn gobeithio, ar y pryd falle'i bod hi wedi mynd gyda Stephen a bod popeth yn iawn. Dros yr wthnose wedyn fe fues i'n poeni amdani rhag ofn bod rhywbeth wedi digwydd iddi. Ro'n i'n disgwl gweld ar y teledu neu ddarllen yn y papur 'i bod hi wedi diflannu, ond chlywes i ddim byd. O'r diwedd fe ofynnes i rywun o'dd yn yr un flwyddyn â hi yn yr ysgol ble'r o'dd hi a dwedodd hi 'i bod hi wedi symud i ffwrdd.'

'Glywsoch chi rywbeth amdani wedyn?'

'Naddo.'

'Pwy o'dd y ferch? Odych chi'n cofio'i henw?'

'Odw. Judith Thomas.'

'Falle'i bod hi wedi cwrdd â rhywun ar y ffordd,' meddai Megan Thomas, gan symud yn ôl o'r ffenest. 'Neu wedi mynd am dro. Ro'dd hi'n arfer crwydro tipyn yn y wlad o gwmpas y pentre pan o'dd hi'n ifancach. Ro'dd yn llawer gwell ganddi fod mas yn yr awyr agored na cha'l 'i chau yn y tŷ. Dyna pryd y dechreuodd 'i diddordeb mewn blode. Fe ddylech chi weld y rhosod sy yn 'i gardd hi ac Arwel yn 'u cartref. Ma'n nhw'n wir yn bictwr.'

'Alle hi fod wedi galw i weld rhywun?'

'Ma'n bosib, ond ddwedodd hi ddim 'i bod hi'n bwriadu gneud 'ny'r bore 'ma, er, fe wedodd hi neithiwr yr hoffe hi weld rhai o'i ffrindie. Ma' 'da hi rai ffrindie sy'n dal i fyw yn y pentre, er ddim cymaint nawr â phan symudon ni i fyw 'ma gynta. Dwi ddim yn nabod hanner y bobol sy'n byw 'ma erbyn hyn; ma'r lle wedi newid gymaint − fel pobman arall, ma'n siŵr.'

Nodiodd Carol ei phen i gytuno bod natur cymdeithas − pob cymdeithas − wedi newid. Câi Cyril Adams enaid hoff cytûn ym Megan Thomas. 'Felly dy'ch chi ddim wedi byw 'ma erio'd?'

'O, na. Rhyw ddeng mlynedd sy ers i ni ddod 'ma i fyw. Ro'n ni'n byw yn y dre cyn hynny. Ro'dd hi'n llawer mwy cyfleus byw yno, ond do'dd y lle ddim yn cytuno â Judith; ro'dd hi'n ferch dawel, yn llawer rhy sensitif i holl sŵn a rhuthr y dre.'

'Ond ma' hi'n byw yno nawr.'

'O odi, symudodd hi'n ôl pan briododd hi Arwel. Ro'dd hi'n llawer gwell erbyn 'ny, beth bynnag. Priodi Arwel o'dd y peth gore ddigwyddodd iddi; fe dynnodd e hi mas o'i hunan.'

'O'dd hi wedi bod yn sâl?'

'Na ... ddim yn sâl yn hollol. Do'dd 'i nerfe hi ddim wedi bod yn dda. Fel wedes i, do'dd hi ddim fel y plant er'ill.'

'Odi hi'n sâl nawr?'

'O na, ro'dd hi wedi gwella cyn iddi briodi Arwel.'

'Pryd o'dd hynny?'

'Ma'n nhw newydd ddathlu seithfed pen blwydd 'u priodas.'

'Felly rhyw wyth mlynedd sy ers i Judith fod yn sâl?'

'Nage,' meddai Megan Thomas, yn amlwg yn anfodlon bod y sgwrs yn dal i droi o gwmpas salwch Judith. 'Ma'n agosach i ddeng mlynedd ers hynny. A do'dd e'n ddim byd mawr. Dim ond fel wedes i, bod Judith yn ferch dawel, ddim fel y plant er'ill yn yr ysgol; do'dd hi ddim yn hoffi holl awyrgylch y lle. Fe wellodd hi ar ôl i ni symud i fyw yma.'

'Gyda'r ysgol, yn hytrach na'r dre, ro'dd hi'n anhapus?'

'Ie, ond gyda'r plant o'dd yn yr ysgol yn benna. Ro'dd rhai o'r plant yn ymddwyn mor fawreddog. Plant y dre'n meddwl bod 'u teuluoedd nhw'n well. Ro'n nhw'n edrych lawr 'u trwyne ac yn sarhaus o blant o'dd yn dod o gefndir mwy cyffredin.'

'Pa effaith gafodd hyn ar Judith?'

'Collodd hi flas ar bopeth. Ro'dd hi wedi neud yn ddigon da yn 'i harholiade Lefel O ac wedi dechre ar ei chwrs yn y chweched dosbarth, ond yna'n sydyn iawn ar ddiwedd gwylie'r Pasg dyma hi'n gweud nad o'dd hi am fynd 'nôl i'r ysgol.'

'A dyna pryd a'th hi'n sâl.'

Oedodd Megan Thomas unwaith eto cyn ateb. Un peth oedd sôn am ergydion allanol y byd, ond roedd crybwyll salwch ei merch yn hollol wahanol. Yn enwedig, fel yr oedd Carol yn barod i fentro erbyn hyn, gan mai salwch meddwl oedd hwnnw. Roedd hynny'n rhywbeth personol, teuluol, mewnol na ellid ei feio ar neb arall, ac yn rhywbeth i gywilyddio o'i herwydd. Gwir neu beidio, roedd hi'n amlwg mai dyna a gredai Megan Thomas.

'Ie. Fe dries 'i pherswadio i fynd 'nôl, neu o leia i fynd i siarad â'r prifathro, ond do'dd hi ddim ise'i drafod e gyda neb. Ro'dd hi wedi penderfynu gadel a dyna hi. Ro'n i ar fy mhen fy hunan ac fe allen i weld 'i bod hi o dan straen, ac ro'dd hi mor bendant 'i meddwl fel na wasges i'n rhy galed arni. Ro'n i'n meddwl y bydde hi'n gwella ar ôl i fi gytuno â hi ond nid felly fuodd hi. Ro'dd 'da fi fodryb yn byw yn Ystrad Meillion a dyna pam y symudon ni i fyw yma gan obeithio y bydde newid tŷ ac ardal yn helpu.'

'Na'th e helpu?'

'Ddim ar unwaith, naddo. Bu'n rhaid iddi ga'l help, ond gydag amser fe wellodd hi. Ond Arwel, yn fwy na neb arall, na'th y gwahaniaeth. Pan gwrddodd hi ag e fe newidiodd hi'n llwyr; cafodd hi fywyd newydd, ac ma'r ddau yn hapus dros ben. Ro'n i'n ofni'n fawr pan glywes i gynta bod mam Ben am 'i ga'l e'n ôl pa effaith y bydde hynny'n 'i ga'l ar Judith. Fe alle fe fod wedi effeithio'n ddrwg iawn arni. Ond, diolch byth, hyd yn hyn dyw hi ddim gwaeth.'

Owen: O'ch chi?

Watkins: Oeddwn! Oeddwn, dwi wedi dweud wrthoch chi.

Owen: Do'ch chi ddim yn agos i'r lle. Dyw'r tyst ddim wedi neud camgymeriad. Ro'ch chi yn eich swyddfa tan hanner awr wedi un ar ddeg, a phan adawoch chi, y Vitara, car eich gwraig, ro'ch chi'n 'i yrru.

Watkins: Nage. Dyw hynny ddim yn wir.

Owen: Ac os o'ch chi'n gyrru car eich gwraig nos Sadwrn, pa gar yrrodd hi i Ystrad Meillion? Os mai dim ond dau gar sy 'da chi, ma'n rhaid 'i bod wedi gyrru'ch car chi.

Watkins: Naddo.

Owen: Hi o'dd yn gyrru'r Honda Prelude ...

Watkins: Nage.

Owen: Hi gafodd y ddamwain wrth yrru i ffwrdd o Grug yr Angor ...

Watkins: Nage!

Owen: Ar ôl iddi ladd Stephen Llewelyn.

Watkins: Nage! Nage!

Jones: Dy'ch chi ddim o ddifri, do's bosib, inspector?

Owen: Dwi'n credu bod Mr Watkins yn euog o geisio gwyrdroi cwrs cyfiawnder drwy amddiffyn 'i wraig.

Jones: Hanner munud, nawr. Dwi'n adnabod Judith Watkins ers blynyddoedd, a dwi ddim yn derbyn am eiliad y gallai hi ladd unrhyw un.

Owen: Ry'ch chi wedi clywed cymaint ag yr ydw i, Mr Jones, ac ma'n siŵr y byddech chi'n cytuno nad yw cyf-addefiad eich cleient yn un sy'n mynd i ddal dŵr yn hir. Mae 'i barodrwydd i gyffesu tra bod yna dystiolaeth gref iawn yn dweud na alle fe fod wedi bod yn agos i fan y llofruddiaeth ar yr amser iawn, yn neud i ddyn ame cywir-deb 'i gyffes. Ond mae 'i ddisgrifiad o'r hyn ddigwyddodd yn fy nharo i, ac wedi fy nharo o'r dechre, fel stori ail law. Mae'n fwy fel disgrifiad trydydd person o'r hyn ddigwydd-odd ac nid profiad rhywun o'dd yno. Ma'r manylion nad o'dd y wasg yn gwbod amdanyn nhw yno i gyd, ond ma'r ffaith syml na all Mr Watkins ddisgrifio'r hyn o'dd Stephen Llewelyn yn 'i wisgo yn brawf clir i fi nad o'dd e yno. Dwi'n siŵr y galle'r llofrudd iawn weud hynny wrthon ni. Dwi'n credu mai wedi clywed am y digwyddiade gan ryw-un o'dd yno ma' Mr Watkins. Nawr pwy y'ch chi'n credu y bydde wedi gweud hynny wrtho fe?

Jones: Nid Judith. Pam fyddai hi am ladd Stephen Llew-elyn?

Owen: I'w hamddiffyn 'i hun a'i gŵr. Ro'dd y ddau ohonyn nhw wedi bod yn dwyn arian o gyfri Stephen Llewelyn ers …

Watkins: Does gan Judith ddim byd i'w wneud â hynny. Dyw hi ddim hyd yn oed yn gwybod am y cyfri.

Owen: Pam laddodd hi Stephen 'te?

Jones: *Chief Inspector* Owen! Allwch chi ddim gofyn hynny,

ac os ydych chi'n mynnu nad oedd Mr Watkins yng Nghrug yr Angor pan lofruddiwyd Stephen Llewelyn, yna allwch chi ddim disgwyl iddo roi tystiolaeth am yr hyn ddigwyddodd yno.

Owen: Gofyn am gymhelliad ydw i.

Jones: Ond drwy wneud hynny rydych chi'n cymryd yn ganiatâol mai Mrs Watkins lofruddiodd Stephen.

Owen: Ma' hynny'n edrych yn fwy tebygol bob munud.

Jones: Gwaith y llys fydd penderfynu hynny, ond dwi ddim yn credu y daw hi i hynny. Ac os nad oes gennych chi ragor o gwestiynau perthnasol i'w gofyn i Mr Watkins ...

Owen: Dwi'n dal ise gwbod beth ddigwyddodd nos Sadwrn. Ma' 'na orie er pan ofynnes i hynny gynta, a dwi'n dal yn disgwyl i Mr Watkins weud y gwir wrtha i.

Jones: Ond allwch chi ddim gofyn hynny, ddim os yw hynny'n golygu eich bod yn disgwyl iddo fe ddyfalu beth ddigwyddodd yng Nghrug yr Angor.

Owen: Dwi ddim ond yn disgwl iddo fe weud beth mae e'n 'i wbod. Dweud be na'th e nos Sadwrn. Fe gewn ni gyfle i holi Mrs Watkins be na'th hi nes mla'n.

Jones: Byddwch chi'n gwastraffu'ch amser.

Watkins: Ydych chi'n mynd i holi Judith?

Owen: Odyn.

Watkins: O fewn yr oriau nesa?

Jones: Ond mae Mr Watkins wedi dweud wrthoch chi ...

Watkins: Mae'n iawn, Richard. Os ydyn nhw'n amau Judith, dyw hi ddim yn mynd i gael llonydd, ac os bydd ateb eich cwestiynau nawr, inspector, yn mynd i leihau ychydig ar y pwysau fydd arni, yna dwi'n barod i'w hateb nhw.

Owen: Dim ond un cwestiwn sy 'da fi, Mr Watkins, un syml iawn. Beth ddigwyddodd nos Sadwrn dwetha?

Edrychodd Carol Bennett ar ei horiawr a phenderfynu ei bod wedi aros digon; os mai mynd i'r siop ar neges wnaeth

Judith Watkins, fe ddylai fod wedi hen ddychwelyd erbyn hyn. Ac roedd rhywbeth arall yn dechrau ymwthio o gefn ei meddwl gan ychwanegu at ei hanesmwythyd.

'Allech chi ffonio'r bobol y dwedodd Judith neithiwr yr hoffai 'u gweld?' gofynnodd i Megan Thomas.

'Ond ddwedodd hi ddim yn bendant y bydde hi'n mynd yno. Dim ond wedi mynd ar neges i'r siop ma' hi.'

'Faint o amser ddyle hynny gymryd?'

Edrychodd Megan Thomas dros ei hysgwydd i gyfeiriad y ffenest. 'Mae'n siŵr o fod ar y ffordd,' meddai.

'Ble ma'r bobol hyn yn byw?'

Ochneidiodd Megan Thomas a'i thynnu ei hun i fyny o'r gadair. 'Fe a' i i'w ffonio nhw.'

Cerddodd Carol at y ffenest a thynnu'r llenni rhwyd o'r neilltu yn ddiamynedd. Gwelai ei char ei hun a'r Vitara gwyn o flaen y tŷ ond cuddiai'r clawdd bythwyrdd y ffordd a arweiniai yn ôl at y pentref. Edrychodd yn obeithiol i'r cyfeiriad hwnnw am rai eiliadau cyn gadael i'r llenni lithro'n ôl i'w lle. Dwrdiodd ei hun am beidio â mynd i'r siop i chwilio am Judith yn syth ar ôl iddi ffonio Clem Owen. Roedd hi'n weddol amlwg bryd hynny fod y prif arolygydd yn ystyried Judith Watkins yn dyst pwysig, yn ddigon pwysig iddo siarsio Carol i'w dwyn hi'n ôl i'r dref cyn gynted ag y gallai er mwyn iddo ef ei holi. Fe ddylai fod ...

'Dy'n nhw heb 'i gweld hi,' meddai Megan Thomas o'r drws.

'O's 'na rywle arall y galle hi fod wedi mynd?'

'Wel, ma' 'na ffrindie er'ill gyda hi 'ma.'

'Newch chi 'u ffonio nhw 'te, Mrs Thomas, tra a' i i lawr i'r siop rhag ofn 'i bod hi'n dal yno?'

'Dy'ch chi ddim am i fi ddod gyda chi?'

'Na, ma'n well i chi aros fan hyn. Rhag ofn iddi gyrra'dd 'nôl o 'mla'n i.'

Yn lle gwastraffu amser yn troi ei char, rhedodd Carol y canllath o'r tŷ i'r siop. Gwichiodd gwaelod rwber y drws yn erbyn y llawr wrth iddi ei wthio ar agor. Edrychodd heibio'r rhewgell a'r silffoedd isel o duniau a phacedi i gyfeiriad y cownter, ond doedd neb yno. Yn ymyl y cownter roedd drws a arweiniai allan i gefn y siop, ac ar ochr dde hwnnw roedd cownter arall. Roedd hwn wedi ei amgylchynu â gwydr ac arno bosteri yn hysbysebu amrywiol wasanaethau'r swyddfa bost. O'i flaen, yn defnyddio un o'r gwasanaethau hynny cyn iddynt ddiflannu am byth, safai hen wraig fechan gefngrwm.

Wrth i Carol agosáu ati ymddangosodd dyn o'r tu ôl i un o'r posteri a'i chyfarch.

'Chwilio am Judith Watkins ydw i,' meddai Carol wrtho.

'Pwy?' gofynnodd y dyn gan ledu ei fysedd cadarn ar wyneb y cownter a phwyso ymlaen tuag at Carol.

'Judith Watkins, merch Mrs Megan Thomas, Gwernfelen.'

Siglodd y dyn ei ben. 'Na, ma'n ddrwg 'da fi, dwi ddim yn 'i nabod hi.'

'Ro'dd hi mewn 'ma gynne,' meddai'r wraig fechan gan wthio rhes o stampiau i mewn i'w phwrs.

'Faint sy ers hynny?' gofynnodd Carol.

'Ugain munud, hanner awr.'

'Ble'r o'dd hi pan welsoch chi hi?'

'Yn bwrw draw am Lôn y Mynydd. Do'dd hi ddim mewn hwylie da. Wedes i "bore da" wrthi ond fe wthiodd hi heibio i fi fel petawn i ddim 'na.'

'Lôn y Mynydd,' meddai Carol ar draws cwyn y wraig. 'I ba gyfeiriad ma' hynny?'

'I'r dde tu fas fan hyn ac i'r dde 'to ar bwys y dafarn.'

'Falle bod y cwestiwn yn un syml, ond dwi'n ofni na fydd

yr ateb yr un mor syml. Roeddech chi'n sôn gynnau am gymhelliad, inspector, wel fe hoffen i roi ychydig o gefndir hyn i gyd i chi. Mae'r cyfan yn dechrau ac yn gorffen gyda Stephen Llewelyn. Dwi ddim yn enedigol o'r dre, a wydden i ddim am Stephen nes i Edgar Jarvis ofyn i fi chwe blynedd yn ôl i fynd i Lundain ar ran y cwmni i gwrdd â Stephen ac i drefnu agor cyfri banc ar ei gyfer. Roeddwn i wedyn i drosglwyddo manylion y cyfri hwnnw i fanc ei fam fel y gallen nhw drosglwyddo dwy fil o bunnoedd y mis i'r cyfri yn Llundain. Mae'n debyg eich bod chi'n gwybod am hynny i gyd yn barod, a'r ffaith mai fi ac nid Stephen sy wedi bod yn codi arian o'r cyfri hwnnw byth ers hynny; yr hyn nad ydych chi'n ei wybod yw pam 'mod i wedi bod yn gwneud hynny. Beth oedd fy nghymhelliad.

'Pan ddwedais i wrth Judith 'mod i'n mynd i Lundain, a'r rheswm am fy nhaith, alla i ddim disgrifio'r effaith gafodd hynny arni. Pan glywodd hi enw Stephen Llewelyn fe newidiodd o fod yn berson hapus ac, fel y credwn i, heb ofal yn y byd, i fod yn berson emosiynol ac ansicr. Do'n i erioed wedi ei gweld fel yna, a doedd gen i mo'r syniad lleia pam y byddai enw Stephen Llewelyn yn peri'r fath boen iddi. Roeddwn i'n gwybod bod Judith wedi byw yn y dre nes ei bod hi'n ddwy ar bymtheg, ond feddylies i ddim am eiliad y byddai hi'n ei adnabod ef.

'Dechreuodd ladd arno'n ffyrnig ond heb ddweud wrtha i pam roedd hi'n ei gasáu a beth roedd e wedi 'i wneud iddi, dim ond dweud ei fod e'n berson ofnadwy a'i fod e'n dinistrio popeth roedd e'n ei gyffwrdd, nad oedd e'n poeni dim am neb ond amdano fe'i hun a'i fod yn llygru pawb a ddeuai i gysylltiad ag e. Doedd hi ddim am i fi gael dim i'w wneud ag ef, ac os oedd cwmni Jarvis ac Evans yn delio â'i fusnes, yna roedd yn rhaid i fi adael y cwmni.

'Gofynnais i iddi beth roedd Stephen wedi 'i wneud ond

gwrthododd yn lân â dweud, dim ond cario ymlaen i ladd arno fe. Wel, os nad oedd hi'n barod i ddweud wrtha i beth oedd yn bod, doedd dim byd y gallen i ei wneud i'w helpu. Roedd y noson honno yn un hunllefus. Fe berswadiais i Judith i gymryd tabled i'w helpu i gysgu ond chysgais i bron dim. Roedd y cyfan ddigwyddodd yn yr ychydig oriau hynny wedi newid ein bywydau'n llwyr. Ond po fwya roeddwn i'n meddwl am y peth, roeddwn i'n fwyfwy sicr o un peth, roeddwn am ddod i wybod mwy am Stephen Llewelyn.

'Drannoeth, ar ôl cael ei mam i ofalu am Judith, fe es i'r swyddfa a gofyn i Edgar Jarvis beth oedd cefndir Stephen. Doedd e ddim yn barod i'w drafod ond fe glywaist ti, Richard, fi'n gofyn ac fe ges i ei hanes i gyd gyda ti, yn ogystal â chipolwg ar adroddiad y ditectif a ddaeth o hyd iddo fe yn Llundain. Roedd hynny'n ddigon i fi gael gwybod sut berson oedd Stephen Llewelyn ac i gytuno â'r hyn roedd Judith wedi 'i ddweud amdano. Gwnaeth hynny bethau rywfaint yn haws y noson honno. Wnes i ddim pwyso ar Judith i ddweud wrtha i pam roedd hi wedi ymateb mor wyllt, ond roedd hi'n dal i ddioddef ac yn dal i fynnu nad oeddwn i i fynd i Lundain. Er hynny, roedd hi'n ymddwyn yn fwy rhesymol ac yn barod i siarad am Stephen a'r hyn a ddigwyddodd.

'Pan oedd Judith yn un ar bymtheg oed roedd Stephen Llewelyn wedi … wedi ei threisio. Roedd gormod o ofn a chywilydd arni i ddweud wrth neb ar y pryd, ond doedd Stephen ddim i wybod hynny a dyna pam y gadawodd e'i gartre mor ddisymwth a dianc i Lundain. Roedd ofn y canlyniadau arno fe, ac yn lle eu hwynebu fe ddihangodd. Wel, falle'i fod wedi dianc unwaith ond roedd gen i gyfle nawr i wneud iddo dalu. Felly, er gwaethaf dymuniad Judith, fe es i Lundain fel roeddwn i wedi cytuno i'w wneud.

'Yn ystod y daith ar y trên fe ges i gyfle i feddwl am y sefyllfa a bu'n rhaid i fi gyfadde, er gwaetha'r awydd cryf am ddial y cam roedd e wedi ei wneud â Judith, nad oedd yna ddim y gallwn i ei wneud. Roedd gen i ryw syniad o fynd at yr heddlu a'u cael nhw i ddod gyda fi i gwrdd â Stephen. Ond beth wedyn? Petawn i'n ei gyhuddo o dreisio Judith fe fyddai hynny a'r achos llys, os deuai i hynny, yn gwneud mwy o ddrwg nag o les i Judith. Felly erbyn i fi gyrraedd Llundain roeddwn i'n ddigalon iawn ac yn difaru na fydden i wedi gwrando ar Judith ac wedi gwrthod mynd. Ond os na allen i wneud iddo dalu am ei drosedd, yn sicr allen i ddim bwrw ymlaen â'r trefniadau i'w helpu i dderbyn arian ei fam. Petai Eirlys Llewelyn yn gwybod am yr hyn wnaeth e i Judith, fydde hi byth wedi trefnu rhoi'r arian iddo. Ac wrth geisio datrys y broblem honno y ces i'r syniad o wneud i Stephen dalu mewn ffordd wahanol am yr hyn yr oedd wedi ei wneud.

'Wnes i ddim ymgais i ddod o hyd iddo. Doeddwn i ddim am wastraffu amser yn gwneud hynny, ac yn bendant doeddwn i ddim am ei weld e. Yn lle hynny fe agorais i gyfri banc fy hun yn ei enw fel y gallwn i ddefnyddio'r arian ar Judith. Dwi ddim wedi defnyddio'r arian hynny arna i'n hunan. Iawndal i Judith oedd e, a phrynu pethau iddi hi dwi wedi 'i wneud ag e bob tro. Pethau'r oedd hi'n eu haeddu ar ôl yr hyn wnaeth Stephen i ddinistrio'i bywyd. A dyw hynny ddim yn or-ddweud.

'Soniodd Richard gynnau am y ffaith ein bod ni wedi trio mabwysiadu plentyn. All Judith ddim cael plant. Mae ei *fallopian tubes* wedi cau, ac er bod pob meddyg rydym wedi ei weld yn dweud bod hyn yn rhywbeth mae miloedd o wragedd yn diodde ohono, mae Judith yn argyhoeddedig mai'r ffaith fod Stephen wedi ei threisio sy'n gyfrifol am hynny. Mae'n ei tharo'n galed ar brydiau, ac ar yr adegau hynny fe fydd hi'n diodde'n ddrwg iawn o iselder.

'Mae'r hyn ddwedais i am y ddau ohonon ni'n dychwelyd o Lundain brynhawn dydd Sadwrn yn berffaith wir; wedi bod i ffwrdd am ychydig o ddyddiau er mwyn trio tynnu meddwl Judith oddi ar golli Ben oeddwn ni. Roedd Judith wedi mynd i'r gwely pan adewais i'r tŷ am y gwaith. Mae'r ferch, y tyst, yn iawn, am hanner awr wedi un ar ddeg adawais i'r swyddfa, ac roedd hi bron yn chwarter i ddeuddeg pan gyrhaeddais i adre. Roedd Judith yn y gwely ac roeddwn i'n credu mai yno fuodd hi tra oeddwn i allan.

'Amser cinio brynhawn dydd Mawrth roeddwn i gartre pan ddaeth y newyddion ar y radio mai corff Stephen Llewelyn oedd wedi ei ddarganfod ar Graig y Bwlch. Pan glywais ei enw, fe droais i at Judith i weld beth fyddai 'i hymateb. Edrychodd arna i'n dawel ac yna fe wenodd a dweud, "Fi laddodd e". Doeddwn i ddim yn ei chredu hi ond fe aeth yn ei blaen i ddweud ei bod hi wedi methu cysgu ar ôl i fi adael y tŷ a'i bod hi wedi codi a mynd i weld ei mam. Roedd hi wedi trio fy ffonio i ddweud ei bod hi'n mynd ond roedd ffôn y swyddfa'n brysur. Cyn gadael tŷ ei mam fe ffoniodd adre a chael dim ateb yno, wedyn fe ffoniodd hi'r swyddfa ond roedd y ffôn yn brysur eto, felly dyma hi'n penderfynu galw yno ar ei ffordd adre er mwyn fy nhynnu i o'r gwaith. Doedd hi ddim am i fi orflino ar ôl diwrnod hir.

'Petawn i ddim wedi mynd i'r gwaith fyddai Judith ddim wedi gyrru heibio Crug yr Angor. Neu petawn i wedi mynd adre cyn iddi ffonio o dŷ ei mam, neu pe na fydden i wedi mynd i'r gwaith o gwbwl … Mae'r hyn ddigwyddodd ar bwys Crug yr Angor yn union fel y dwedais i wrthoch chi, fel y dwedodd Judith wrtha i. Yr unig wahaniaeth oedd nad fi laddodd Stephen Llewelyn, ond fi ddylai fod wedi ei ladd e.'

Er mai esgidiau sawdl isel a wisgai Carol, roedd wyneb caregog ac anwastad Lôn y Mynydd yn ei baglu bron bob cam a gymerai. Cadwodd at y rhimyn cul o borfa a dyfai yng nghanol y llwybr ar y dechrau, ond nid oedd hwnnw mor wastad ag yr edrychai a bu'n rhaid iddi gamu'n ofalus rhag iddi syrthio. Ar ôl rhyw drigain llath daeth at glwyd bren ar draws y llwybr, a chadwyn a chlo yn ei sicrhau i foncyff ffawydden. Dringodd Carol i ben y glwyd ac edrych dros y cloddiau. Gwelai ar y naill ochr iddi, ac i fyny hyd at hanner y mynydd, gaeau gwyrdd a melyn; rhai yn ir gan gnydau a'r lleill yn llwythog gan gydau du anferth. Draw ar lethr y mynydd, yn y cae uchaf a gâi ei drin, roedd dau dractor yn symud yn ôl ac ymlaen yn araf o dan yr haul crasboeth. Yn uwch i fyny, yn wasgaredig ar y mynydd, roedd diadelloedd o ddefaid, ond nid oedd neb i'w weld yn y caeau agosaf nac ar y llwybr o'i blaen.

Disgynnodd Carol i lawr ochr arall y glwyd a chadw at y llwybr, ond am na welai Judith yn unman, roedd wedi colli llawer o'i phendantrwydd blaenorol. Roedd hi'n amlwg fod y llwybr yn arwain i fyny'r mynydd lle nad oedd neb ond y dynion yn torri silwair. Ble ar wyneb y ddaear roedd Judith Watkins wedi diflannu? Dechreuodd Carol ei hamau ei hun. A oedd hi wedi mynd o flaen gofid a dychmygu bod rhywbeth wedi digwydd iddi? Efallai ei bod hi wedi cyrraedd adref erbyn hyn a'i mam yn dweud wrthi fod yr heddlu'n holi amdani ... Efallai mai dyna pryd y dylai Carol ddechrau poeni.

Yn rhan o'r clawdd ar yr ochr dde roedd rhes o goed ffawydd a daflai gysgodion trwchus dros y llwybr, ac roedd Carol wedi cerdded heibio i'r bwlch rhwng dwy o'r coed cyn iddi sylweddoli ei fod yno. Trodd yn ei hôl ac edrych yn agosach ar y gwair uchel roedd rhywun wedi 'i wthio naill ochr wrth wasgu drwy'r bwlch. Gwnaeth Carol yr un peth wrth iddi gamu o Lôn y Mynydd i mewn i'r cae lle'r oedd yna lwybr troed arall. Dilynai hwn y clawdd ac arwain yn ôl i gyfeiriad Ystrad Meillion. Roedd hi'n amlwg o'r drain a'r tyfiant trwchus ar ei wyneb nad oedd yna fawr o ddefnydd ar y llwybr, ond roedd Carol yn siŵr y byddai rhywun oedd wedi byw yn y pentref am flynyddoedd ac yn hoff o grwydro'r ardal yn gwybod amdano.

Dechreuodd Carol redeg, a'i phenderfyniad newydd yn ei chario ymlaen er gwaetha'r peryglon cudd o dan y drysni oedd yn barod i'w baglu. Llithrai ei thraed ar dwmpathau pridd a thrywanai ymylon miniog pob carreg drwy wadnau tenau ei hesgidiau, ond nid arafodd. Crafai'r drain ei choesau a chydio yn ei ffrog, ond cadwodd Carol at y llwybr a wyrai i'r dde yng nghysgod y clawdd i lawr tuag at glwstwr o goed ynn a draenen ddu yn y pant islaw. Neidiodd Carol i ben y clawdd ac edrych i lawr am y pentref gan weld dim ond caeau gwastad, gwag. Trodd i gyfeiriad y pant a ymddangosai fel gwerddon groesawgar yng nghanol eangderau'r llethrau.

Wrth iddi agosáu ato, gwelai Carol ffens bren ac ambell ddarn hirsgwar o sinc rhydlyd yn hongian arni – gweddillion y llociau dipio a gâi eu defnyddio ar un adeg gan bob fferm a gadwai ddefaid ar y mynydd. Roedd hi'n amlwg i Carol o gyflwr y lle nad oedd neb wedi golchi eu defaid yno ers blynyddoedd, ond eto roedd naws y dyddiau hynny'n dal i oedi, fel niwlen ysgafn y bore, yn y cwm. Synhwyrai Carol fod yna lonyddwch i'w gael yno a'i hatgoffai o Draeth Gwyn; doedd ryfedd yn y byd mai yno roedd Judith wedi dianc pan bwysai'r byd yn drwm arni.

Cerddodd Carol yn araf i lawr y llethr at y coed. Bu gafael y tywydd poeth yn dynn ar yr ardal gyfan ers wythnosau gyda dim byd ond ambell gawod o law i dorri ar yr undonedd. Roedd sawl afon fechan wedi sychu'n llwyr, a'r gronfa ddŵr wedi disgyn i'w lefel isaf ers degawd, ond yma yng nghysgod y coed roedd sŵn siffrwd y pistyll i'w glywed yn glir. Gwthiodd ganghennau onnen o'r neilltu a gwelodd Judith Watkins yn gorwedd ar ei hwyneb yn y dŵr, ac er iddi ofni mai dyma fyddai'n ei disgwyl, ni allai Carol lai nag ymateb ag ochenaid o siom wrth ei gweld yn troi'n araf yn y dŵr; yr unig arwydd o fywyd oedd y nant fechan a lifai'n ddi-baid i'r llyn.

Tynnodd Carol ei hesgidiau, clymu gwaelod ei ffrog rhwng ei choesau a chamu i mewn i'r dŵr. Roedd y llyn yn ddyfnach nag yr oedd wedi meddwl a llyncodd ei hanadl yn sydyn pan suddodd at ei chanol yn y dŵr rhewllyd. Symudodd yn araf gan deimlo canghennau a gwreiddiau'n crafu ei choesau, a gan hanner cerdded a hanner nofio llwyddodd i gyrraedd Judith Watkins heb syrthio. Estynnodd Carol am ei llaw, a gyda'r cyffyrddiad lleiaf, trodd Judith yn araf tuag ati mewn hanner cylch. Cydiodd Carol ynddi dan ei cheseiliau, ei throi ar ei chefn a dechrau ei thynnu at yr ochr. Roeddynt o fewn dwylath i'r lan pan deimlodd Carol ei thraed yn llithro yn y llaid. Estynnodd am gangen a bwysai'n isel dros y llyn, ond llithrodd ei thraed eto a disgynnodd dros ei phen i'r dŵr. Collodd ei gafael ar Judith, ac wrth iddi godi i'r wyneb drachefn fe drawodd yn ei herbyn a gwthiodd pwysau llonydd y corff Carol yn ôl i'r dyfnder. Pan gododd yr eildro roedd Judith yn ymyl y lan a nofiodd tuag ati.

Crafangodd Carol ei ffordd allan o'r llyn, ac er ei bod hi bron ag ymlâdd erbyn iddi gael ei thraed ar y geulan, nid arhosodd am seibiant nes ei bod wedi llusgo Judith yn glir o'r dŵr. Penliniodd yn ei hymyl ac agor ei cheg i'w lanhau o fudreddi. Yna, gan wthio pen Judith yn ôl a rhoi ei llaw dros ei thalcen a'i thrwyn, dechreuodd Carol geisio adfer ei hanadl. Tair gwaith yn ystod yr ugain munud ddilynol fe gredai ei bod wedi llwyddo, ei bod wedi dod o hyd i guriad neu anadl, dim ond i'w golli drachefn. Bu'n rhaid iddi gyfaddef o'r diwedd nad oedd yno fywyd. Safodd ar ei thraed yn crynu gan oerfel ac ymdrech. Ymddiheurodd i Judith Watkins am fethu â'i hachub a dechrau cerdded yn ôl am y pentref. Erbyn iddi gyrraedd Ystrad Meillion i ffonio am gymorth i gludo Judith o'r cwm, roedd yr haul cynnes wedi sychu ei dillad, ond dim ond yn ei gwely y noson honno ar ôl iddi lefain – amdani hi ei hun ac am Judith – y dechreuodd Carol gynhesu.

Cododd Gareth Lloyd y bocs o'r ddesg a'i ychwanegu at y tri deg un arall oedd ar ganol y llawr yn barod i'w gludo i'r stordy. Roedd yr ymchwiliad i lofruddiaeth Stephen Michael Llewelyn ar ben ac yn y bocsys hyn roedd swm a sylwedd gwaith dros gant o bobl dros y pum niwrnod diwethaf. Swyddogion Gwasanaeth Erlyn y Goron fyddai'r nesaf i gael y fraint o olrhain datblygiad Stephen o'i lencyndod breintiedig a maleisus i'w lawn dwf hunanol ac ysglyfaethus. Ond Arwel Watkins, ac nid Stephen Llewelyn, fyddai o flaen ei well bryd hynny; Arwel Watkins fyddai'n wynebu cyhuddiadau o dwyll a lladrad ac o geisio gwyrdroi cwrs cyfiawnder.

Byddai Gareth yn disgwyl i fargyfreithiwr Arwel Watkins ddadlau i'r cyfan ddeillio o'i awydd i gael iawn i'w wraig am y cam a wnaed iddi gan Stephen, a'r ffaith ei fod yn amau a gâi hi gyfiawnder drwy'r llysoedd. Ond pa farnwr fyddai'n derbyn yr amddiffyniad hwnnw a'r feirniadaeth o'r gyfundrefn yr oedd ef yn ei gynrychioli, yn enwedig gan fod Arwel Watkins ei hun yn rhan o'r gyfundrefn honno? Fe fyddai'n llawer parotach derbyn mai dial oedd cymhelliad Arwel ac mai dial oedd Judith hefyd pan lofruddiodd hi Stephen.

Ond beth bynnag fyddai'r llys yn ei benderfynu, fe

wyddai Gareth y byddai nifer yn sicr yn barod i dderbyn nad oedd gan Arwel a Judith y mymryn lleiaf o ffydd yng ngallu'r llys i weinyddu cyfiawnder. Ac os oedd un o weision y llys yn wirioneddol gredu hynny, pwy yn y byd allai weld bai ar bobl gyffredin oedd wedi hen flino ar anallu'r llysoedd i reoli torcyfraith am droi at gwmnïau diogelwch, ac nid at yr heddlu, i ofalu am eu hanwyliaid a'u heiddo a dechrau gweinyddu eu cyfiawnder eu hunain ar ddrwgweithredwyr.

Edrychodd Gareth o gwmpas yr ystafell ac ar yr offer a'r sbwriel oedd wedi cronni yno; câi'r staff clerigol a'r glan-hawyr eu clirio, roedd ef wedi cael hen ddigon ar y lle. Caeodd y drws a disgyn y grisiau. Mor wahanol oedd awyr-gylch yr orsaf y tro hwn o'i gymharu â'r teimlad o lwydd-iant a rannai'r swyddogion CID ar ddiwedd yr ymchwiliad cyntaf i lofruddiaeth y bu Gareth yn rhan ohono. Ychydig o foddhad oedd yna, gyda gyrfa Ken Roberts o dan gwmwl a Carol wedi ffoi am adre'n syth ar ôl gwneud ei hadroddiad, yn amlwg yn ei beio'i hun am fethu ag achub Judith Wat-kins. Ac yn ei gell, roedd Arwel Watkins yn galaru am ei wraig ... Na, doedd yna ddim i'w ddathlu y tro hwn.

Ond newidiodd Gareth ei feddwl pan gyrhaeddodd y cyntedd a gweld Carys yn disgwyl amdano. Diolchodd fod ganddo ef rywbeth i'w ddathlu.

'Ers faint wyt ti wedi bod 'ma?'

'Rhyw chwarter awr.'

'Pam na fyddet ti wedi gofyn i rywun fy ffonio i?'

'Fe wedon nhw dy fod ti 'ma, ac ro'n i'n barod i aros. Wyt ti'n rhydd i adel?'

Nodiodd Gareth. 'Odw.'

'Yr ymchwiliad drosodd?'

'Odi, i ni.'

'Pwy ...?'

'Ddim nawr.'

'Iawn.'

'Beth am fynd mas am bryd yn lle'r un gollon ni nos Fawrth?'

'Ddim pryd Tseinïaidd.'

Gwenodd Gareth. 'Iawn.'

Cerddodd y ddau drwy'r drws a bwrw am y maes parcio.

'Sarjant Lloyd!'

Trodd Gareth a gweld Kevin Harry'n rhuthro ar eu holau.

'Ro'n i'n ofni'ch bod chi wedi gadel.'

'Dwi *wedi* gadel, Kevin.'

'Iawn, ond ma' 'da fi gyfatebiad pendant i'r olion bysedd 'na o'dd ar y botel wisgi gethon ni ar bwys y clwb criced.'

'Llongyfarchiade. Gad nhw ar 'y nesg i ac fe a' i ar 'u hôl nhw fory.'

'Dwi wedi neud 'ny'n barod.'

'O?' meddai Gareth, gan edrych yn gyhuddgar ar swyddog man-y-drosedd.

'Wel, ar ôl y busnes 'na 'dag olion bysedd Stephen Llewelyn ro'n i ise neud yn siŵr nad o'dd 'na ddim cawlach gyda'r rhain – ond do'dd 'na ddim cawlach gyda'r rheiny, chwaith, fi o'dd yn iawn ...'

'Wyt ti wedi ca'l enw?'

'Odw,' ac estynnodd ddalen i Gareth. 'Yvonne Ward, merch o Lerpwl. Hanes hir o whare â thân ers iddi losgi 'i gwely mewn cartre plant pan o'dd hi'n saith mlwydd o'd, ac ma' hi wedi cadw ati dros y deuddeng mlynedd dwetha. Ro'dd hi yn y carchar tan ryw bum mis 'nôl am losgi bws, ond ers iddi ddod mas, do's 'da ni ddim cyfeiriad iddi.'

'Dwi'n gwbod ble ma' Yvonne,' meddai Gareth. 'Diolch iti.'

'Croeso,' meddai Kevin Harry gan droi'n ôl at yr adeilad. 'Do'dd e'n ddim mwy na'r gwasanaeth arferol.'

'Yvonne, ai hi o'dd y ferch yn y Jade Dragon?' gofynnodd Carys.

'Ie,' meddai Gareth dan wenu. 'Ma' hi'n gweithio yn y gwersyll draw ym Mhontberian. Bydd mynd 'nôl fan'ny a gweld yr olwg ar wynebe'r ddau glown sy'n gyfrifol am y bobol ifainc yn bleser.' Edrychodd Gareth ar ei oriawr.

'Ro'n i'n meddwl ein bod ni'n mynd mas am bryd,' meddai Carys, gan ddarllen ei feddwl.

'Ma'n ddigon cynnar, fe allwn ni fynd mas wedyn.'

'Na.'

Edrychodd Gareth ar Carys a gweld nad oedd hi'n rhannu ei frwdfrydedd.

'Hanner awr, 'na i gyd. Un jobyn bach cyn cwpla am y dydd.'

'Do's dim rhaid i ti fynd, o's e? Fe alle rhywun arall neud e.'

'Galle, ond dwi ise mynd. Dwi wedi bod yn gweithio ar y tane 'ma ers wythnose – yn crafu am gliwie ac yn ca'l hyd i ddim rhwng un tân a'r nesa.'

'A do's 'da'r ffaith mai'r ddau blismon 'na sy'n gyfrifol am y gwersyll ddim i' neud â dy awydd i fynd i arestio'r ferch?'

Edrychodd Gareth i gyfeiriad mynedfa'r maes parcio. Syllodd yn fud am rai eiliadau ar y ceir yn gyrru heibio ar y ffordd fawr cyn ateb.

'Falle. Ond ro't ti 'na hefyd, Carys. Fe welest ti sut o'n nhw'n ymddwyn. Fe ddioddefest tithe. Funud 'nôl, ti o'dd yn gweud nad o't ti ise pryd Tseinïaidd, wel arnyn nhw'll tri ma'r bai am 'ny, ontefe?'

'Ond dyw hynny ddim yn golygu 'mod i ise dial arnyn nhw.'

'Nid dial yw e.'

'Nage?'

'Nage ...' dechreuodd Gareth ddadlau, ond peidiodd pan glywodd y drws yn agor y tu ôl iddynt a gweld Eifion Rowlands yn cerdded ar draws y maes parcio. Cofiodd Gareth yr olwg ar wyneb Carol Bennett wrth iddi ddisgrifio sut y daeth o hyd i gorff Judith, ac yna Arwel Watkins yn colli pob rheolaeth arno'i hun pan glywodd fod ei wraig wedi marw. Wrth gwrs mai dial oedd e; beth arall yw'r awydd i dalu'r pwyth yn ôl ond dial?

'Ti'n iawn,' meddai gan gilwenu cyn troi i ffwrdd. 'Eifion! Dwyt ti ddim ar frys i fynd adre, wyt ti?'